U0242917

国家出版基金项目
NATIONAL PUBLICATION FOUNDATION

中国中药资源大典

「十三五」国家重点出版物出版规划项目

中国中药资源大典

资源大典

广东卷

②

黄璐琦／总主编

潘超美　黄海波　叶华谷／主　编

北京科学技术出版社

图书在版编目（CIP）数据

中国中药资源大典. 广东卷. 2 / 潘超美, 黄海波,
叶华谷主编. -- 北京：北京科学技术出版社, 2024. 6.
ISBN 978-7-5714-4004-6

Ⅰ. R281.4

中国国家版本馆CIP数据核字第2024CW3493号

责任编辑： 侍　伟　李兆弟　王治华　庞璐璐　吕　慧

责任校对： 贾　荣

图文制作： 樊润琴

责任印制： 李　茗

出 版 人： 曾庆宇

出版发行： 北京科学技术出版社

社　　址： 北京西直门南大街16号

邮政编码： 100035

电　　话： 0086-10-66135495（总编室）　　0086-10-66113227（发行部）

网　　址： www.bkydw.cn

印　　刷： 北京博海升彩色印刷有限公司

开　　本： 889 mm×1 194 mm　　1/16

字　　数： 815千字

印　　张： 36.75

版　　次： 2024年6月第1版

印　　次： 2024年6月第1次印刷

审 图 号： GS京（2023）1758号

ISBN 978-7-5714-4004-6

定　　价：490.00元

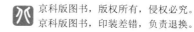

京科版图书，版权所有，侵权必究。
京科版图书，印装差错，负责退换。

《中国中药资源大典·广东卷》
总编写委员会

总　主　编　黄璐琦（中国中医科学院）

主　　　编　潘超美（广州中医药大学）

叶华谷（中国科学院华南植物园）

廖文波（中山大学）

夏念和（中国科学院华南植物园）

晃　志（南方医科大学）

黄海波（广州中医药大学）

严寒静（广东药科大学）

童毅华（中国科学院华南植物园）

童　毅（广州中医药大学）

赵万义（中山大学）

凡　强（中山大学）

编　　　委　（按姓氏笔画排序）

凡　强（中山大学）

王亚荣（中山大学）

王英强（华南师范大学）

邓旺秋（广东省科学院微生物研究所）

叶华谷（中国科学院华南植物园）

叶幸儿（广东药科大学）

付　琳（中国科学院华南植物园）

白　琳（中国科学院华南植物园）

刘基柱（广东药科大学）

严寒静（广东药科大学）

李泰辉 （广东省科学院微生物研究所）

肖凤霞 （广州中医药大学）

何春梅 （广东省林业科学研究院）

张宏伟 （南方医科大学）

陈　娟 （中国科学院华南植物园）

陈秋梅 （广州中医药大学）

林哲丽 （韶关学院）

赵万义 （中山大学）

秦新生 （华南农业大学）

夏　静 （广州白云山和记黄埔中药有限公司）

夏念和 （中国科学院华南植物园）

晁　志 （南方医科大学）

黄海波 （广州中医药大学）

梅全喜 （深圳市宝安区中医院）

彭泽通 （广州中医药大学）

童　毅 （广州中医药大学）

童家赟 （广州中医药大学）

童毅华 （中国科学院华南植物园）

曾飞燕 （中国科学院华南植物园）

楼步青 （广东省中医院）

廖文波 （中山大学）

潘超美 （广州中医药大学）

《中国中药资源大典·广东卷2》

编写委员会

主　　编　潘超美　黄海波　叶华谷

副 主 编　何春梅　夏　静　楼步青

编　　委　（按姓氏笔画排序）

　　　　　王亚荣　叶华谷　丘亮日　李　娟　李　楠　何春梅　但　俊　佘甘树

　　　　　张　明　张冬利　陈　涛　陈秋梅　林　慧　欧能奉　赵万义　班梦梦

　　　　　夏　静　黄　浩　黄凤萍　黄海波　黄嘉凤　龚盼竹　彭泽通　彭嫽霖

　　　　　覃挺红　童毅华　楼步青　廖文波　潘超美

摄　　影　潘超美　叶华谷　廖文波　何春梅　李　楠　彭泽通　夏　静　赵万义

《中国中药资源大典·广东卷 2》

编辑委员会

主任委员　章　健

委　　员　（按姓氏笔画排序）

王明超　王治华　尤竞爽　吕　慧　任安琪　孙　立　严　丹　李小丽

李兆弟　杨朝晖　范　娅　侍　伟　庞璐璐　赵　晶　贾　荣　黄立辉

董桂红

黄 序

　　中药资源是中医药事业传承和发展的物质基础，是关系国计民生的战略性资源。为促进中药资源保护、开发和合理利用，国家中医药管理局组织开展了第四次全国中药资源普查。广东省得天独厚的地理环境，孕育了丰富多样、具有岭南特色的中药资源。《中国中药资源大典·广东卷》对广东省中药资源现状的总结，也是广东省中药资源普查成果的集中体现。

　　本书分上、中、下篇，上篇介绍了广东省中药资源概况、中药资源普查工作及中药资源产业现状等，中篇介绍了广东省23种道地、大宗中药资源的栽培面积、分布区域、资源利用等，下篇为广东省3 514种中药资源的基本信息。本书充分反映了广东省中药资源的最新研究成果，内容丰富，体例新颖，图文并茂，为一部具有较高学术价值和实用价值的工具书。

　　相信本书的出版可为进一步开展中药品质研究与评价、推动中药产业的健康和可持续发展、为地方制定中药产业政策提供支撑，为推动区域经济社会高质量发展贡献力量。

　　欣闻本书即将付梓，乐之为序。

中国工程院院士

中国中医科学院院长

第四次全国中药资源普查技术指导专家组组长

2024 年 4 月

序 言

　　中药资源是中医药事业发展的物质基础，国家高度重视中药资源保护及其可持续利用。我国已开展了 4 次全国范围的中药资源普查，其中第四次全国中药资源普查工作起止时间为 2011—2021 年。第四次全国中药资源普查确认了我国共有 18 817 种药用资源，与第三次普查相比增加了 6 000 多种，其中，3 151 种为我国特有的药用植物，464 种为需要保护的物种；还发现 196 个新物种，其中约 100 种具有潜在药用价值。

　　广东省第四次中药资源普查工作于 2014 年开始、2021 年 11 月结束，历时近 8 年，普查区域实现了对全省全部县级行政区域的覆盖。为推广中药资源普查成果，更好地服务于广东省中药产业发展，广东省第四次全国中药资源普查（试点）工作办公室（以下简称广东省普查办）、广东省中药资源普查（试点）工作技术专家指导委员会组织相关专家、学者和技术人员，从广东省中药资源概况、重点中药资源情况、中药资源监测体系建设、中药材种植生产区划、传统医药知识收集、种质资源圃建设等方面入手，进行了数据统计和细致的整理研究工作，汇总了广东省在中药资源保护、科研和产业等领域取得的一系列成果。一是基本摸清了广东省中药资源家底，为编制《中国中药资源大典·广东卷》提供了翔实的数据。本次普查共发现药用植物 3 443 种，其中涵盖栽培药用植物 185 种；发现新种 8 种，新分布记录属和新分布记录种共 11 种；对区域内水生和耐盐药用资源、菌类药用资源、瑶药资源等进行了专项调研，构建了广东省岭南中药资源信息管理系统。二是建立了广东省中药资源动态监测信息和技术服务体系，形成了区域内中药资源动态监测网络，与国家中药资源动态监测信息和技术服务体系实现了数据共享，形成了长效机制，可实时掌握广东省中药材的产量、流通量、价格和质量等的变化趋势，促进中药产业的健康发展。广东省中药资源普查过程中开展了区域内重点道地药材品种的标准化建设，开展了中药材产业扶贫行动，使中药材生产成为推进乡村振兴的重要抓手，为加快区域中药材产业的发展贡献了力量。三是建立了省级中药材种子种苗繁育基地、省中药药用植物重点物种保存圃和种质资源圃，保存广东省活体中药药用植物种质资源2 639份，从源头上保证了中药材的质量，促进了珍稀、濒危、道地药材的繁育和保护，凸显了中药资源保护和可持续利用工作的重要性。四是在汇总广东省中药资源相关传统知识调查成果的基础上，梳理了广东省岭南地区独特地理气候条件下的人群体质特点，形成了具有地域特色的岭南中医药学体系亮点，如广东凉茶、罗浮山百草油、沙溪凉茶、冯了性风湿跌打药酒、跌打万花油、乌鸡白凤丸等具有岭南特色的中药配伍应用；整理出岭南民间特色治疗验方554首，挖掘、传承、保护与中药资源相关的传统知识。五是汇编出版了《广东省中药资源志要》《梅州中草药图鉴》《乳源瑶医瑶药志要》《岭南采药录考释》等专著。

《中国中药资源大典·广东卷》是对广东省第四次中药资源普查工作成果的全面汇总，是全体普查人员经过多年努力，获得的广东省中药资源现状的第一手资料。《中国中药资源大典·广东卷》由广州中医药大学、中国科学院华南植物园、中山大学、南方医科大学、广东药科大学、华南农业大学等17个普查技术单位的200多位普查技术人员共同编撰完成。全书分为上篇、中篇、下篇，共12册。上篇全面介绍了广东省中药资源生态环境、分布概况，梳理了广东省中药资源和产业现状，对比广东省第三次中药资源普查结果，对广东省野生药用资源分布、人工种植（养殖）中药资源物种的变化、中药材市场流通情况、岭南民间用药特点等进行了分析，并提出了广东省中药资源区划和发展建议；中篇详细地介绍了广东省23种道地、大宗中药资源的资源情况、分布情况、栽培情况、采收应用等内容，为中药材产业的高质量发展提供了技术服务，为中药材生产布局提供了参考；下篇对广东省境内3 514种中药资源物种（药用植物、药用动物、药用矿物）做了图文并茂的介绍，展现了广东省中药资源领域的最新数据信息成果。《中国中药资源大典·广东卷》的出版客观真实地反映了广东省中药资源的整体情况，对广东省乃至全国中药资源的保护、合理利用、开发、科研、教学以及产业规划等将发挥重要的指导作用。

《中国中药资源大典·广东卷》编写委员会

2024 年 3 月

前　言

　　广东省位于我国大陆最南端，北回归线横穿其中部。全省地势北高南低，山脉大多呈东北—西南走向。气候从北向南分别为中亚热带、南亚热带和热带气候，受海洋上的湿润气流影响，夏季高温多雨、多台风，冬季多干旱且有冷空气侵袭。广东省年平均气温为18.9 ~ 23.8 ℃，气温呈南高北低的特点，南端雷州半岛年平均气温最高，为23.8 ℃，粤北山区年平均气温最低，为18.9 ℃；历史极端最高气温为42.0 ℃，极端最低气温为−7.3 ℃。

　　广东省光、热、水资源丰富，得天独厚的地理环境和气候为生物的生长创造了优越的条件，动植物种类繁多，药用植物资源非常丰富。广东省的植被类型有纬度地带性分布的北亚热带季雨林、南亚热带季风常绿阔叶林、中亚热带典型常绿阔叶林和沿海的热带红树林，还有非纬度地带性分布的常绿落叶阔叶混交林、常绿针阔叶混交林、常绿针叶林、竹林、灌丛和草坡，以及水稻、甘蔗和茶树等栽培植被。

　　2014年，广东省启动了第四次中药资源普查工作，到2021年11月普查结束。广东省本次中药资源普查共记录调查信息445 240条、中药资源4 692种（已确认的药用植物3 443种），调查中药材栽培面积14.3万 hm²，涵盖药用植物栽培品种185种；记录病虫害种类351种，调查市场主流药材品种852种，记录传统医药知识信息629条。通过统计分析现有典籍专著和文献记载的广东省药用资源种类信息，结合广东省本次中药资源普查结果，确定广东省现有中药资源种类为3 587种。广东省本次中药资源普查调查代表区域 368 个，调查样地 4 056 个，调查样方套 20 273 个，记录有蕴藏量的中药资源 330 种，收集药材标本 4 977 份、中药材种质资源 2 639 份。此外，本次普查还对广东省菌类和水生、耐盐等药用植物资源进行了专项调研，收载大型药用真菌 217 种，隶属 26 科 46 属；记录水生药用植物资源 160 种、耐盐药用植物资源 269 种。

广东省是我国南药的主产区，与第三次中药资源普查相比，其道地药材和岭南特色药材的生产现状发生了很大的变化。广东省目前生产的道地药材品种主要有春砂仁、何首乌、广藿香、巴戟天、白木香、檀香、穿心莲、肉桂、广陈皮、芡实、山柰、益智等，珍稀野生药材品种有金毛狗、桫椤、青天葵、华南龙胆、蛇足石杉、金线兰等，岭南特色药材品种有莪术、红豆蔻、草豆蔻、甘葛、广山药、猴耳环、溪黄草、凉粉草、九节茶、鸡骨草、广金钱草、牛大力、千斤拔、黑老虎、铁皮石斛等。

广东省是中成药、中药配方颗粒、凉茶的生产大省，每年消耗的中药原料达数千吨，而许多中药原料主要来源于野生资源，导致野生药用资源品种数和蕴藏量均急剧减少。为了保证国家基本药物所需中药原料的可持续利用，广东省大部分制药企业建立了配套的中成药原料基地，还建立了野生中药资源转家种的药材原料基地，主要种植品种有黑老虎、吴茱萸、猴耳环、九里香、白花蛇舌草、溪黄草、紫茉莉、岗梅、毛冬青、两面针、三桠苦、草珊瑚、南板蓝根、山银花、鸡血藤、虎杖、龙脷叶、金樱子、金毛狗、钩藤、土牛膝、佩兰、千年健、山豆根、桃金娘、五指毛桃、无花果、地胆草、紫花杜鹃、裸花紫珠等稀缺原料药材，这些药材种植基地的建立对广东省中药资源的保护和可持续利用具有重要意义。

广东省第四次中药资源普查为广东省中药材产业提供了准确的资源信息，已有的成果数据信息可以更好地服务于产业发展，同时也为区域内主管部门制定相关法规政策提供了数据支撑。我们对广东省近 8 年来的普查数据进行了系统、严谨的梳理和统计，这对促进区域内中药资源的保护和可持续利用、促进地方中药资源产业和国民经济的发展具有重要意义。

《中国中药资源大典·广东卷》编写委员会

2024 年 3 月

凡 例

（1）本书分为上篇、中篇、下篇，共12册。上篇内容包括广东省自然地理概况、广东省第四次中药资源普查实施情况、广东省第四次中药资源普查成果、广东省中药资源发展存在的问题与建议；中篇重点介绍广东省23种道地、大宗中药资源；下篇是各论，共收载植物、动物、矿物等药用资源3 514种，以药用资源物种为单元进行介绍。本书主要参考《中国药典》《中国药材学》《中华本草》《中国植物志》《全国中草药汇编》等，以及历代本草文献等权威著作。为检索方便，本书在第1册正文前收录1 ～ 12册总目录，在页码前均标注了其所在册数（如"[1]"）。同时，还在第12册正文后附有1 ～ 12册所录中药资源的中文笔画索引、拉丁学名索引。

（2）植物分类系统。蕨类植物采用秦仁昌1978年分类系统。裸子植物采用郑万钧1975年分类系统。被子植物采用哈钦松分类系统。少数类群根据最新研究成果稍作调整；属、种按拉丁学名的字母顺序排列。

（3）本书下篇各品种按照其科名及属名、物种名、药材名、形态特征、生境分布、资源情况、采收加工、药材性状、功能主治、用法用量、凭证标本号、附注依次著述，资料不全者项目从略。

1）科名及属名。该项包括科、属的中文名和拉丁学名。

2）物种名。该项包括中文名和拉丁学名。

3）药材名。该项介绍药用部位及药材的别名。未查到药材别名的则内容从略。

4）形态特征。该项简要介绍物种的形态。

5）生境分布。该项介绍物种的生存环境及其在广东省的分布区域，栽培品种则介绍其主产地及道地产区。分布中的地级市专指其城区范围，不涵盖其管辖的县域范围，正文中采用"地级市（市区）"的形式表示，如"茂名（市区）"。

6）资源情况。该项介绍物种的蕴藏量情况，野生资源以丰富、较丰富、一般、较少、稀少表示，并说明药材来源于栽培资源还是野生资源。

7）采收加工。该项简要介绍药材的采收时间、采收方式及加工方法。

8）药材性状。该项主要介绍药材的性状特征。对于民间习用的鲜草药或冷背药材，则此项内容从略。

9）功能主治。该项介绍药材的味、性、毒性、归经、功能和主治。

10）用法用量。该项介绍药材的使用方法及用量范围。

11）凭证标本号。该项为第四次全国中药资源普查收载的物种标本号或补充收录物种的馆藏标本号。依据文献记载补充的经确认广东省已有、普查未收录的物种同时附上中国科学院华南植物园标本馆（IBSC）、深圳市中国科学院仙湖植物园植物标本馆（SZG）、广东省韩山师范学院植物标本室（CZH）等的标本号。补充收录的动物和矿物药用资源的标本号引用《广东中药志》《广东省中药材标准》《中国药用动物志》等文献的记录；菌类药用资源的标本号引用广东省科学院微生物研究所标本馆（GDGM）的标本号。

12）附注。该项简述物种的品种情况、民间使用情况、资源利用情况等内容。

目 录

蕨类植物

铁线蕨科 Adiantaceae 铁线蕨属 Adiantum

团羽铁线蕨

Adiantum capillus-junonis Rupr.

| **药 材 名** | 翅柄铁线蕨（药用部位：全草或根茎。别名：猪鬃草、猪毛针）。

| **形态特征** | 植株高 5 ~ 20 cm。根茎直立，被褐色披针形鳞片。叶簇生；叶柄长 2 ~ 6 cm，纤细，亮栗色；叶片披针形，长 8 ~ 15 cm，宽 2.5 ~ 3.5 cm，一回羽状；叶轴顶部常延伸成鞭状，先端着地生根；羽片 4 ~ 8 对，团扇形或近圆形，长 1 ~ 1.6 cm，宽 1.5 ~ 2 cm，上缘圆形，不育羽片具细齿牙，能育羽片具浅缺刻；叶脉明显；叶轴及羽轴均为栗色。每羽片有孢子囊群 1 ~ 5；囊群盖椭圆形或肾形，上缘平直，纸质，宿存。

| **生境分布** | 生于湿润的石灰岩上、阴湿墙壁基部石缝中或湿润的白垩土上。分布于广东乳源、翁源及广州（市区）等。

| 资源情况 | 野生资源较少。药材来源于野生。

| 采收加工 | 全草，全年均可采收，晒干或鲜用。根茎，除去须根，洗净，晒干。

| 功能主治 | 微苦，凉。归心、膀胱经。清热解毒，利尿，止咳。用于小便不利，血淋，痢疾，咳嗽，瘰疬，乳痈，毒蛇咬伤，烫火伤。

| 用法用量 | 内服煎汤，15 ~ 30 g。外用适量，捣敷。

| 凭证标本号 | 441426140809014LY。

铁线蕨科 Adiantaceae 铁线蕨属 Adiantum

铁线蕨

Adiantum capillus-veneris Linn.

| 药 材 名 | 猪鬃草（药用部位：全草。别名：铁丝草、石中珠、猪毛漆）。

| 形态特征 | 植株高 15 ~ 40 cm。根茎横走，密被鳞片。叶柄纤细，亮栗黑色，约与叶片等长；叶片三角状卵形，长 10 ~ 25 cm，宽 8 ~ 16 cm，中部以上叶片为一回羽状，中部以下羽片多为二回羽状；羽片有柄，基部 1 对羽片较大，长卵形，长 4.5 ~ 9 cm，宽 2.5 ~ 4 cm；顶生小羽片扇形，侧生小羽片 2 ~ 4 对，斜扇形或近斜方形，2 ~ 4 浅裂或深裂，从第 2 对羽片向上各羽片逐渐变小；叶脉明显；叶轴、各回小羽轴略左右弯曲。每羽片有孢子囊群 3 ~ 10；囊群盖圆肾形或长肾形，膜质，全缘。

| 生境分布 | 生于石灰岩地区。分布于广东阳山、乐昌、乳源等。

| 资源情况 | 野生资源丰富。药材来源于野生。

| 采收加工 | 夏、秋季采收，洗净，鲜用或晒干。

| 功能主治 | 苦，凉。归肝、肾经。清热解毒，利水通淋。用于感冒发热，肺热咳嗽，湿热泄泻，痢疾，淋浊，带下，乳痈，瘰疬，疔毒，烫伤，毒蛇咬伤。

| 用法用量 | 内服煎汤，15 ~ 30 g；或浸酒。外用适量，煎汤洗；或研末敷。

| 凭证标本号 | 441823200722050LY、440785180505014LY、441827180422042LY。

铁线蕨科 Adiantaceae 铁线蕨属 Adiantum

鞭叶铁线蕨

Adiantum caudatum Linn.

| 药 材 名 |

鞭叶铁线蕨（药用部位：全草。别名：有尾铁线蕨、黑脚蕨）。

| 形态特征 |

植株高 15 ~ 35 cm。根茎直立，被鳞片。叶簇生；叶柄长 5 ~ 15 cm，密被褐色长硬毛；叶片线状披针形，长 10 ~ 30 cm，宽 2 ~ 4 cm，一回羽状，叶轴先端常延伸成鞭状，着地生根；羽片约 30 对，为对开式的斜长方形或近三角形，仅上缘深裂成许多条形裂片，下缘通直且全缘，下部羽片常反折，逐渐缩小；叶两面疏被棕色长硬毛；叶轴栗色，疏被毛。每羽片有孢子囊群 5 ~ 12；囊群盖肾形至圆形，被毛，全缘。

| 生境分布 |

生于林下或溪谷石缝中。分布于广东信宜、阳春、封开、英德、仁化、乳源及深圳（市区）、汕头（市区）、茂名（市区）、阳江（市区）、清远（市区）等。

| 资源情况 |

野生资源丰富。药材来源于野生。

采收加工	夏、秋季采收，洗净，晒干。
功能主治	苦、微甘，寒。归大肠、肾经。清热解毒，利水消肿。用于痢疾，水肿，小便淋浊，乳痈，烫火伤，毒蛇咬伤，口腔溃疡。
用法用量	内服煎汤，30～60 g。外用适量，研末撒。
凭证标本号	441823190612031LY、441422190715102LY。

铁线蕨科 Adiantaceae 铁线蕨属 Adiantum

扇叶铁线蕨 *Adiantum flabellulatum* Linn.

| 药 材 名 | 过坛龙（药用部位：全草。别名：铁线草、黑脚蕨、秧居草）。

| 形态特征 | 植株高 20 ~ 40 cm。根茎直立，被鳞片。叶簇生；叶柄长 10 ~ 30 cm，亮紫黑色；叶片扇形，长 10 ~ 25 cm，2 ~ 3 回掌状二叉分枝，中央羽片通常较长，线状披针形，长 6 ~ 15 cm，宽 1.5 ~ 2 cm，奇数一回羽状；小羽片平展，中部以下小羽片大小近相等，长 6 ~ 15 mm，宽 5 ~ 10 mm，对开式，能育小羽片为半圆形，不育小羽片为斜方形，内缘及下缘平直且全缘，外缘及上缘近圆形；各回羽轴均为紫黑色，上面被红棕色短刚毛。每小羽片有孢子囊群 2 ~ 5，孢子囊群横生于裂片上缘和外缘；囊群盖上缘平直，全缘。

| 生境分布 | 生于疏林下及林缘酸性土壤中。广东各地均有分布。

| **资源情况** | 野生资源丰富。药材来源于野生。

| **采收加工** | 全年均可采收，洗净，鲜用或晒干。

| **功能主治** | 苦、辛，凉。归肝、膀胱、大肠经。清热利湿，解毒散结。用于流行性感冒发热，泄泻，痢疾，黄疸，石淋，痈肿，瘰疬，蛇虫咬伤，跌打肿痛。

| **用法用量** | 内服煎汤，15 ～ 30 g，鲜品加倍；或捣汁。外用适量，捣敷；研末撒或调敷。

| **凭证标本号** | 440281190629013LY、441825190712003LY、441284190816457LY。

铁线蕨科 Adiantaceae 铁线蕨属 Adiantum

白垩铁线蕨 *Adiantum gravesii* Hance

| 药 材 名 | 白垩铁线蕨（药用部位：全草。别名：猪鬃草）。

| 形态特征 | 植株高 6 ~ 15 cm。根茎短小而直立，被鳞片。叶簇生；叶柄长 2 ~ 8 cm，纤细，栗黑色或栗色，有光泽；叶片椭圆形或卵状披针 形，长 3 ~ 8 cm，宽 1.5 ~ 2.5 cm，一回羽状；羽片 2 ~ 5 对，互生，阔倒卵形或三角状阔倒卵形，长、宽均约 1 cm，基部楔形，背面灰 白色，叶轴纤细，先端有时延伸，着地生根；叶柄、羽轴及羽柄均 为栗黑色；叶脉多回二歧分枝。每羽片通常有孢子囊群 1；囊群盖 肾形或新月形，上缘弯凹。

| 生境分布 | 生于潮湿的石灰岩壁或山沟白垩土上。分布于广东阳春、连州、乐昌、 仁化、乳源及肇庆（市区）等。

| **资源情况** | 野生资源较少。药材来源于野生。

| **采收加工** | 夏、秋季采收，洗净，晒干。

| **功能主治** | 甘，凉。利水通淋，清热解毒。用于热淋，血淋，水肿，乳糜尿，乳痈，睾丸炎。

| **用法用量** | 内服煎汤，10 ～ 15 g。

| **凭证标本号** | 441823200724012LY。

铁线蕨科 Adiantaceae 铁线蕨属 Adiantum

假鞭叶铁线蕨 *Adiantum malesianum* Ghatak

| 药 材 名 | 岩风子（药用部位：全草。别名：马来铁线蕨、过山龙）。

| 形态特征 | 植株高 5 ~ 25 cm。根茎直立，密被鳞片。叶簇生；叶柄长 5 ~ 20 cm，有密毛；叶片线状披针形，长 10 ~ 30 cm，宽 2 ~ 4 cm，一回羽状，叶轴先端通常延伸成鞭状着地生根；羽片约 25 对，平展，基部 1 对羽片不缩小，扇形或半圆形，向上的羽片为对开式，长 1 ~ 2 cm，宽 6 ~ 10 mm，上缘和外缘深裂；裂片长方形，先端凹陷，下缘和内缘平直；叶上面疏生短刚毛，下面密被棕色硬毛和紧贴的短刚毛；叶轴和叶柄栗色，密被长硬毛，先端通常延伸成鞭状。每羽片有孢子囊群 5 ~ 12；囊群盖圆肾形，上缘平直，有密毛，全缘。

| **生境分布** | 生于山坡灌丛下岩石上或石缝中。分布于广东连州、肇庆（市区）、清远（市区）、佛山（市区）及珠江口岛屿等。 |

| **资源情况** | 野生资源较少。药材来源于野生。 |

| **采收加工** | 夏、秋季采收，洗净，晒干。 |

| **功能主治** | 苦，凉。归大肠、肾经。利水通淋，清热解毒。用于淋证，水肿，乳痈，疮毒。 |

| **用法用量** | 内服煎汤，10 ~ 15 g。 |

| **凭证标本号** | 440882180429080LY、440781191105005LY、441882190617020LY。 |

铁线蕨科 Adiantaceae 铁线蕨属 Adiantum

半月形铁线蕨 *Adiantum philippense* Linn.

| **药 材 名** | 黑龙丝（药用部位：全草。别名：菲岛铁线蕨、猪鬃草、龙兰草）。

| **形态特征** | 植株高 15 ~ 55 cm。根茎短而直立，连同叶柄基部密被鳞片。叶簇生；叶柄长 5 ~ 20 cm，亮栗色；叶片阔披针形，长 15 ~ 35 cm，宽 3 ~ 8 cm，奇数一回羽状；羽片 8 ~ 14 对，互生，有细长的柄，对开式的羽片半月形或半圆肾形，长 1.5 ~ 4 cm，宽 1 ~ 2.5 cm，上缘及外缘圆形，顶生羽片扇形，略大于侧生羽片；叶轴先端有时延伸成鞭状，着地生根；叶脉多回二歧分枝；叶轴及羽轴均为亮栗色。每羽片有孢子囊群 2 ~ 5，以缺刻分开；囊群盖长椭圆形，全缘。

| **生境分布** | 生于林下阴处、石隙及阴湿溪沟边的酸性土壤中。分布于广东高州、

信宜、阳春、德庆、博罗、惠东、大埔、乐昌及广州（市区）、惠州（市区）、茂名（市区）等。

| **资源情况** | 野生资源较少。药材来源于野生。

| **采收加工** | 全年均可采收，鲜用或晒干。

| **功能主治** | 淡，平。归肺、膀胱经。清肺止咳，利水通淋，消痈下乳。用于肺热咳嗽，小便淋痛，乳痈肿痛，乳汁不下。

| **用法用量** | 内服煎汤，10 ~ 30 g。外用适量，鲜品捣敷。

| **凭证标本号** | 441422190414481LY。

水蕨科 Parkeriaceae 水蕨属 *Ceratopteris*

水蕨

Ceratopteris thalictroides (Linn.) Brongn.

| 药 材 名 | 水蕨（药用部位：全草。别名：龙须菜、水松草、水芹菜）。

| 形态特征 | 水生草本，高 30 ~ 80 cm，绿色，多汁。根茎短而直立，以须根固着于淤泥中。叶簇生，二型；不育叶叶柄长 10 ~ 40 cm，圆柱形，肉质，叶片直立或漂浮，椭圆形，长 10 ~ 30 cm，宽 5 ~ 15 cm，2 ~ 4 回深羽裂，末回裂片披针形，宽约 6 mm；能育叶较大，三角状卵形，长 15 ~ 40 cm，宽 10 ~ 22 cm，2 ~ 3 回羽状深裂，末回裂片条形，角果状，宽约 2 mm，边缘薄而透明，反卷。孢子囊沿能育叶裂片的网脉着生，稀疏，幼时被反卷的叶缘覆盖，成熟后多少张开。

| 生境分布 | 生于池沼、水田、水沟等的淤泥中。分布于广东徐闻、怀集、德庆、

海丰、翁源及阳江（市区）、深圳（市区）等。

| 资源情况 | 野生资源较少。药材来源于野生。

| 采收加工 | 夏、秋季采收，洗净泥土，晒干或鲜用。

| 药材性状 | 本品根茎短，密生须根。叶二型，多汁，无毛；叶柄肉质；能育叶与不育叶同形但较高，分裂较深较细，末回裂片线形。孢子囊沿网脉疏生。气微，味甘、苦。

| 功能主治 | 苦，寒。归脾、胃、大肠经。消积，散瘀，解毒，止血。用于腹中痞块，痢疾，小儿胎毒，疮疖，跌打损伤，外伤出血。

| 用法用量 | 内服煎汤，15 ～ 30 g。外用适量，捣敷。

| 附　注 | 本种为国家二级重点保护野生植物。

| 凭证标本号 | 441781140717047LY、441283140920261LY、440825150129024LY。

缪绅裕提供

裸子蕨科 Hemionitidaceae 凤丫蕨属 Coniogramme

凤丫蕨 *Coniogramme japonica* (Thnub.) Diels

| 药 材 名 |

散血莲（药用部位：全草。别名：凤丫草、活血莲、凤丫蕨）。

| 形态特征 |

植株高 60 ～ 120 cm。根茎长而横走，被鳞片。叶疏生；叶柄长 30 ～ 50 cm，禾秆色或栗褐色；叶片三角状卵形，长达 50 cm，宽 20 ～ 30 cm，二回羽状；羽片 3 ～ 5 对，基部 1 对羽片最大，长 20 ～ 35 cm；侧生小羽片 1 ～ 3 对，披针形，长 10 ～ 15 cm，顶生小羽片较大；第 2 对羽片三出、二叉或单一，和其下羽片的顶生小羽片同形；叶脉网状，在主脉两侧形成 2 ～ 3 行狭长网眼。孢子囊群沿叶脉分布，几达叶边；囊群盖无。

| 生境分布 |

生于湿润林下和山谷阴湿处。分布于广东连南、连州、平远、和平、乳源等。

| 资源情况 |

野生资源丰富。药材来源于野生。

| 采收加工 |

全年或秋季采收，洗净，鲜用或晒干。

| 药材性状 | 本品根茎被褐棕色鳞片。叶纸质，无毛，干后呈淡绿色；叶柄黄棕色。孢子囊群沿叶脉分布，无盖。气微，味苦。

| 功能主治 | 辛、微苦，凉。归肝经。祛风除湿，散血止痛，清热解毒。用于风湿关节痛，瘀血腹痛，闭经，跌打损伤，目赤肿痛，乳痈，肿毒初起。

| 用法用量 | 内服煎汤，15 ~ 30 g；或浸酒。

| 凭证标本号 | 441823190929032LY、441623180809018LY、440281190815002LY。

书带蕨科 Vittariaceae 书带蕨属 Vittaria

细柄书带蕨 Vittaria filipes Christ

| **药 材 名** | 回阳生（药用部位：全草。别名：树韭菜）。

| **形态特征** | 植株高 15 ～ 30 cm。根茎横走，与叶柄基部均密被鳞片。叶近生；叶柄短而纤细，长 2 ～ 4 cm；叶片狭线形，长 10 ～ 25 cm，宽 1 ～ 3 mm，先端渐尖，基部渐狭而下延于叶柄，全缘；中脉在上面不甚明显或略凹陷，在下面隆起，侧脉斜上并和边脉联结成网眼。孢子囊群着生于叶缘的浅沟中，多少离开中脉，中脉与边脉之间的叶肉平坦，幼时为反卷的叶边所覆盖，成熟时露出。

| **生境分布** | 附生于树干或林下岩石上。分布于广东博罗、蕉岭、乐昌、翁源、乳源及广州（市区）等。

刘浩提供

| **资源情况** | 野生资源较少。药材来源于野生。

| **采收加工** | 全年均可采收，洗净，鲜用或晒干。

| **药材性状** | 本品根茎密被灰褐色、有虹色光彩的钻状披针形鳞片。叶柄短而纤细；叶片纸质，条形，长 10 ~ 25 cm，宽 1 ~ 3 mm，基部下延于叶柄。孢子囊群生于叶缘。气微，味微涩。

| **功能主治** | 辛，微温。活血祛风，理气止痛。用于跌打损伤，筋骨疼痛麻木，胃气痛，小儿惊风。

| **用法用量** | 内服煎汤，10 ~ 15 g。外用适量，鲜品捣敷。

| **附　　注** | FOC 将本种并入书带蕨 *Haplopteris flexuosa* (Fée) E. H. Crane 中。

刘浩提供

书带蕨科 Vittariaceae 书带蕨属 Vittaria

书带蕨

Vittaria flexuosa (Fée) E. H. Crane

| 药 材 名 | 书带蕨（药用部位：全草。别名：晒不死、马尾七、卷槽还阳）。

| 形态特征 | 植株高 20 ~ 40 cm。根茎横走，密被鳞片。叶簇生，近无柄；叶片狭线形，长 20 ~ 40 cm，宽 3 ~ 8 mm，先端渐尖，基部下延成狭翅，全缘；中脉在上面不明显或稍凹陷，在下面隆起，小脉不明显。孢子囊群线形，着生于近叶缘的浅沟中，远离中脉，浅沟内缘隆起。

| 生境分布 | 附生于树干或林下岩石上。分布于广东信宜、阳春、德庆、英德、阳山、博罗、龙门、蕉岭、翁源、新丰、乳源及肇庆（市区）、梅州（市区）等。

| 资源情况 | 野生资源较少。药材来源于野生。

| 采收加工 | 全年或夏、秋季采收，洗净，鲜用或晒干。 |

| 药材性状 | 本品根茎细长，圆柱形，长短不一，表面灰棕色，被黑褐色钻状披针形鳞片，上面有呈圆柱状凸起的叶痕，下面有棕色须根；质坚脆，易折断。叶柄极短或几无柄；叶片革质，条形，干后呈灰棕色或棕绿色，叶缘反卷，中脉在上面下凹，两面均具明显纵棱，有的下面纵棱边脉上有棕色孢子囊群。气微，味淡。 |

| 功能主治 | 苦、涩，凉。归心、肝经。疏风清热，舒筋止痛，健脾消疳，止血。用于小儿急惊风，目翳，跌打损伤，风湿痹痛，小儿疳积，干血痨，咯血，吐血。 |

| 用法用量 | 内服煎汤，9 ~ 30 g，鲜品可用 60 ~ 90 g；研末；或浸酒。 |

| 凭证标本号 | 441421181024437LY、440232160114048LY。 |

书带蕨科 Vittariaceae 书带蕨属 Vittaria

平肋书带蕨 *Vittaria fudzinoi* (Makino) E. H. Crane

| 药 材 名 | 树韭菜（药用部位：全草。别名：龙须草、木莲金、丝带蕨）。

| 形态特征 | 植株高 30 ～ 40 cm。根茎短而横走，与叶柄基部均密被鳞片。叶近生，近无柄；叶片狭线形，长 30 ～ 40 cm，宽 3 ～ 5 mm，先端渐尖，基部渐狭并下延，全缘；中脉在叶片上面凸起，其两侧叶片凹陷成纵沟，叶下面中脉明显，通常宽而扁，两侧有宽阔的不育带，侧脉不明显。孢子囊群线形，着生于叶缘的边脉上，布满于中脉与叶边之间的沟。

| 生境分布 | 附生于树干或林下岩石上。分布于广东乳源。

| 资源情况 | 野生资源较少。药材来源于野生。

| 采收加工 | 全年均可采收，洗净，鲜用或晒干。

| 药材性状 | 本品根茎短，基部密被蓬松的棕褐色长钻状鳞片。叶几无柄；叶片厚纸质或革质，狭线形，干后呈绿色或褐绿色。孢子囊群沿叶缘着生，外侧被反卷的叶边遮盖。气微，味苦、涩。

| 功能主治 | 微苦，微温。归肝、胃经。理气，活血，止痛。用于跌打损伤，筋骨疼痛，劳伤痛，胃气痛，小儿惊风，疳积，目翳，干血痨。

| 用法用量 | 内服煎汤，15 ~ 30 g，大剂量可用至 90 g；或浸酒。外用适量，鲜品捣敷。

书带蕨科 Vittariaceae 书带蕨属 Vittaria

小叶书带蕨 *Vittaria modesta* Hand.-Mazz.

| 药 材 名 | 矮叶书带蕨（药用部位：全草）。

| 形态特征 | 植株高 4 ~ 14 cm。根茎短而横走，与叶柄基部均密被鳞片。叶近生；叶柄短；叶片狭线形，长 5 ~ 12 cm，宽 1 ~ 3 mm，基部渐狭而下延于叶柄，边缘反卷且在中脉两侧形成纵沟；中脉在上面稍凹陷，在下面隆起。孢子囊群着生于中部以上的叶缘，满布于中脉与叶边之间的纵沟，沟的内缘不具隆起的棱脊，通常被反卷的叶缘覆盖。

| 生境分布 | 附生于林下岩石或树干上。分布于广东乳源。

| 资源情况 | 野生资源较少。药材来源于野生。

| 采收加工 | 全年均可采收，洗净，鲜用或晒干。 |

| 药材性状 | 本品根茎细弱，被黑褐色且有虹色光泽的披针形鳞片。叶柄短；叶片近革质，狭线形。孢子囊群在近叶边缘处着生，常被反卷的叶缘所包被。气微，味苦、涩。 |

| 功能主治 | 苦、涩，平。归肝、肾经。舒筋活络，接骨止痛。用于跌打损伤，骨折。 |

| 用法用量 | 内服煎汤，10～15 g。外用适量，鲜品捣敷。 |

| 附　注 | FOC 将本种并入书带蕨 *Haplopteris flexuosa* (Fée) E. H. Crane 中。 |

蹄盖蕨科 Athyriaceae 短肠蕨属 Allantodia

毛柄短肠蕨 *Allantodia dilatata* (Bl.) Ching

| 药 材 名 | 毛柄短肠蕨（药用部位：根茎。别名：膨大短肠蕨、毛柄双盖蕨）。

| 形态特征 | 植株高 1 ～ 1.5 m。根茎直立，先端和叶柄基部均密被鳞片。叶簇生；叶柄长 30 ～ 60 cm；叶片长三角形，长 60 ～ 100 cm，宽约 80 cm，二回羽状；羽片 8 ～ 12 对，有短柄，椭圆状披针形，长达 50 cm，宽 20 ～ 25 cm，先端渐尖；小羽片 10 ～ 20 对，披针形，长达 10 cm，宽约 2 cm，边缘具圆齿或羽裂达 1/3 ～ 1/2，裂片长圆形，先端圆形或头钝，具细锯齿；每裂片有小脉 5 ～ 8 对。孢子囊群线形，每裂片有孢子囊群 5 ～ 7 对；囊群盖线形，膜质，宿存。

| 生境分布 | 生于山谷、溪边、林下潮湿处。分布于广东信宜、新兴、英德及广州（市区）、清远（市区）、云浮（市区）等。

| 资源情况 | 野生资源丰富。药材来源于野生。

| 采收加工 | 全年或秋季采挖，洗净泥土，除去须根，晒干。

| 功能主治 | 微苦，凉。归大肠经。清热解毒，祛湿，驱虫。用于肠炎，流行性感冒，肝炎，疮疖，肠道寄生虫病。

| 用法用量 | 内服煎汤，15 ～ 30 g。

| 凭证标本号 | 441825190805006LY、441827180716044LY、441422190726619LY。

| 附　　注 | FOC 将本种置于双盖蕨属 *Diplazium* 中，并将其拉丁学名修订为 *Diplazium dilatatum* Blume。

蹄盖蕨科 Athyriaceae 假蹄盖蕨属 Athyriopsis

假蹄盖蕨 *Athyriopsis japonica* (Thunb.) Ching

| 药 材 名 | 小叶凤凰尾巴草（药用部位：全草或根茎。别名：日本双盖蕨）。

| 形态特征 | 植株高 30 ~ 50 cm。根茎细长而横走，疏被鳞片。叶疏生；叶柄长 15 ~ 25 cm，禾秆色，基部疏被短毛和小鳞片；叶片狭椭圆形至长卵形，长 20 ~ 30 cm，宽 6 ~ 10 cm，2 回深羽裂；羽片约 10 对，互生，通常呈披针形，中部以下羽片长 5 ~ 8 cm，宽 1 ~ 2 cm，先端渐尖，羽状深裂达羽轴两侧的阔翅；裂片 10 ~ 14 对，长圆形，边缘波状；叶脉羽状，每裂片有侧脉 5 ~ 6 对；叶轴疏生浅棕色披针形小鳞片及节状柔毛，羽片上面仅沿中肋有短节毛，下面沿中肋及裂片主脉疏生节状柔毛。孢子囊群短线形，通常沿侧脉的上侧单生或仅在基部双生；囊群盖膜质，边缘啮蚀状。

生境分布	生于山谷、溪边、林下潮湿处。分布于广东阳春、英德、紫金、和平、始兴、翁源及广州（市区）、肇庆（市区）等。
资源情况	野生资源丰富。药材来源于野生。
采收加工	全年或秋季采挖，洗净，鲜用或晒干。
功能主治	微苦、涩，凉。归肝、肺经。清热解毒。用于疮疡肿毒，乳痈，目赤肿痛。
用法用量	内服煎汤，15 ~ 30 g。外用适量，鲜草捣敷。
凭证标本号	441422190716307LY。
附 注	FOC 将本种置于对囊蕨属 *Deparia* 中。

蹄盖蕨科 Athyriaceae 蹄盖蕨属 Athyrium

华东蹄盖蕨 *Athyrium niponicum* (Mett.) Hance

| 药 材 名 | 华东蹄盖蕨（药用部位：全草。别名：小叶山鸡尾巴草、牛心贯众）。

| 形态特征 | 植株高约35 cm。根茎横走，先端及叶柄基部均密被鳞片。叶近生；叶柄长 9 ~ 12 cm，基部褐色，明显膨大；叶片长卵形，长17 ~ 20 cm，中部宽约12 cm，先端突然狭缩成长渐尖，通常3回羽裂；羽片 6 ~ 8 对，中部羽片最长，阔披针形；小羽片 10 ~ 12 对，基部与羽轴合生，羽状浅裂至半裂，裂片线形，具尖头；羽轴和主脉上面均不具肉质尖刺。孢子囊群椭圆形、钩形或马蹄形，通常每裂片有孢子囊群 1；囊群盖同形，膜质，宿存。

| 生境分布 | 生于山坡林下。分布于广东北江沿岸地区等。

| 资源情况 | 野生资源较少。药材来源于野生。

| 采收加工 | 全年或夏、秋季采收，洗净，鲜用或晒干。

| 功能主治 | 苦，凉。清热解毒，止血，驱虫。用于疮疖，肿毒。

| 用法用量 | 内服煎汤，10 ~ 15 g。外用适量，鲜品捣敷。

| 附　注 | FOC 将本种置于安蕨属 *Anisocampium* 中，并将其名称修订为日本安蕨 *Anisocampium niponicum* (Mett.) Yea C. Liu, W. L. Chiou & M. Kato。

蹄盖蕨科 Athyriaceae 蹄盖蕨属 Athyrium

软刺蹄盖蕨 *Athyrium strigillosum* (Moore ex Lowe) Moore ex Salom

| 药 材 名 | 粗毛蹄盖蕨（药用部位：全草或叶。别名：糙毛蹄盖蕨）。

| 形态特征 | 植株高 30 ~ 50 cm。根茎直立，先端及叶柄基部均被鳞片。叶簇生；叶柄长 10 ~ 20 cm，基部被鳞片；叶轴上部疏被鳞片；叶片长圆形至卵状披针形，长 20 ~ 30 cm，宽 10 ~ 15 cm，先端渐尖，基部稍缩短，二回羽状；羽片约 18 对，斜展，线状披针形或长圆状披针形，长 7 ~ 10 cm，宽 2 ~ 3 cm，先端渐尖成尾状；小羽片 12 ~ 16 对，边缘锐裂达 1/2，裂片先端有长尖锯齿；叶脉明显；羽轴及小羽轴被软刺，叶轴近顶部常有 1 腋生且被鳞片的芽孢。孢子囊群长圆形，通常每裂片有孢子囊群 1，稍弯曲；囊群盖膜质，最后脱落。

| 生境分布 | 生于山谷、溪边、林下潮湿处。分布于广东乐昌。

| **资源情况** | 野生资源较少。药材来源于野生。

| **采收加工** | 全年均可采收，洗净，鲜用或晒干。

| **功能主治** | 微苦，凉。清热解毒，收敛止血。用于痢疾，痈肿，外伤出血。

| **用法用量** | 内服煎汤，10 ~ 15 g。外用适量，鲜叶捣敷；或干品研末敷。

蹄盖蕨科 Athyriaceae 双盖蕨属 Diplazium

厚叶双盖蕨 *Diplazium crassiusculum* Ching

| 药 材 名 | 厚叶双盖蕨（药用部位：全草）。

| 形态特征 | 植株高 60 ~ 130 cm。根茎先端及叶柄基部均密被鳞片。叶簇生；叶柄长 30 ~ 50 cm；叶片椭圆形或卵形，长 25 ~ 50 cm，宽 15 ~ 25 cm，一回羽状，偶为单叶；顶生羽片与侧生羽片同形且同大，侧生羽片 2 ~ 3 对，有短柄，椭圆状披针形，长 15 ~ 25 cm，宽 4 ~ 5 cm，先端短渐尖，基部圆楔形，边缘仅中上部有细锯齿；主脉明显，每组有小脉 3 ~ 4。孢子囊群长线形，通常单生于每组小脉上侧；囊群盖同形，膜质。

| 生境分布 | 生于山谷林下。分布于广东信宜、怀集、英德、连州、连南、乐昌及珠海（市区）、汕头（市区）、韶关（市区），以及鼎湖山、罗

浮山等。

| **资源情况** | 野生资源丰富。药材来源于野生。

| **采收加工** | 全年均可采收，洗净，鲜用或晒干。

| **功能主治** | 微苦，寒。清热解毒，利尿，通淋。

| **用法用量** | 内服煎汤，15 ~ 30 g。

| **凭证标本号** | 441823200708037LY、441623180912028LY、441827180814013LY。

蹄盖蕨科 Athyriaceae 双盖蕨属 Diplazium

双盖蕨 *Diplazium donianum* (Mett.) Tard.-Blot

| 药 材 名 | 梳篦叶（药用部位：全草。别名：金鸡尾、年年松、大克蕨）。

| 形态特征 | 植株高 30 ~ 60 cm。根茎横走，粗壮，密生肉质粗根，先端及叶柄基部均密被鳞片。叶近生；叶柄长 15 ~ 30 cm，禾秆色，坚硬；叶片椭圆形或卵形，长 20 ~ 40 cm，宽 15 ~ 20 cm，一回羽状；侧生羽片 3 ~ 5 对，斜向上，有短柄，卵状披针形，长 10 ~ 15 cm，宽 2.5 ~ 5 cm，先端渐尖，基部阔楔形，全缘或仅中上部具疏锯齿，顶生羽片和侧生羽片同形；叶脉明显，每组小脉 3 ~ 5，直达叶边。孢子囊群线形，双生，生于上、下侧的小脉上，每组小脉有孢子囊群 1 ~ 2，囊群盖同形，膜质。

| 生境分布 | 生于山谷林下。分布于广东阳春、新兴、郁南、大埔、始兴、翁源

及肇庆（市区）、茂名（市区）、惠州（市区）等。

| **资源情况** | 野生资源丰富。药材来源于野生。

| **采收加工** | 全年均可采收，洗净，鲜用或晒干。

| **功能主治** | 微苦，寒。清热利湿，凉血解毒。用于湿热黄疸，蛇咬伤，外伤出血，痛经。

| **用法用量** | 内服煎汤，15 ~ 30 g。外用适量，鲜品捣敷；或干品研末敷。

| **凭证标本号** | 441523200105054LY、441225180722143LY、441422210225683LY。

单叶双盖蕨

Diplazium subsinuatum (Wall. ex Hook. et Grew.) Tagawa

| 药 材 名 | 篦梳剑（药用部位：全草或根茎。别名：山鸭蕨、小石剑、小金刀）。

| 形态特征 | 植株高 15 ～ 40 cm。根茎细长且横走，被鳞片。单叶，远生，相距 1.5 ～ 3 cm；叶柄长 8 ～ 15 cm，基部被鳞片；叶片长披针形，长 10 ～ 25 cm，宽 2 ～ 3 cm，两端渐狭，全缘或呈波状；主脉在两面均明显，小脉斜展，每组小脉 3 ～ 4。孢子囊群线形，长 4 ～ 8 mm，单生，偶双生，斜展，每组小脉通常有孢子囊群 1，孢子囊群着生于上侧小脉；囊群盖线形，膜质。

| 生境分布 | 生于林下、溪边、路旁湿地。广东各地均有分布。

| 资源情况 | 野生资源丰富。药材来源于野生。

| 采收加工 | 全年或夏、秋季采收，洗净，鲜用或晒干。

| 功能主治 | 苦、涩，微寒。归肺、肾经。止血通淋，清热解毒。用于咯血，淋证，尿血，小儿疳积，脚癣。

| 用法用量 | 内服煎汤，15 ~ 30 g。外用适量，捣敷。

| 凭证标本号 | 441825190801006LY、441324181215019LY、441523190515016LY。

| 附   注 | FOC 将本种置于对囊蕨属 *Deparia* 中，并将其拉丁学名修订为 *Deparia lancea* Fraser-Jenk.。

蹄盖蕨科 Athyriaceae 介蕨属 Dryoathyrium

华中介蕨 *Dryoathyrium okuboanum* (Makino) Ching

| 药 材 名 | 小叶山鸡尾巴草（药用部位：全草。别名：深裂介蕨、横蕨）。

| 形态特征 | 植株高 60 ~ 120 cm。根茎横走，与叶柄基部均疏被鳞片。叶近生；叶柄长 20 ~ 35 cm；叶片长卵形，长 50 ~ 70 cm，宽 30 ~ 40 cm，二回羽状至 3 回羽裂；羽片 10 ~ 16 对，互生，基部 1 对羽片显著缩短，中部羽片较大，椭圆状披针形，长 15 ~ 30 cm，宽 7 ~ 10 cm；小羽片椭圆状披针形，中部小羽片长 4 ~ 7 cm，先端钝，基部与羽轴合生，并以狭翅相连，边缘羽状半裂；裂片长方形，全缘；叶脉明显，羽状；叶无毛或仅羽轴上疏被短毛。孢子囊群圆形，沿小羽轴两侧各成 1 行；囊群盖通常呈马蹄形或圆肾形，宿存。

| 生境分布 | 生于山谷林下。分布于广东乳源。

| **资源情况** | 野生资源较少。药材来源于野生。

| **采收加工** | 全年或夏、秋季采收，洗净，鲜用或晒干。

| **功能主治** | 淡、涩，凉。归心经。清热消肿。用于疮疖，肿毒。

| **用法用量** | 内服煎汤，10 ~ 15 g。外用适量，鲜品捣敷。

| **附　　注** | FOC 将本种置于对囊蕨属 *Deparia* 中，并将其拉丁学名修订为 *Deparia okuboana* (Makino) M. Kato。

肿足蕨科 Hypodematiaceae 肿足蕨属 Hypodematium

肿足蕨
Hypodematium crenatum (Forssk.) Kuhn

药 材 名	小金狗（药用部位：全草或根茎。别名：金丝矮陀陀、活血草、青蕨）。
形态特征	植株高 20 ~ 60 cm。根茎横卧，与叶柄基部均密被亮红棕色鳞片。叶近生；叶柄长 10 ~ 25 cm，禾秆色，基部膨大；叶片两面密被柔毛，三角状卵形，长、宽均为 10 ~ 30 cm，4 回羽裂；羽片 5 ~ 10 对，互生，有柄，基部 1 对羽片最大，三角状卵形，羽轴下侧的小羽片较上侧的大，基部下侧 1 小羽片特大，长椭圆形，长 2 ~ 7 cm，基部宽 1 ~ 4 cm，末回裂片椭圆形，边缘微波状；叶脉明显，羽状。孢子囊群圆形，生于小脉中部；囊群盖大，圆肾形或马蹄形，密被柔毛。
生境分布	生于石灰岩缝中。分布于广东阳春、阳山、连山及云浮（市区）、

肇庆（市区）等。

| 资源情况 | 野生资源丰富。药材来源于野生。

| 采收加工 | 全年或夏、秋季采收全草，夏、秋季采挖根茎，洗净，鲜用或晒干。

| 药材性状 | 本品根茎粗壮，与叶柄基部均密被亮红棕色的膜质披针形鳞片。叶柄纤细，基部膨大成纺锤状。叶片破碎，4回羽裂，草质，两面密被灰白色柔毛。孢子囊群圆形；囊群盖灰色，圆肾形或马蹄形，有密柔毛。质轻易断。气微，味淡。

| 功能主治 | 微苦，凉。清热解毒，除湿消肿，止血生肌。用于疮毒，乳痈，泄泻，痢疾，风湿痹痛，淋证，水肿，外伤出血。

| 用法用量 | 内服煎汤，9 ~ 15 g。外用适量，捣敷。

| 凭证标本号 | 441823200102014LY。

金星蕨科 Thelypteridaceae 星毛蕨属 Ampelopteris

星毛蕨 *Ampelopteris prolifera* (Retz.) Copel.

| 药 材 名 | 星毛蕨（药用部位：全草）。

| 形态特征 | 植株蔓生，长 50 ~ 170 cm。根茎横走，与叶柄基部均疏被鳞片。叶簇生或近生；叶柄长 15 ~ 20 cm；叶片椭圆状披针形，长 30 ~ 150 cm，宽 10 ~ 20 cm，一回羽状；羽片 7 ~ 9 对，互生，披针形，长 4 ~ 14 cm，宽 1 ~ 1.5 cm，具短渐尖头，边缘波状或有钝齿，下部羽片最长，上部羽片渐缩短，最上面的羽片变为耳形；叶轴先端常延长成鞭状，着地生根并形成新植株，羽片腋间能生出腋芽；叶脉明显，具网眼。孢子囊群幼时为圆形或椭圆形，成熟时常会合而满布于羽片下面；无囊群盖。

| 生境分布 | 生于山谷溪边、河滩阳光充足处。分布于广东龙门、连平、和平及

韶关（市区）、清远（市区）等。

| **资源情况** | 野生资源丰富。药材来源于野生。

| **采收加工** | 秋季采收，晒干。

| **药材性状** | 本品根茎长，木质，疏被黄褐色披针形鳞片。叶柄禾秆色；叶干后呈纸质，淡绿色或褐绿色。

| **功能主治** | 辛，凉。归肝、胃经。清热，利湿。用于痢疾，淋浊，胃炎，风湿肿痛。

| **用法用量** | 内服煎汤，9 ~ 15 g。

| **凭证标本号** | 441322140820320LY。

金星蕨科 Thelypteridaceae 毛蕨属 Cyclosorus

渐尖毛蕨 *Cyclosorus acuminatus* (Houtt.) Nakai

| 药 材 名 | 渐尖毛蕨（药用部位：全草或根茎。别名：金星草、小叶凤凰尾巴草、舒筋草）。

| 形态特征 | 植株高 80 ～ 150 cm。根茎横走，顶部密被鳞片。叶远生；叶柄长 30 ～ 60 cm；叶片披针形，长 60 ～ 100 cm，宽 15 ～ 30 cm，先端急狭缩成长尾头，2 回羽裂；羽片 15 ～ 20 对，下部羽片反折，上部羽片近平展，线形，长 8 ～ 15 cm，宽 1 ～ 1.8 cm，先端渐尖，基部截形，羽状半裂；裂片 18 ～ 24 对，椭圆形，宽 2 ～ 3 mm，具尖，全缘或有微锯齿，基部上侧的裂片较长；叶脉羽状分离，仅基部 1 对叶脉联结。孢子囊群大，圆形，全部小脉均能育；囊群盖圆肾形，膜质。

| 生境分布 | 生于山谷灌丛阴湿处。分布于广东阳春、新兴、封开、英德、阳山、饶平、大埔、蕉岭、和平、乐昌、乳源及广州（市区）、深圳（市区）、肇庆（市区）、梅州（市区）等。

| 资源情况 | 野生资源丰富。药材来源于野生。

| 采收加工 | 夏、秋季采收，晒干。

| 药材性状 | 本品根茎长，直径 2 ～ 4 mm，顶部密被棕色的披针形鳞片。叶坚纸质，干后呈灰绿色，羽轴下面疏被针状毛，羽片上面被极短的糙毛。

| 功能主治 | 微苦，平。归心、肝经。清热解毒，祛风除湿，健脾。用于泄泻，痢疾，热淋，咽喉肿痛，风湿痹痛，小儿疳积，狂犬咬伤，烫火伤。

| 用法用量 | 内服煎汤，15 ～ 30 g，大剂量可用 150 ～ 180 g。

| 凭证标本号 | 440281190701001LY、441825191001039LY、441823200105003LY。

金星蕨科 Thelypteridaceae 毛蕨属 Cyclosorus

齿牙毛蕨 Cyclosorus dentatus (Forssk.) Ching

| 药 材 名 | 篦子舒筋草（药用部位：根茎。别名：牛肋巴、舒筋草、凤尾草）。

| 形态特征 | 植株高 30 ~ 70 cm。根茎直立，被鳞片。叶近簇生；叶柄长约20 cm，与叶轴均密被灰白色长针状毛；叶片披针形至椭圆状披针形，长 35 ~ 50 cm，宽 8 ~ 15 cm，先端长渐尖，2 回羽裂；羽片12 ~ 18 对，下部羽片略短，线状披针形，长 7 ~ 11 cm，宽 1 ~1.8 cm，具长尾头，基部截形，羽状半裂；裂片椭圆形，宽约3 mm；叶脉明显，小脉 5 ~ 8 对，仅基部 1 对小脉联结；叶两面被灰白色长针状毛。孢子囊群圆形，每裂片有孢子囊群 4 ~ 6 对，孢子囊群着生于小脉中部；囊群盖圆肾形，灰色，被毛。

| 生境分布 | 生于山谷疏林下或路旁湿地。分布于广东信宜、阳山及广州（市

区）、深圳（市区）、茂名（市区）、肇庆（市区）等。

| **资源情况** | 野生资源较少。药材来源于野生。

| **采收加工** | 春、秋季采收，洗净，除去须根，晒干。

| **功能主治** | 微苦，平。归脾经。舒筋活络，消肿散结。用于风湿筋骨痛，手指麻木，跌打损伤，瘰疬，痞块。

| **用法用量** | 内服煎汤，10～30g；或炖肉；或浸酒。

| **凭证标本号** | 441882180814044LY、441422190812210LY。

金星蕨科 Thelypteridaceae 毛蕨属 Cyclosorus

毛蕨 *Cyclosorus interruptus* (Willd.) H. Ito

| 药 材 名 | 篦子草（药用部位：全草。别名：舒筋草、小牛肋巴、间断毛蕨）。

| 形态特征 | 植株高 50 ~ 70 cm。根茎横走。叶近生；叶柄长 40 ~ 50 cm；叶片椭圆形，长 40 ~ 70 cm，宽 20 ~ 25 cm，先端具羽裂尾头，基部羽片不变狭，2 回羽裂；侧生羽片 15 ~ 28 对，线状披针形，先端渐尖，几无柄，长 8 ~ 15 cm，宽 1 ~ 1.5 cm，羽状浅裂至中裂；裂片椭圆形或三角状卵形，长约 5 mm，具短尖头，全缘；叶脉明显，基部 1 对叶脉联结成矮钝的三角形网眼，其延伸小脉直达缺刻；叶上面无毛，下面沿各脉疏生柔毛及少数橙红色小腺体。孢子囊群圆形，着生于裂片边缘，下部小脉不育，每裂片有孢子囊群 4 ~ 8 对；囊群盖大，圆肾形，膜质。

生境分布	生于阴湿处。分布于广东台山及广州（市区）、深圳（市区）、韶关（市区）等。
资源情况	野生资源较少。药材来源于野生。
采收加工	全年均可采收，晒干。
功能主治	苦，平。祛风除湿，舒筋活络。用于风湿关节痛，肢体麻木，瘫痪。
用法用量	内服煎汤，9 ~ 15 g。
凭证标本号	441523200106005LY、440781190322004LY、445224201007020LY。

金星蕨科 Thelypteridaceae 毛蕨属 Cyclosorus

华南毛蕨 *Cyclosorus parasiticus* (Linn.) Farwell.

药材名

华南毛蕨（药用部位：全草。别名：金星草、密毛小毛蕨）。

形态特征

植株高 50 ~ 70 cm。根茎横走，被鳞片。叶近生；叶柄长 15 ~ 40 cm；叶片椭圆状披针形，长 30 ~ 50 cm，宽 13 ~ 20 cm，基部不变狭，先端渐尖，2 回羽裂；羽片 14 ~ 20 对，无柄，线状披针形，长 8 ~ 12 cm，宽 1 ~ 1.5 cm，羽裂至 1/2；裂片 20 ~ 25 对，椭圆形，具钝头，全缘，通常基部上侧 1 裂片较长；叶脉羽状，每裂片有小脉 6 ~ 8 对，仅基部 1 对小脉联结；叶轴及叶两面均被毛；叶背有橙黄色腺体。孢子囊群圆形，着生于小脉中部，每裂片有孢子囊群 3 ~ 4 对；囊群盖圆肾形，密被柔毛。

生境分布

生于山谷林下、溪边、路旁阴湿处。分布于广东徐闻、信宜、开平、新兴、怀集、德庆、博罗、龙门、大埔、紫金及广州（市区）、肇庆（市区）、清远（市区）、惠州（市区）、汕头（市区）等。

| 资源情况 | 野生资源丰富。药材来源于野生。

| 采收加工 | 夏、秋季采收，晒干。

| 药材性状 | 本品根茎直径约 5 mm，被深棕色的披针形鳞片。叶草质，干后呈褐绿色，叶背密被针状毛，并有橙红色腺体。

| 功能主治 | 辛、微苦，平。归肺、肝、大肠经。祛风，除湿。用于感冒，风湿痹痛，痢疾。

| 用法用量 | 内服煎汤，9 ~ 15 g。

| 凭证标本号 | 440281200714017LY、441825190711013LY、440882180406653LY。

金星蕨科 Thelypteridaceae 圣蕨属 Dictyocline

戟叶圣蕨 *Dictyocline sagittifolia* Ching

| 药 材 名 | 戟叶圣蕨（药用部位：全草）。

| 形态特征 | 植株高 30 ~ 40 cm。根茎短而斜升，疏被鳞片。叶簇生；叶柄长 15 ~ 30 cm，密被棕色短刚毛；叶片长达 17 cm，基部宽 11 ~ 13 cm，戟形，具短渐尖头，基部深心形，全缘或为波状；主脉在两面均隆起，侧脉明显，斜展，侧脉间有 5 ~ 7 明显的纵隔脉，纵隔脉将侧脉分成长方形的大网眼，又将其分成 2×4 个近四方形的小网眼，网眼内有内藏小脉；叶粗纸质，两面被毛。孢子囊群沿网脉散生；无囊群盖。

| 生境分布 | 生于山谷溪边林下或石缝中。分布于广东信宜、怀集、英德、阳山、连山、龙门、连平、乐昌、仁化、乳源及广州（市区）等。

| 资源情况 | 野生资源丰富。药材来源于野生。

| 采收加工 | 夏、秋季采收，洗净，鲜用或晒干。

| 功能主治 | 甘、温。补脾和胃。

| 用法用量 | 内服煎汤，9 ~ 15 g。

| 凭证标本号 | 441825190713004LY、441623181021005LY、441823200831016LY。

金星蕨科 Thelypteridaceae 圣蕨属 Dictyocline

羽裂圣蕨 *Dictyocline wilfordii* (Hook.) J. Sm.

| 药 材 名 | 羽裂圣蕨（药用部位：全草）。

| 形态特征 | 植株高 30 ~ 40 cm。根茎短粗，与叶柄基部均被鳞片。叶簇生；叶柄长 17 ~ 30 cm；叶片长三角形，长约 20 cm，基部宽约 17 cm，具渐尖头，基部心形，羽裂几达叶轴，顶部呈波状；侧生裂片通常 3 对，基部 1 对裂片最大，长达 9 cm，宽 2.5 ~ 3.5 cm，阔披针形，基部相连，具渐尖头，全缘或呈波状；叶粗纸质，两面被毛；叶脉明显，沿羽轴两侧各有 1 行长形网眼，网眼内有内藏小脉，侧脉之间有 2 ~ 3 行四角形或五角形网眼。孢子囊群沿网脉着生，无盖，孢子囊顶部有刚毛。

| 生境分布 | 生于山谷溪边林下。分布于广东龙门、连平、和平、乐昌、新丰及

韶关（市区），以及鼎湖山等。

| 资源情况 | 野生资源丰富。药材来源于野生。

| 采收加工 | 夏、秋季采收，洗净，鲜用或晒干。

| 药材性状 | 本品根茎短粗，斜升，被黑褐色的披针形硬鳞片。叶粗纸质，干后呈褐绿色，两面被毛。

| 功能主治 | 甘、温。补脾和胃。用于虚劳内伤，小儿惊风。

| 用法用量 | 内服煎汤，9 ～ 15 g。

| 凭证标本号 | 441825191003015LY、445222191103008LY、441422190502158LY。

金星蕨科 Thelypteridaceae 针毛蕨属 *Macrothelypteris*

普通针毛蕨 *Macrothelypteris torresiana* (Gaud.) Ching

| 药 材 名 | 普通针毛蕨（药用部位：根茎。别名：华南金星蕨）。

| 形态特征 | 植株高 60 ～ 90 cm。根茎短，与叶柄基部均密被鳞片。叶簇生；叶柄长 25 ～ 60 cm；叶片三角状卵形，长 30 ～ 60 cm，下部宽 25 ～ 30 cm，先端渐尖并羽裂，3 回深羽裂；羽片 15 ～ 20 对，基部 1 对羽片最大，长 20 ～ 25 cm，宽 6 ～ 8 cm，具长渐尖头；小羽片 15 ～ 20 对，无柄，深羽裂几达小羽轴；裂片 15 ～ 20 对，披针形，长约 5 mm；叶脉不明显；叶下面及小羽轴两面均被灰白色针状毛和腺毛，叶轴及羽轴上面密被刚毛。孢子囊群小，圆形，每裂片有孢子囊群 4 ～ 6 对；囊群盖极小，不易见。

| 生境分布 | 生于林下、山谷潮湿处。分布于广东阳春、阳山、大埔、翁源及广

州（市区）、深圳（市区）、肇庆（市区）、韶关（市区）等。

| **资源情况** | 野生资源丰富。药材来源于野生。

| **采收加工** | 全年均可采挖，除去泥沙，晒干。

| **药材性状** | 本品根茎为不规则长圆柱形团块，长 5 ~ 12 cm，直径 0.5 ~ 1 cm，棕褐色至黑色，表面有众多长短、粗细不一的须根。须根呈线状，长 1 ~ 3 cm，直径 0.1 ~ 0.3 cm。质地坚硬，断面略平坦，黄白色至棕色，可见呈环状且断续排列的黄白色维管束。气微，味涩。

| **功能主治** | 苦、辛，寒。归肺、脾经。清热解毒，化痰散结。用于水肿，外伤出血。

| **用法用量** | 内服煎汤，15 ~ 30 g。外用适量，研末敷；或捣敷。

| **凭证标本号** | 441825190801004LY、441523200106030LY、441622200921074LY。

金星蕨科 Thelypteridaceae 金星蕨属 Parathelypteris

金星蕨

Parathelypteris glanduligera (Kunze.) Ching

| 药 材 名 | 金星蕨（药用部位：全草。别名：水蕨菜、白毛蛇、毛毛蛇）。

| 形态特征 | 植株高 40 ~ 60 cm。根茎横走，先端疏被鳞片。叶疏生；叶柄长 15 ~ 20 cm，被毛；叶片披针形或线状披针形，长 20 ~ 40 cm，宽 5 ~ 10 cm，先端渐尖，基部不变狭，2 回深羽裂；羽片 10 ~ 15 对，无柄，线状披针形，长 3 ~ 7 cm，宽 1 ~ 1.5 cm，先端长渐尖；裂片约 20 对，线状椭圆形，长 3 ~ 5 mm，具钝头，全缘；小脉 6 ~ 7 对，达于叶边；叶背具橙黄色球形腺体，叶轴、羽轴两面及叶边均被毛。每裂片有孢子囊群 5 ~ 6 对，孢子囊群靠近叶边；囊群盖小，圆肾形，被刚毛，早落。

| 生境分布 | 生于疏林下。分布于广东信宜、怀集、英德、连州、阳山、连山、

乳源及深圳（市区）等。

| **资源情况** | 野生资源丰富。药材来源于野生。

| **采收加工** | 夏季采收，晒干或鲜用。

| **药材性状** | 本品根茎长，顶部疏被黄褐色披针形鳞片。叶草质，干后呈草绿色或褐绿色，羽片下面密被橙黄色球形腺体，上面沿羽轴的纵沟密被针状毛，叶轴多少被灰白色柔毛。

| **功能主治** | 苦，寒。归肝经。清热解毒，利尿，止血。用于痢疾，小便不利，吐血，外伤出血，烫伤。

| **用法用量** | 内服煎汤，15～30g。外用适量，捣敷。

| **凭证标本号** | 441825190709005LY、445222191103020LY、445224190511005LY。

金星蕨科 Thelypteridaceae 金星蕨属 *Parathelypteris*

中日金星蕨 *Parathelypteris nipponica* (Franch. et Sav.) Ching

| 药 材 名 | 扶桑金星蕨（药用部位：全草。别名：日本金星蕨）。

| 形态特征 | 植株高 40 ~ 60 m。根茎横走。叶近生；叶柄长 20 ~ 25 cm，禾秆色；叶片倒披针形，长 25 ~ 35 cm，宽 7 ~ 10 cm，先端渐尖，2 回深羽裂；羽片约 30 对，无柄，狭披针形，中部羽片最大，长 4 ~ 5 cm，宽 6 ~ 8 mm，具渐尖头，基部截形，深羽裂，下部多对羽片逐渐缩短成小耳形或近退化；裂片 12 ~ 20 对，椭圆形，长约 4 mm，头钝，全缘；小脉单一，伸达叶边；叶两面均被短毛，下面常有稀疏的橙色腺体及长毛。孢子囊群小，圆形，着于小脉上部，靠近叶边；囊群盖圆肾形，近无毛。

| 生境分布 | 生于疏林下。分布于广东连平、乳源及肇庆（市区）等。

| 资源情况 | 野生资源较少。药材来源于野生。

| 采收加工 | 夏、秋季采收，洗净，鲜用或晒干。

| 药材性状 | 本品根茎长，直径约 1.5 mm，近光滑。叶草质，干后呈草绿色，两面均被短毛，下面常见稀疏的橙色腺体，沿叶轴、羽轴及主脉被灰白色针状毛。

| 功能主治 | 苦，寒。止血消炎。用于外伤出血。

| 用法用量 | 内服煎汤，15 ~ 30 g。外用适量，捣敷。

| 凭证标本号 | 441825190708014LY。

金星蕨科 Thelypteridaceae 卵果蕨属 Phegopteris

延羽卵果蕨

Phegopteris decursive-pinnata (H. C. Hall) Fée

| 药 材 名 | 小叶金鸡尾巴草（药用部位：根茎。别名：延羽针毛蕨、细凤尾草）。

| 形态特征 | 植株高 30 ～ 60 cm。根茎短而直立，被鳞片。叶簇生；叶柄长 10 ～ 20 cm，禾秆色；叶片狭披针形或倒披针形，长 20 ～ 40 cm，宽 5 ～ 12 cm，先端渐尖，下部渐变狭，2 回羽裂；羽片约 30 对，披针形，中部羽片最大，长 3 ～ 5 cm，宽约 1 cm，先端短渐尖，基部彼此相连，羽裂深达 1/3 ～ 1/2，下部羽片逐渐缩小呈三角状耳形；裂片卵状三角形；叶两面沿叶轴、羽轴和中脉疏被毛；叶脉羽状，小脉单一，伸达叶边。孢子囊群近圆形，背生于小脉近先端；无囊群盖。

| 生境分布 | 生于山地林缘、疏林下、灌丛中。分布于广东信宜、阳山、龙门、

大埔、乐昌及梅州（市区）等。

| **资源情况** | 野生资源丰富。药材来源于野生。

| **采收加工** | 夏、秋季采收，洗净，鲜用或晒干。

| **功能主治** | 微苦，平。利水消肿，解毒敛疮。用于水肿，腹水，疮毒溃烂久不收口，外伤出血。

| **用法用量** | 内服煎汤，15 ~ 30 g。

| **凭证标本号** | 441422190812483LY、440232160927004LY。

金星蕨科 Thelypteridaceae 新月蕨属 Pronephrium

披针新月蕨

Pronephrium penangianum (Hook.) Holtt.

药 材 名

鸡血莲（药用部位：根茎、叶。别名：过山龙、土当归、活血莲）。

形态特征

植株高 0.7 ~ 1.3 m。根茎横走。叶远生；叶柄长 30 ~ 50 cm，淡红棕色；叶片椭圆状披针形，长 40 ~ 80 cm，无毛，一回羽状；羽片 8 ~ 10 对，长线形至线状披针形，长 20 ~ 30 cm，宽 2 ~ 2.7 cm，先端渐尖，基部圆楔形，边缘具软骨质尖锯齿，顶生羽片同形，有长柄；侧脉间的小脉联结成 2 行斜长方形网眼。孢子囊群圆形，生于小脉中部或稍下处，在侧脉间排成 2 行，无囊群盖。

生境分布

生于山谷溪边林下。分布于广东连州、阳山、乐昌、始兴、乳源等。

资源情况

野生资源丰富。药材来源于野生。

采收加工

夏、秋季采收，晒干或鲜用。

| **药材性状** | 本品根茎长，褐棕色，疏被棕色披针形鳞片。叶纸质，干后常呈淡紫红色，无毛。 |

| **功能主治** | 苦、涩，凉。活血调经，散瘀止痛，除湿。用于月经不调，崩漏，跌打伤痛，风湿痹痛，痢疾，水肿。 |

| **用法用量** | 内服煎汤，9 ～ 18 g；或浸酒。外用适量，捣敷；或浸酒搽。 |

| **凭证标本号** | 445222180621002LY、441823210205023LY。 |

金星蕨科 Thelypteridaceae　新月蕨属 Pronephrium

单叶新月蕨

Pronephrium simplex (Hook.) Holtt.

| 药 材 名 | 草鞋青（药用部位：全草。别名：鹅仔草、百叶草）。

| 形态特征 | 植株高 20 ～ 40 cm。根茎细长且横走，被鳞片。叶远生，二型；不育叶叶柄长 10 ～ 15 cm，禾秆色，叶片椭圆状披针形，长 15 ～ 20 cm，宽 5 ～ 7.5 cm，先端渐尖，基部心形或戟形，全缘、浅波状或具钝锯齿，叶脉网状，在侧脉间形成 2 行整齐的方形网眼；能育叶高于不育叶，叶柄长 30 ～ 35 cm，叶片与不育叶同形而较小。孢子囊群生于小脉上，幼时圆形，成熟时在叶片下面满布，无囊群盖。

| 生境分布 | 生于阴暗、潮湿的密林下或山谷溪流附近。分布于广东阳春、台山、德庆、博罗、大埔及茂名（市区）、珠海（市区）、深圳（市区）等。

| 资源情况 | 野生资源丰富。药材来源于野生。

| 采收加工 | 全年均可采收，晒干或鲜用。

| 药材性状 | 本品根茎细长，直径约 1.5 mm，疏被棕色的披针形鳞片和钩状短毛。叶近革质，干后呈绿色或棕绿色，叶轴和背面的叶脉具针状短毛。

| 功能主治 | 苦、微涩，凉。清热解毒。用于咽喉肿痛，痢疾，毒蛇咬伤。

| 用法用量 | 内服煎汤，15 ~ 30 g。外用适量，捣敷。

| 凭证标本号 | 441523190919010LY、440523190716013LY、440783191005022LY。

金星蕨科 Thelypteridaceae 新月蕨属 Pronephrium

三羽新月蕨

Pronephrium triphyllum (Sw.) Holtt.

| 药 材 名 | 蛇退步（药用部位：全草。别名：三枝标、蛇鳞草、入地蜈蚣）。

| 形态特征 | 植株高 30 ~ 40 cm。根茎长而横走。叶疏生或近生，近二型；叶柄长 15 ~ 20 cm，能育叶的叶柄较长；叶片通常为三出羽状复叶，长 20 ~ 40 cm，宽 25 ~ 30 cm；侧生羽片 1 对，卵状披针形，长 10 ~ 15 cm，宽 2 ~ 3 cm，先端短渐尖，基部楔形，边缘波状或近全缘，顶生羽片通常特大，椭圆形；能育叶与不育叶同形但较狭窄；叶脉明显，在侧脉间形成 2 行整齐的网眼。孢子囊群椭圆形，生于小脉上，成熟时在羽片下面满布，无盖。

| 生境分布 | 生于山谷溪边林下。分布于广东徐闻、恩平、封开、英德、博罗、翁源及深圳（市区）、阳江（市区）、江门（市区）、云浮（市区）、

肇庆（市区）等。

| **资源情况** | 野生资源丰富。药材来源于野生。

| **采收加工** | 全年均可采收，鲜用或洗净，晒干。

| **功能主治** | 微苦、辛，平。归心、脾经。清热解毒，散瘀消肿，化痰止咳。用于痈疮疔肿，毒蛇咬伤，跌打损伤，湿疹，皮肤瘙痒，急、慢性气管炎。

| **用法用量** | 内服煎汤，9 ~ 15 g，鲜品 30 ~ 60 g。外用适量，捣敷。

| **凭证标本号** | 441825190711028LY、441324180728043LY、441224180716015LY。

铁角蕨科 Aspleniaceae 铁角蕨属 Asplenium

华南铁角蕨 *Asplenium austrochinense* Ching

| 药 材 名 | 华南铁角蕨（药用部位：全草）。

| 形态特征 | 植株高 30 ~ 40 cm。根茎短粗，顶部与叶柄基部均密被鳞片。叶簇生；叶柄长 10 ~ 20 cm；叶片阔披针形，长 18 ~ 25 cm，基部宽 6 ~ 10 cm，具渐尖头，二回羽状或 3 回羽裂；羽片 10 ~ 14 对，长 4.5 ~ 8 cm，基部宽 1.7 ~ 3 cm，披针形，具长尾头；小羽片 3 ~ 5 对，上先出，基部上侧 1 小羽片较大，长 1 ~ 2 cm，宽 6 ~ 12 mm，顶部浅片裂为 2 ~ 3 裂片；羽轴两侧有狭翅；叶脉明显。孢子囊群短线形，生于小脉中部或中部以上，每小羽片有孢子囊群 2 ~ 6；囊群盖线形，厚膜质，全缘。

| 生境分布 | 生于山地林下阴湿处石上。分布于广东博罗、连平及惠州（市区）、

汕头（市区）等。

| **资源情况** | 野生资源丰富。药材来源于野生。

| **采收加工** | 夏、秋季采收，洗净，晒干。

| **功能主治** | 甘、微苦，平。利湿化浊，止血。用于白浊，前列腺炎，肾炎，刀伤出血。

| **用法用量** | 内服煎汤，9 ~ 15 g。外用适量，研末撒。

铁角蕨科 Aspleniaceae 铁角蕨属 Asplenium

毛轴铁角蕨 *Asplenium crinicaule* Hance

| 药 材 名 | 毛轴铁角蕨（药用部位：全草。别名：细叶青）。

| 形态特征 | 植株高 20 ~ 50 cm。根茎短而直立，与叶柄、叶轴均密被鳞片。叶簇生；叶柄长 5 ~ 12 cm；叶片阔披针形或线状披针形，长 10 ~ 30 cm，宽 3 ~ 7 cm，先端渐尖，一回羽状；羽片 18 ~ 28 对，镰状披针形，中部羽片较大，长 1.5 ~ 4 cm，宽 5 ~ 15 mm，基部不对称，上侧斜截形并稍具耳，下侧长楔形，边缘有钝齿，下部羽片渐缩成长卵形；叶脉明显。孢子囊群阔线形，斜出，生于每组小脉的最上侧近基部或中部，在中脉两侧各排成 1 行且靠近中脉；囊群盖厚膜质，全缘。

| 生境分布 | 生于林下溪边潮湿岩石上。分布于广东台山、新兴、广宁、怀集、

英德、连州、惠东、乐昌、始兴、翁源、新丰、乳源及茂名（市区）、肇庆（市区）、惠州（市区）等。

| **资源情况** | 野生资源丰富。药材来源于野生。

| **采收加工** | 夏、秋季采收，洗净，晒干或鲜用。

| **药材性状** | 本品根茎短，密被黑褐色、有虹色光泽的披针形鳞片。叶纸质，干后呈棕褐色，两面或仅上面呈沟脊状。

| **功能主治** | 苦，平。清热解毒，透疹。用于麻疹不透，无名肿毒。

| **用法用量** | 内服煎汤，9 ~ 15 g。外用适量，捣敷。

铁角蕨科 Aspleniaceae 铁角蕨属 Asplenium

剑叶铁角蕨

Asplenium ensiforme Wall. ex Hook. et Grev.

| **药 材 名** | 剑叶铁角蕨（药用部位：全草。别名：阿西得、铁郎鸡）。

| **形态特征** | 植株高 25 ～ 45 cm。根茎短而直立，与叶柄基部均密被鳞片。单叶簇生；叶柄长 5 ～ 8 cm，禾秆色；叶片披针形，长 18 ～ 40 cm，中部宽 1.5 ～ 4 cm，顶部渐尖，向基部渐变狭并下延于叶柄，呈狭翅状，全缘；主脉粗壮，在两面均隆起，侧脉不明显，二叉。孢子囊群线形，通常长 0.8 ～ 2 cm，斜向上，不达叶边，在中脉两侧各排成 1 排；囊群盖线形，全缘，灰绿色，开向主脉。

| **生境分布** | 生于山地树干或石上。分布于广东信宜、英德及韶关（市区），以及珠江口岛屿、罗浮山等。

| **资源情况** | 野生资源一般。药材来源于野生。

| **采收加工** | 夏、秋季采收，洗净，晒干。

| **药材性状** | 本品根茎短，直径 4～5 mm，密被黑色且有光泽的披针形鳞片。叶革质，干后呈黄绿色或淡棕色，略反卷，两面无毛。

| **功能主治** | 甘，温。活血祛瘀，舒筋止痛。用于闭经，跌打损伤，腰痛，肢体麻木。

| **用法用量** | 内服煎汤，9～15 g。

| **凭证标本号** | 441523200105036LY。

铁角蕨科 Aspleniaceae 铁角蕨属 Asplenium

切边铁角蕨 Asplenium excisum Presl

药材名

切边铁角蕨（药用部位：全草。别名：剪叶铁角蕨）。

形态特征

植株高 40 ~ 60 cm。根茎横走，先端与叶柄基部均被鳞片。叶远生；叶柄长 15 ~ 32 cm，与叶轴均为栗褐色，有光泽；叶片椭圆状披针形，长 22 ~ 40 cm，基部宽 12 ~ 16 cm，一回羽状；羽片 18 ~ 20 对，平展，长 6 ~ 10 cm，基部宽 1 ~ 2 cm，呈镰状菱形，具渐尖头，基部不对称，斜楔形，上侧平截并与叶轴平行，下侧斜切到主脉，中部以上有粗锯齿；叶脉明显。孢子囊群阔线形，斜向上，生于上侧小脉中部；囊群盖膜质，全缘，开向主脉。

生境分布

生于山地林下阴湿处石上或树上。分布于广东信宜、怀集及肇庆（市区）等。

资源情况

野生资源丰富。药材来源于野生。

| 采收加工 | 夏、秋季采收，洗净，晒干。

| 药材性状 | 本品根茎直径 3 ～ 5 mm，先端密被黑褐色的披针形鳞片。叶轴栗褐色或乌木色，有光泽，上面有浅阔纵沟；叶薄草质，干后呈暗绿色，近透明，两面均无毛。

| 功能主治 | 微苦，凉。舒筋活血。

| 用法用量 | 内服煎汤，9 ～ 15 g。

| 凭证标本号 | 441827190119049LY。

铁角蕨科 Aspleniaceae 铁角蕨属 Asplenium

厚叶铁角蕨 *Asplenium griffithianum* Hook.

| 药 材 名 | 旋鸡尾（药用部位：根茎。别名：线鸡尾、七星草、剑刀蕨）。

| 形态特征 | 植株高 10 ~ 30 cm。根茎短而直立，先端被鳞片。单叶簇生；叶柄极短或近无柄；叶片披针形，长 15 ~ 25 cm，宽 1.5 ~ 2.5 cm，先端渐尖或急尖，基部渐狭并下延而呈狭翅状，全缘或上部有疏缺刻或钝齿；主脉明显，粗壮，在上面隆起，侧脉二叉，斜展，在两面均不明显。孢子囊群阔线形，长 5 ~ 7 mm，生于侧脉上侧一边，在主脉两侧各排成 1 排；囊群盖线形，全缘，开向主脉。

| 生境分布 | 生于林下潮湿石上。分布于广东仁化及肇庆（市区）等。

| 资源情况 | 野生资源较少。药材来源于野生。

| 采收加工 | 秋季采挖，除去须根，洗净，晒干。

| 药材性状 | 本品根茎短，下部密生纤维状须根，顶部被深棕色披针形鳞片。叶肉质，干后呈淡绿色。

| 功能主治 | 微苦，凉。归肝、脾、心、肺经。清热利湿，解毒。用于黄疸，淋浊，高热，烫火伤。

| 用法用量 | 内服煎汤，9 ~ 15 g。外用适量，研末敷。

铁角蕨科 Aspleniaceae 铁角蕨属 Asplenium

胎生铁角蕨 Asplenium indicum Sledge

| 药 材 名 | 胎生铁角蕨（药用部位：全草。别名：凤尾草、印度铁角蕨、铁骨莲）。

| 形态特征 | 植株高 20 ~ 45 cm。根茎短而直立，密被鳞片。叶簇生；叶柄长 10 ~ 20 cm；叶片阔披针形，长 12 ~ 30 cm，宽 4 ~ 7 cm，具渐尖头，一回羽状；羽片 10 ~ 25 对，近平展，菱状披针形，中部羽片较大，长 2 ~ 4 cm，宽 1 ~ 1.5 cm，具渐尖头，基部不对称，上侧呈耳状，边缘有不规则的片裂，下侧斜切，边缘浅裂至深裂；叶脉明显；上部羽片腋间常有 1 被鳞片的芽孢，芽孢行无性繁殖。孢子囊群线形，极斜向上，几达叶边；囊群盖线形，膜质，全缘。

| 生境分布 | 生于山地林下潮湿处石上。分布于广东博罗、饶平、乐昌及惠州（市

区）、梅州（市区）、韶关（市区）等。

| 资源情况 | 野生资源丰富。药材来源于野生。

| 采收加工 | 夏、秋季采收，洗净，晒干。

| 药材性状 | 本品根茎短粗，密被红棕色、筛孔细密的钻状披针形鳞片。叶近革质，干后呈草绿色，两面均呈沟脊状。

| 功能主治 | 淡，凉。归肝、肾经。舒筋通络，活血止痛。用于腰痛。

| 用法用量 | 内服适量，浸酒。

| 凭证标本号 | 441523200105023LY。

铁角蕨科 Aspleniaceae 铁角蕨属 Asplenium

倒挂铁角蕨 *Asplenium normale* Don

| 药 材 名 | 倒挂草（药用部位：全草。别名：常式倒挂草）。

| 形态特征 | 植株高 15 ~ 40 cm。根茎短，密被鳞片。叶簇生；叶柄长 5 ~ 20 cm，栗褐色至紫黑色，有光泽；叶片披针形，长 12 ~ 30 cm，宽 2 ~ 4 cm，先端常有 1 被鳞片的芽孢，一回羽状；羽片 20 ~ 30 对，平展，彼此密接，长圆形或三角状长圆形，中部羽片长 1.5 ~ 2 cm，宽 5 ~ 8 mm，具钝头，基部不对称，上缘与外缘有小钝齿，内缘截形而与叶轴平行，下缘楔形，基部上侧稍呈耳状；叶脉不明显。孢子囊群椭圆形，远离主脉且伸达叶边，彼此疏离；囊群盖膜质，全缘，开向主脉。

| 生境分布 | 生于林下石上或树干上。分布于广东信宜、新兴、博罗、英德、连州、

阳山、连山、饶平、大埔、乐昌、始兴、翁源、乳源及广州（市区）、佛山（市区）、云浮（市区）、肇庆（市区）、梅州（市区）、韶关（市区）等。

| 资源情况 | 野生资源丰富。药材来源于野生。

| 采收加工 | 全年均可采收，洗净，晒干或鲜用。

| 药材性状 | 本品根茎密生黑褐色披针形鳞片，并有众多须根。叶柄基部有少数鳞片；叶轴紫黑色；叶片草质至薄纸质，干后呈棕绿色或灰绿色，无毛。孢子囊群生于小脉中部；囊群盖长圆形，膜质。气微，味淡。

| 功能主治 | 微苦，平。清热解毒，止血。用于肝炎，痢疾，外伤出血，蜈蚣咬伤。

| 用法用量 | 内服煎汤，9 ~ 15 g。外用适量，研末敷；或捣敷。

| 凭证标本号 | 441825190806006LY、441284200110684LY、441324181216017LY。

铁角蕨科 Aspleniaceae 铁角蕨属 Asplenium

北京铁角蕨 *Asplenium pekinense* Hance

| 药 材 名 | 铁杆地柏枝（药用部位：全草。别名：地柏叶、小凤尾草）。

| 形态特征 | 植株高 8 ~ 20 cm。根茎短而直立，顶部密被鳞片。叶簇生；叶柄长 2 ~ 4 cm；叶片披针形，长 6 ~ 12 cm，宽 2 ~ 3 cm，先端渐尖并羽裂，基部略缩短，二回羽状或 3 回羽裂；羽片约 10 对，远离，平展，三角状长圆形，中部羽片较大，长 1 ~ 2 cm，宽约 1 cm，基部不对称；小羽片 2 ~ 3 对，上先出，椭圆形；末回裂片椭圆形或短舌形，先端有 2 ~ 3 尖齿；叶脉羽状。孢子囊群长圆形，成熟时往往满布于叶背面，每小羽片有孢子囊群 1 ~ 4；囊群盖膜质，全缘。

| 生境分布 | 生于山地林下潮湿处或水沟边石上。分布于广东乳源等。

资源情况	野生资源较少。药材来源于野生。
采收加工	4 月采挖，洗净，晒干或鲜用。
药材性状	本品根茎短，顶部密被黑褐色粗筛孔状披针形鳞片。叶坚草质，干后呈灰绿色或暗绿色。
功能主治	甘、微辛，平。化痰止咳，清热解毒，止血。用于感冒咳嗽，肺结核，痢疾，腹泻，热痹，肿毒，疮痈，跌打损伤，外伤出血。
用法用量	内服煎汤，15 ~ 30 g。外用适量，捣敷；或研末敷。
凭证标本号	441421181126558LY。

铁角蕨科 Aspleniaceae 铁角蕨属 *Asplenium*

长叶铁角蕨

Asplenium prolongatum Hook.

| 药 材 名 |

倒生莲（药用部位：全草或叶。别名：长生铁角蕨、定草根、青丝还阳）。

| 形态特征 |

植株高 20 ~ 40 cm。根茎短而直立，先端密被鳞片。叶簇生，叶柄长 8 ~ 15 cm，淡绿色；叶片线状披针形，长 10 ~ 24 cm，宽 3 ~ 4.5 cm，具尾头，二回羽状；羽片 20 ~ 25 对，近无柄，彼此密接，狭椭圆形，具圆头，基部不对称，上侧截形，紧靠叶轴，下侧斜切，羽状；小羽片上先出，狭线形，长 4 ~ 10 mm，宽 1 ~ 1.5 mm，具钝头，基部与羽轴合生并以阔翅相连，全缘，基部向上小羽片再分裂；叶脉明显。孢子囊群狭线形，每小羽片或裂片具孢子囊群 1；囊群盖膜质，开向叶边。

| 生境分布 |

生于山地林下阴湿处石上或树干上。分布于广东信宜、阳春、怀集、英德、连州、阳山、连山、博罗、龙门、饶平、大埔、五华、乐昌、仁化、翁源、新丰、乳源及深圳（市区）、茂名（市区）等。

| **资源情况** | 野生资源丰富。药材来源于野生。 |

| **采收加工** | 秋季采收，洗净，鲜用或晒干。 |

| **药材性状** | 本品根茎短，先端有披针形鳞片，并有多数须根。叶柄压扁；叶片近肉质，干后呈草绿色，表面皱缩；叶轴先端延伸成鞭状。孢子囊群沿叶脉上侧着生，囊群盖膜质。质稍韧。气微，味微苦。 |

| **功能主治** | 辛、微苦，凉。归肝、肺、膀胱经。清热除湿，化瘀止血。用于咳嗽痰多，风湿痹痛，肠炎，痢疾，尿路感染，乳腺炎，吐血，外伤出血，跌打损伤，烫火伤。 |

| **用法用量** | 内服煎汤，9～30 g；或浸酒。外用适量，鲜品捣敷；或研末撒。 |

| **凭证标本号** | 441825190806007LY、441523190517011LY、441823200103016LY。 |

铁角蕨科 Aspleniaceae 铁角蕨属 Asplenium

假大羽铁角蕨

Asplenium pseudolaserpitiifolium Ching

| 药 材 名 | 大羽铁角蕨（药用部位：全草或根茎。别名：萃补）。

| 形态特征 | 植株高达 1 m。根茎短，被鳞片。叶簇生；叶柄长 15 ~ 40 cm；叶片椭圆形，长 15 ~ 70 cm，宽 9 ~ 25 cm，头渐尖，三回羽状；羽片 12 ~ 15 对，有长柄，长三角形，长 10 ~ 20 cm，宽 6 ~ 10 cm，多少呈镰刀状；小羽片 10 ~ 12 对，上先出，三角状卵形或三角状披针形，长 4 ~ 8 cm，宽 1.5 ~ 2.5 cm，末回小羽片 4 ~ 6 对，斜方形或狭楔形，先端圆形，边缘有不整齐的裂齿，有时分裂；叶脉明显，近扇形。孢子囊群狭线形，每裂片有孢子囊群 1 ~ 2；囊群盖膜质，全缘。

| 生境分布 | 生于山地林下潮湿处石上。分布于广东信宜、英德、乐昌、始兴、

翁源，以及鼎湖山、罗浮山等。

| **资源情况** | 野生资源丰富。药材来源于野生。

| **采收加工** | 秋季采收，除去须根，洗净，晒干。

| **药材性状** | 本品根茎粗壮，长 2 ~ 4 cm，有众多须根和黑褐色披针形鳞片。叶近革质，干后呈草绿色，纵向反卷；叶轴紫棕色，腹面沟状。孢子囊群条形，生于小脉上；囊群盖棕色。气微，味淡。

| **功能主治** | 淡，平。归肾、肝经。祛风除湿。用于风湿痹痛，腰腿痛。

| **用法用量** | 内服煎汤，9 ~ 15 g；或浸酒。

| **凭证标本号** | 441827181031015LY、441324181216010LY。

铁角蕨科 Aspleniaceae 铁角蕨属 Asplenium

岭南铁角蕨
Asplenium sampsoni Hance

| 药 材 名 | 岭南铁角蕨（药用部位：全草。别名：肥蕨）。

| 形态特征 | 植株高 15 ~ 30 cm。根茎短粗而直立，被鳞片。叶簇生；叶柄长
3 ~ 6 cm，肉质；叶片纺锤状披针形，长 13 ~ 25 cm，宽 2 ~ 5 cm，
头渐尖，二回羽状；羽片 17 ~ 28 对，近无柄，向下逐渐短缩成三
角形，中部羽片长 1.5 ~ 2.5 cm，宽约 1 cm，椭圆形，头钝，基部
不对称，羽状深裂；裂片 5 ~ 9 对，上先出，线形，长 2 ~ 4 mm，
宽 1 ~ 1.5 mm，头圆，基部与羽轴合生，全缘，基部上侧 1 裂片常
2 ~ 3 裂；羽轴两侧有阔翅。孢子囊群线形，每裂片具孢子囊群 1；
囊群盖膜质，全缘。

| 生境分布 | 生于山地林下潮湿处石上。分布于广东阳春、封开及云浮（市区）、

佛山（市区）。

| **资源情况** | 野生资源较少。药材来源于野生。

| **采收加工** | 夏、秋季采收，洗净，晒干。

| **药材性状** | 本品根茎短粗，被黑色披针形鳞片。叶近肉质，干后呈草绿色，下面疏被鳞片；羽轴与叶片同色，两侧有阔翅。

| **功能主治** | 微苦，凉。归肺、脾、肝经。清热解毒，化痰止咳，止血，消疳。用于感冒，咳嗽，痢疾，小儿疳积，外伤出血，蜈蚣咬伤。

| **用法用量** | 内服煎汤，9 ～ 15 g。外用适量，研末撒。

铁角蕨科 Aspleniaceae 铁角蕨属 Asplenium

石生铁角蕨 *Asplenium saxicola* Rosent.

| 药 材 名 | 石上铁角蕨（药用部位：全草。别名：粤铁角蕨、鸡心草）。

| 形态特征 | 植株高 20 ~ 50 cm。根茎短，密被鳞片。叶近簇生；叶柄长 10 ~ 20 cm，褐禾秆色，与叶轴均疏被鳞片；叶片阔披针形，长 12 ~ 28 cm，宽 5 ~ 11 cm，近基部最宽，先端渐尖，一回羽状；顶生羽片多少呈三叉状，侧生羽片 5 ~ 12 对，基部羽片稍大，长 3 ~ 6 cm，宽 2 ~ 3 cm，向上羽片渐小，菱形，头渐尖，基部渐狭，下部羽片常再分裂，边缘有不规则小圆齿或为片裂；主脉不明显，侧脉扇状。孢子囊群狭线形，扇形排列，每裂片有孢子囊群 3 ~ 6；囊群盖同形，全缘。

| 生境分布 | 生于山地林下潮湿处或水沟边石上。分布于广东阳春、英德、连州

及云浮（市区）、肇庆（市区）等。

| **资源情况** | 野生资源丰富。药材来源于野生。

| **采收加工** | 夏、秋季采收，洗净，鲜用或晒干。

| **药材性状** | 本品根茎短，有众多须根和棕黑色披针形鳞片。叶革质，干后上面呈暗棕色，下面呈棕色，两面均呈沟脊状，多纵向反卷；叶轴暗绿色至紫褐色，被稀疏鳞片。孢子囊群条形，沿小脉着生；囊群盖深黄棕色。质稍脆，易折断。气微，味微苦。

| **功能主治** | 淡，平。清热润肺，解毒消肿。用于肺结核，疮疖痈肿，膀胱炎，跌打损伤。

| **用法用量** | 内服煎汤，10 ~ 20 g。外用适量，鲜品捣敷。

| **凭证标本号** | 44188120150729030LY。

铁角蕨科 Aspleniaceae 铁角蕨属 Asplenium

铁角蕨

Asplenium trichomanes Linn.

| 药 材 名 | 铁角凤尾草（药用部位：全草。别名：止血草、鸡毛草、石蜈蚣）。

| 形态特征 | 植株高 10 ~ 30 cm。根茎短而直立，密被鳞片。叶簇生；叶柄长 2 ~ 8 cm，栗褐色，有光泽；叶片长线形，长 10 ~ 25 cm，宽 9 ~ 16 mm，具长渐尖头，一回羽状；羽片 20 ~ 30 对，平展，近无柄，椭圆形或卵形，长 3.5 ~ 6 mm，宽 2 ~ 4 mm，具圆头，有钝齿牙，下部羽片向下渐缩小，形状多样；叶脉不明显；叶轴栗褐色，有光泽，两侧有狭翅。孢子囊群阔线形，每羽片有孢子囊群 4 ~ 8；囊群盖膜质，全缘，开向主脉。

| 生境分布 | 生于山谷、林下石上。分布于广东乐昌。

| 资源情况 | 野生资源丰富。药材来源于野生。

| 采收加工 | 全年均可采收，鲜用或晒干。

| 药材性状 | 本品根茎短，密被黑褐色线状披针形鳞片，下部丛生极纤细的须根。叶簇生；叶柄与叶轴呈细长扁圆柱形，直径约 1 mm，栗褐色且有光泽，有纵沟，上面两侧常见全缘的膜质狭翅，质脆，易折断，断面常中空；叶片纸质，条状披针形，长约 15 cm；小羽片黄棕色，多皱缩、破碎，完整者展开后呈斜卵形或扇状椭圆形，两侧边缘有小钝齿，背面可见孢子囊群。气无，味淡。

| 功能主治 | 淡，凉。归心、脾经。清热利湿，解毒消肿，调经止血。用于小儿高热惊风，肾炎性水肿，食积腹泻，痢疾，咳嗽，咯血，月经不调，带下，疮疖肿毒，毒蛇咬伤，烫火伤，外伤出血。

| 用法用量 | 内服煎汤，10 ~ 30 g。外用适量，鲜品捣敷。

铁角蕨科 Aspleniaceae 铁角蕨属 *Asplenium*

变异铁角蕨

Asplenium varians Wall. ex Hook. et Grev

| 药 材 名 |

九倒生（药用部位：全草。别名：铁郎鸡、铁扫把、金鸡尾）。

| 形态特征 |

植株高 10 ~ 22 cm。根茎短而直立，顶部密被鳞片。叶簇生；叶柄长 4 ~ 10 cm，下部亮栗色，向上到叶轴均为灰绿色；叶片披针形，长 7 ~ 15 cm，宽 2.5 ~ 4 cm，先端渐尖，二回羽状；羽片 8 ~ 12 对，平展，三角状卵形，长 1 ~ 2 cm，宽 6 ~ 10 mm，头钝，基部不对称，上侧圆截形并与叶轴平行，下侧楔形；小羽片 2 ~ 3 对，上先出，基部上侧 1 小羽片较大，倒卵形，先端有锯齿。孢子囊群短线形，每小羽片有孢子囊群 2 ~ 4；囊群盖同形，膜质，全缘。

| 生境分布 |

生于杂木林潮湿岩石上或岩壁上。分布于广东肇庆（市区）。

| 资源情况 |

野生资源较少。药材来源于野生。

| **采收加工** | 秋后采收，洗净，晒干。 |

| **药材性状** | 本品根茎短，顶部密生黑棕色且有虹色光彩的披针形鳞片。叶薄草质，干后呈草绿色或上面为暗灰绿色；叶轴灰绿色，上面有浅阔纵沟，光滑。 |

| **功能主治** | 微涩，凉。归肾经。活血消肿，止血生肌。用于骨折，刀伤，疮疡溃烂，烫火伤。 |

| **用法用量** | 内服煎汤，10 ~ 20 g。外用适量，捣敷。 |

铁角蕨科 Aspleniaceae 铁角蕨属 Asplenium

狭翅铁角蕨 Asplenium wrightii Eaton ex Hook.

药材名

狭翅铁角蕨（药用部位：全草。别名：矮齿铁角蕨、莱氏铁角蕨）。

形态特征

植株高达 1 m。根茎短而直立，密被鳞片。叶簇生；叶柄长 20 ~ 32 cm，淡绿色；叶片椭圆形，长 30 ~ 80 cm，宽 16 ~ 25 cm，一回羽状；羽片 16 ~ 24 对，披针形或镰状披针形，长 9 ~ 15 cm，宽 1.5 ~ 1.8 cm，具长尾头，基部不对称并多少下延，上侧圆截形，下侧阔楔形，边缘有粗锯齿或重锯齿；叶脉可见；叶轴两侧有狭翅。孢子囊群线形，斜向上，沿主脉两侧整齐排列；囊群盖膜质，全缘，开向主脉。

生境分布

生于山地林下溪边石上。分布于广东怀集、英德、连南、连平、乐昌、仁化、翁源及广州（市区）、梅州（市区），以及珠江口岛屿、罗浮山等。

资源情况

野生资源丰富。药材来源于野生。

| 采收加工 | 夏、秋季采收，洗净，晒干。

| 药材性状 | 本品根茎短，粗壮，直径 0.7 ～ 1.2 cm，密被褐棕色披针形鳞片。叶纸质，干后呈草绿色或暗绿色。

| 功能主治 | 苦，寒。清热解毒，消肿止痛。

| 用法用量 | 内服煎汤，9 ～ 15 g。

| 凭证标本号 | 440224180331014LY。

铁角蕨科 Aspleniaceae 巢蕨属 Neottopteris

巢蕨 *Neottopteris nidus* (Linn.) J. Sm.

| 药 材 名 | 铁蚂蟥（药用部位：全草或根茎。别名：尖刀如意散、山苏花、七星剑）。

| 形态特征 | 植株高 60 ~ 120 cm。根茎短粗，与叶柄基部均密被鳞片。叶簇生，辐射如鸟巢；叶柄长约 5 cm；叶片阔披针形，长 55 ~ 120 cm，中部最宽处宽 9 ~ 15 cm，先端渐尖，向下逐渐变狭而下延，全缘并有软骨质狭边，干后反卷；中脉在背面隆起而呈半圆形，表面下部有阔沟，上部稍隆起，光滑，小脉在两面稍隆起，斜向上，平行。孢子囊群线形，长 3 ~ 4.5 cm，生于小脉上侧，叶片下部常不育；囊群盖线形，淡棕色，厚膜质，全缘，宿存。

| 生境分布 | 常成丛附生于林中树干或岩石上。分布于广东阳春及广州（市区）、

惠州（市区）等。

| 资源情况 | 野生资源较少。药材来源于野生。

| 采收加工 | 全年均可采收，洗净，鲜用或晒干。

| 药材性状 | 本品根茎短粗，直径 2.5 ~ 3 cm，木质，深棕色，先端与叶柄基部均密被深棕色线形鳞片。叶柄长 2 ~ 5 cm，粗壮，棕褐色，干后下面隆起而呈半圆形，上面有阔沟，表面平滑，基部两侧无翅；叶厚纸质或薄革质，两面均无毛。

| 功能主治 | 苦，温。归肝、肾经。强筋壮骨，活血祛瘀。用于骨折，阳痿，跌打损伤。

| 用法用量 | 内服煎汤，10 ~ 15 g；或浸酒。外用适量，鲜品捣敷。

| 凭证标本号 | 440605210303035LY、440303210220007LY、440608190805077LY。

球子蕨科 Onocleaceae 荚果蕨属 Matteuccia

东方荚果蕨 *Matteuccia orientalis* (Hook.) Trev.

| **药 材 名** | 东方荚果蕨（药用部位：根茎、茎叶。别名：大叶蕨、马来巴）。

| **形态特征** | 植株高达 1 m。根茎短而直立，与叶柄基部均密被鳞片。叶簇生，二型；不育叶的叶柄长 30 ~ 80 cm，叶片长椭圆形，长50 ~ 80 cm，宽 25 ~ 40 cm，先端渐尖，基部不变狭，2 回羽状半裂，羽片线状披针形，长 12 ~ 22 cm，宽 2.5 ~ 3 cm，两侧羽状半裂至深半裂，裂片全缘或有浅钝齿，侧脉单一；能育叶一回羽状，羽片多数，线形，幼时完全包被孢子囊群而呈荚果状。孢子囊群圆形，成熟时会合成条形；囊群盖膜质，最后散失。

| **生境分布** | 生于山谷溪边林下。分布于广东乳源。

| **资源情况** | 野生资源较少。药材来源于野生。 |

| **采收加工** | 全年均可采收，洗净，晒干或鲜用。 |

| **药材性状** | 本品根茎短而粗壮，木质，暗棕色，密被浅棕色披针形鳞片。不育叶纸质，干后下面呈绿色、浅绿色或浅黄绿色，上面常呈灰绿色，基部不变狭，叶轴和羽轴疏被狭披针形鳞片；能育叶鲜嫩时呈深紫色，干后呈深棕色，有光泽，线形。 |

| **功能主治** | 苦，凉。祛风，止血。用于风湿痹痛，外伤出血。 |

| **用法用量** | 内服煎汤，15 ~ 30 g。外用适量，捣敷。 |

| **附　注** | FOC 将本种置于东方荚果蕨属 *Pentarhizidium* 中，并将其拉丁学名修订为 *Pentarhizidium orientale* (Hook.) Hayata。 |

乌毛蕨科　Blechnaceae　乌毛蕨属　Blechnum

乌毛蕨

Blechnum orientale Linn.

药材名

乌毛蕨贯众（药用部位：根茎、叶。别名：大凤尾草、黑狗脊、东方乌毛蕨）。

形态特征

植株高 1 ~ 2 m。根茎直立，粗壮，木质，与叶柄基部均密被鳞片。叶簇生；叶柄坚硬，棕禾秆色，两侧疏生由退化羽片形成的耳状突起；叶片卵状披针形，长 50 ~ 120 cm，宽 25 ~ 40 m，一回羽状；羽片多数，能育羽片线状披针形，长 15 ~ 30 cm，宽 1 ~ 2 cm，无柄，基部不对称，上侧楔形，大多与叶轴分离，下侧通常不同程度地下延而贴生于叶轴，全缘。孢子囊群线形，沿中脉两侧着生；囊群盖同形，开向中脉。

生境分布

生于山坡灌丛及较阴湿处的酸性土壤中。广东各地均有分布。

资源情况

野生资源丰富。药材来源于野生。

采收加工

根茎，春、秋季采挖，削去须根，除净泥土，鲜用或晒干。

| **药材性状** | 本品根茎呈圆柱形或棱柱形，上端稍大，长 10 ~ 20 cm，直径 5 ~ 6 cm，棕褐色或黑褐色，密被有空洞的叶柄残基、须根和黑褐色鳞片；质坚硬，横断面多呈空洞状，皮部薄，有 10 余点状维管束，维管束环列，内面 2 维管束稍大。叶柄基部较粗，外侧有一瘤状突起，簇生 10 余须根；叶近革质，干后呈棕色。气微弱而特异，味微涩。

| **功能主治** | 根茎，清热解毒，活血止血，驱虫。叶，清热解毒。用于感冒，头痛，腮腺炎，痈肿，跌打损伤，鼻衄，吐血，血崩，带下，肠道寄生虫病。

| **用法用量** | 内服煎汤，6 ~ 15 g，大剂量可用至 60 g。外用适量，捣敷；或研末调涂。

| **凭证标本号** | 440281200714015LY、440783190416007LY、441284190722239LY。

乌毛蕨科 Blechnaceae 苏铁蕨属 Brainea

苏铁蕨 Brainea insignis (Hook.) J. Sm.

| 药 材 名 | 苏铁蕨（药用部位：根茎。别名：贯众）。

| 形态特征 | 植株高约 1.2 m。根茎粗壮，木质，直立，圆柱状，直径达 15 cm 或更粗，与叶柄基部均密被鳞片。叶簇生于主轴先端；叶柄长 6 ~ 20 cm；叶片革质，椭圆状披针形，长 60 ~ 100 cm，宽 10 ~ 30 cm，无毛，一回羽状，羽片多数，线状披针形，中部羽片较长，长 10 ~ 15 cm，宽 10 ~ 13 mm，先端长渐尖，基部为不对称的心形，下侧耳片较大，边缘有细密锯齿，下部羽片略短；叶脉明显。孢子囊群幼时沿网脉着生，成熟时满布叶背，无囊群盖。

| 生境分布 | 生于山坡向阳处。分布于广东阳春、揭西、饶平、丰顺、翁源、新丰及广州（市区）、深圳（市区）、惠州（市区）、肇庆（市区）等。

| 资源情况 | 野生资源较少。药材来源于野生。

| 采收加工 | 全年均可采收，洗净，晒干或鲜用。

| 药材性状 | 本品呈圆柱形，有时稍弯曲，多纵切成两半或横切、斜切成厚片，直径 3 ~ 5 cm，密被极短的叶柄残基、须根和少量褐色鳞片，或叶柄残基全部被削除；质坚硬；横切面圆形，灰棕色至红棕色，密布黑色小点，边缘呈不规则圆齿形，外皮黑褐色，皮内散布多数黄色点状维管束，中柱维管束 10 余，多呈"U"字形、"V"字形或短线形，排成一圆圈，形成花纹。叶柄基部横切面近圆形，直径 5 ~ 8 mm，密布小黑点，维管束 6 ~ 10，环列。气微弱，味涩。

| 功能主治 | 微涩，凉。清热解毒，活血止血，驱虫。用于感冒，烧伤，外伤出血，蛔虫病。

| 用法用量 | 内服煎汤，6 ~ 15 g。外用适量，捣敷。

| 凭证标本号 | 441224180716002LY、441324181228009LY。

| 附　注 | 本种为国家二级重点保护野生植物。

乌毛蕨科 Blechnaceae 崇澍蕨属 Chieniopteris

崇澍蕨
Chieniopteris harlandii (Hook.) Ching

| 药 材 名 | 崇澍蕨（药用部位：根茎。别名：假狗脊、哈氏狗脊、羽裂狗脊蕨）。

| 形态特征 | 植株高达 1.2 m。根茎长而横走，密被鳞片。叶散生；叶柄长短不一；叶片变异甚大，或为披针形的单叶，或为三出而中央羽片特大，而较多者为羽状深裂，有时下部近羽状；侧生羽片（或裂片）1 ~ 4 对，对生，披针形，先端渐尖，基部与叶轴合生，并沿叶轴下延，基部 1 对羽片长 20 ~ 29 cm；主脉在两面均隆起，具网眼。孢子囊群粗线形，紧靠主脉并与主脉平行，成熟时沿主脉两侧会合成一连续的线；囊群盖成熟时呈红棕色，开向主脉。

| 生境分布 | 生于山地林下潮湿处或水沟边。分布于广东信宜、怀集、封开、龙门、阳山、连山及广州（市区）、深圳（市区）、韶关（市区）等。

| **资源情况** | 野生资源丰富。药材来源于野生。 |

| **采收加工** | 秋、冬季采收，除去须根，鲜用或晒干。 |

| **药材性状** | 本品较长，直径 4 ~ 6 mm，黑褐色，密被棕褐色披针形鳞片。 |

| **功能主治** | 苦，凉。归肾经。祛风除湿。用于风湿痹痛。 |

| **用法用量** | 内服煎汤，9 ~ 15 g；或浸酒。 |

| **凭证标本号** | 440781190321024LY、441823191019025LY、441225180722148LY。 |

荚囊蕨
Struthiopteris eburnean (Christ) Ching

|药材名|

荚囊蕨（药用部位：根茎。别名：篦子草、天鹅抱蛋、锯草）。

|形态特征|

植株高 20 ~ 60 cm。根茎横卧或斜升，与叶柄基部均密被鳞片。叶近簇生，二型；不育叶的叶柄长 3 ~ 24 cm，禾秆色；叶片披针形，长 15 ~ 45 cm，宽 2 ~ 6 cm，两端渐狭，一回羽状；羽片多数，略呈镰状披针形，长 1.5 ~ 3 cm，宽 4 ~ 6 mm，具短尖头，基部与叶轴合生，下部渐缩成耳形；能育叶与不育叶同形而较狭。孢子囊群粗线形，几与羽片等长，沿主脉两侧各有 1 行孢子囊群；囊群盖成熟时开向主脉，宿存。

|生境分布|

生于瀑布、经常滴水的石灰岩及大理岩峭壁上。分布于广东乐昌等。

|资源情况|

野生资源较少。药材来源于野生。

|采收加工|

秋季采收，洗净，晒干或鲜用。

| **药材性状** | 本品短粗或长而横走，密被栗棕色披针形鳞片。

| **功能主治** | 苦，凉。归肺、心、肝、膀胱经。清热利湿，散瘀消肿。用于淋证，疮痈肿痛，跌打损伤。

| **用法用量** | 内服煎汤，6 ~ 15 g。外用适量，捣敷。

乌毛蕨科 Blechnaceae 狗脊属 Woodwardia

狗脊

Woodwardia japonica (Linn. f.) Sm.

| 药 材 名 | 狗脊贯众（药用部位：根茎。别名：虾公草、毛狗头、大叶贯众）。

| 形态特征 | 植株高 50 ~ 120 cm。根茎短而粗，直立或斜升，与叶柄基部均密被红棕色披针形大鳞片。叶簇生；叶柄长 30 ~ 50 cm；叶片长卵形，长 30 ~ 80 cm，宽 25 ~ 40 cm，二回羽裂；裂片 10 对以上，顶生羽片急缩成羽状深裂，下部羽片长 11 ~ 18 cm，宽 2.5 ~ 4 cm，先端渐尖，向基部略变狭，羽状半裂；裂片边缘有细锯齿；叶脉网状，有网眼 1 ~ 2 行。孢子囊群短线形，生于中脉两侧相对的网脉上并嵌入叶肉中；囊群盖以外侧边着生于网脉，开向中脉。

| 生境分布 | 生于疏林下。分布于广东揭阳及广州（市区）、珠海（市区）、惠州（市区）、汕尾（市区）、汕头（市区）、湛江（市区）、茂名（市

区）、佛山（市区）等。

| **资源情况** | 野生资源丰富。药材来源于野生。

| **采收加工** | 春、秋季采挖，削去须根，除净泥土，晒干。

| **药材性状** | 本品圆柱状或四方柱形，挺直或稍弯曲，上端较粗钝，下端较细，长 6 ~ 26 cm，直径 2 ~ 7 cm，红棕色或黑褐色，密被短粗的叶柄残基、棕红色鳞片和棕黑色细根。叶柄残基近半圆柱形，镰刀状弯曲，背面呈肋骨状排列，腹面呈短柱状排列。质坚硬，难折断。叶柄残基横切面可见黄白色小点（分体中柱）2 ~ 4，内面 1 对小点呈"八"字形排列。气微弱，味微苦、涩。

| **功能主治** | 苦，凉。归肝、胃、肾、大肠经。清热解毒，杀虫，止血，祛风湿。用于风热感冒，时行瘟疫，恶疮痈肿，虫积腹痛，小儿疳积，痢疾，便血，崩漏，外伤出血，风湿痹痛。

| **用法用量** | 内服煎汤，9 ~ 15 g，大剂量可用至 30 g；或浸酒；或入丸、散剂。外用适量，捣敷；或研末调涂。

| **凭证标本号** | 440281190424009LY、441825190707001LY、441324180801067LY。

乌毛蕨科 Blechnaceae 狗脊属 Woodwardia

东方狗脊

Woodwardia orientalis Sm.

药材名

东方狗脊（药用部位：根茎。别名：大叶狗脊、镰叶狗脊、贯众）。

形态特征

植株高 70 ~ 100 cm。根茎横卧，粗壮，密被鳞片。叶簇生；叶柄长 20 ~ 55 cm；叶片卵形，长 35 ~ 45 cm，宽 15 ~ 45 cm，先端渐尖，基部圆截形，2 回深羽裂达羽轴两侧的阔翅；羽片 6 ~ 8 对，长三角状披针形，长 11 ~ 28 cm，宽 4.5 ~ 9 cm，基部不对称，上侧截形，下侧斜切，第 1 裂片缺失，1 回深羽裂；裂片 11 ~ 18 对，阔披针形，长达 5 cm，头尖，边缘有细密尖锯齿；叶脉明显，具网眼。孢子囊群近新月形或长椭圆形，排列整齐，深陷叶肉内。

生境分布

生于山地林下潮湿处及路旁。分布于广东平远、乐昌、仁化及深圳（市区）等。

资源情况

野生资源丰富。药材来源于野生。

| 采收加工 | 夏、秋季采挖，削去须根，鲜用或晒干。

| 药材性状 | 本品呈圆柱形，长 10 ～ 30 cm，直径 3 ～ 10 cm。表面密被棕色卵状披针形鳞片、叶柄残基和须根。坚硬，不易折断，断面红棕色或棕褐色，有排列成环的 3 ～ 5 大小不等的黄白色维管束小点，其中 2 小点较大，且呈"八"字形排列。气微，味微苦。

| 功能主治 | 甘，温。归肾经。祛风除湿，补肝肾，强腰膝，解毒，杀虫。用于腰背酸痛，膝痛脚弱，痢疾，崩漏，带下，小儿疳积，瘰疬，蛇咬伤。

| 用法用量 | 内服煎汤，4.5 ～ 9 g；或入丸、散剂。外用适量，磨汁；或炒黑，研末涂敷。

| 凭证标本号 | 441426160126002LY。

乌毛蕨科 Blechnaceae 狗脊属 *Woodwardia*

胎生狗脊 *Woodwardia prolifera* Hook. et Arn.

| **药 材 名** | 胎生狗脊（药用部位：根茎。别名：珠芽狗脊、多子东方狗脊）。

| **形态特征** | 植株高 0.7 ～ 2.3 m。根茎横卧，与叶柄下部均密被大鳞片。叶近生；叶柄粗壮，长 0.3 ～ 1.1 m；叶片长卵形或椭圆形，长 0.35 ～ 1.2 m，宽 30 ～ 40 cm，先端渐尖，2 回深羽裂达羽轴两侧的狭翅；羽片 5 ～ 9 对，斜展，披针形，长 16 ～ 20 cm，宽 4.5 ～ 6 cm，基部极不对称；裂片通常 10 ～ 14 对，披针形，头渐尖，基部以阔翅相连，边缘有细密锯齿，羽片基部下侧斜切，缺失 1 ～ 4 裂片；叶脉明显，具狭长网眼；羽片上面通常产生小珠芽。孢子囊群短粗，新月形，深陷叶肉内。

| **生境分布** | 生于山地林下潮湿处或水沟边。分布于广东陆丰、饶平、大埔、蕉

岭、和平、仁化、翁源、乳源及广州（市区）、梅州（市区）等。

| 资源情况 | 野生资源丰富。药材来源于野生。

| 采收加工 | 夏、秋季采挖，削去须根，鲜用或晒干。

| 药材性状 | 本品横卧，黑褐色，与叶柄下部均密被蓬松的大鳞片；鳞片狭披针形或线状披针形，长 2 ～ 4 cm，先端纤维状，红棕色，膜质。叶柄脱落时基部宿存于根茎上。

| 功能主治 | 苦，寒。祛风除湿。

| 用法用量 | 内服煎汤，4.5 ～ 9 g。

| 凭证标本号 | 441523190403003LY、441623180626018LY、441422190216641LY。

乌毛蕨科 Blechnaceae 狗脊属 *Woodwardia*

单芽狗脊 *Woodwardia unigemmata* (Makino) Nakai

| 药材名 |

狗脊贯众（药用部位：根茎。别名：顶芽狗脊、毛狗头、大叶贯众）。

| 形态特征 |

植株高达 2 m。根茎横卧，与叶柄基部均密被鳞片。叶近生；叶柄长 30 ～ 100 cm；叶片长卵形或椭圆形，长 40 ～ 100 cm，宽 20 ～ 80 cm，先端渐尖，2 回深羽裂；羽片通常 7 ～ 13 对，阔披针形或椭圆状披针形，长 15 ～ 40 cm，宽 5 ～ 14 cm，先端尾尖，基部圆楔形，上侧常覆盖叶轴，羽裂深达羽轴两侧的宽翅；裂片 14 ～ 22 对，斜展，彼此密接，披针形，边缘具细密锯齿；叶脉明显，具网眼。孢子囊群短粗，线形，下陷于叶肉内。

| 生境分布 |

生于山地林下潮湿处。分布于广东乳源。

| 资源情况 |

野生资源较少。药材来源于野生。

| 采收加工 |

春、秋季采挖，削去须根，除净泥土，晒干。

| **药材性状** | 本品呈长圆柱形或削成方柱状，红棕色至黑褐色；鳞片红棕色披针形。叶柄残基横切面可见黄白色小点（分体中柱）5 ～ 8。

| **功能主治** | 苦，凉。归肝、胃、肾、大肠经。清热解毒，杀虫，止血，祛风湿。用于风热感冒，时行瘟疫，恶疮痈肿，虫积腹痛，小儿疳积，痢疾，便血，崩漏，外伤出血，风湿痹痛。

| **用法用量** | 内服煎汤，9 ～ 15 g，大剂量可用至 30 g；或浸酒；或入丸、散剂。外用适量，捣敷；或研末调涂。

鳞毛蕨科 Dryopteridaceae 复叶耳蕨属 *Arachniodes*

刺头复叶耳蕨
Arachniodes aristata (G. Forst.) Tindle

| 药 材 名 |
芒刺复叶耳蕨（药用部位：根茎。别名：献鸡尾、具芒汝蕨、多芒复叶耳蕨）。

| 形态特征 |
植株高 30 ~ 90 cm。根茎长而横走，密被褐棕色鳞片。叶近生；叶柄长 15 ~ 50 cm，与叶轴及羽轴均密被小鳞片；叶片三角状卵形，长 20 ~ 35 cm，宽约 20 cm，先端骤缩成尾状渐尖，基部三回羽状；羽片 5 ~ 8 对，互生，有柄，基部 1 对羽片最大，三角状卵形，长 15 ~ 20 cm，宽 7 ~ 10 cm，基部下侧小羽片特长，为一回羽状，向上各对羽片披针形；叶下面沿主脉疏被棕色小鳞片。孢子囊群中生，着生于小脉先端，每小羽片有孢子囊群 5 ~ 7 对；囊群盖圆肾形，厚膜质，近全缘，脱落。

| 生境分布 | 生于山地林下潮湿处。分布于广东连州、南澳、大埔、连平、乐昌及广州（市区）、深圳（市区）、汕头（市区）等。 |

| 资源情况 | 野生资源一般。药材来源于野生。 |

| 采收加工 | 全年均可采挖，除去叶，洗净泥土，鲜用或晒干。 |

| 药材性状 | 本品粗壮，密被暗棕色披针形鳞片。叶纸质，干后呈褐绿色，光滑。 |

| 功能主治 | 微苦，凉。清热解毒。用于痢疾。 |

| 用法用量 | 内服煎汤，9 ~ 15 g。 |

鳞毛蕨科 Dryopteridaceae 复叶耳蕨属 *Arachniodes*

中华复叶耳蕨

Arachniodes chinensis (Ros.) Ching

| 药 材 名 | 中华复叶耳蕨（药用部位：全草。别名：贯众叶复叶耳蕨）。

| 形态特征 | 植株高 30 ~ 60 cm。根茎横走，先端与叶柄均密被鳞片。叶疏生；叶柄长 15 ~ 25 cm；叶片三角状卵形，长 20 ~ 40 cm，宽 15 ~ 30 cm，顶部略狭缩成长三角形，头渐尖，3 回羽裂；侧生羽片约 10 对，互生，披针形，基部 1 对羽片较大，长 10 ~ 20 cm，基部宽 4 ~ 6 cm，先端长渐尖；小羽片 15 ~ 20 对，椭圆形或稍呈镰状，基部 1 对小羽片较长，羽状半裂，向上的小羽片逐渐缩小，边缘浅裂，先端具芒刺状锯齿；叶轴、羽轴均被黑褐色鳞片。孢子囊群生于小脉中部以上；囊群盖圆肾形，早落。

| 生境分布 | 生于常绿阔叶林下。分布于广东封开、英德、阳山、连山、龙门、

丰顺、乐昌、乳源及深圳（市区）、肇庆（市区）等。

| **资源情况** | 野生资源丰富。药材来源于野生。

| **采收加工** | 夏、秋季采收，洗净，晒干或鲜用。

| **药材性状** | 本品根茎横卧，残留密集叶柄，先端密被黑褐色披针形鳞片。叶干后呈纸质，暗棕色，光滑，羽轴下面有相当多的黑褐色线状钻形小鳞片。

| **功能主治** | 清热解毒，消肿散瘀，止血。

| **用法用量** | 内服煎汤，9 ~ 15 g。

| **凭证标本号** | 440523190731013LY、441422190502283LY、441827180809010LY。

复叶耳蕨 *Arachniodes exilis* (Hance) Ching

| **药 材 名** | 复叶耳蕨（药用部位：根茎）。

| **形态特征** | 植株高 30 ～ 90 cm。根茎横走，密被鳞片。叶近生；叶柄长 15 ～ 50 cm，禾秆色，与叶轴和羽轴均被钻形小鳞片；叶片三角形卵形，长 20 ～ 35 cm，宽约 20 cm，先端狭缩成尾状渐尖，三回羽状；羽片 5 ～ 8 对，斜向上，有柄，基部 1 对羽片最大，三角状卵形，长 15 ～ 20 cm，宽 7 ～ 10 cm，基部下侧小羽片特长，为一回羽状；小羽片长圆形，先端锐尖，基部上侧略呈耳状凸起或为分离的耳片，边缘浅裂或具长芒刺状锯齿。孢子囊群圆形，生于小脉先端；囊群盖圆肾形，早落。

| **生境分布** | 生于山谷林下。分布于广东连州、南澳、大埔、连平、乐昌及广州

（市区）、深圳（市区）、汕头（市区）等。

| **资源情况** | 野生资源丰富。药材来源于野生。

| **采收加工** | 全年均可采挖，洗净泥土，鲜用或晒干。

| **药材性状** | 本品长，密被棕色钻状鳞片。

| **功能主治** | 微苦、涩，凉。清热解毒，敛疮。用于痢疾，烫火伤。

| **用法用量** | 内服煎汤，15 ~ 30 g。外用适量，研末调敷。

| **凭证标本号** | 441523200105015LY。

| **附　　注** | FOC 将本种并入刺头复叶耳蕨 *Arachniodes aristata* (G. Forst.) Tindale。

鳞毛蕨科 Dryopteridaceae **复叶耳蕨属** *Arachniodes*

斜方复叶耳蕨

Arachniodes rhomboidea (Wall. ex Mett.) Ching

| 药 材 名 | 大叶鸭脚莲（药用部位：根茎。别名：线鸡尾、可爱复叶耳蕨）。

| 形态特征 | 植株高 50 ~ 80 cm。根茎横走，与叶柄基部均密被棕色鳞片。叶疏生；叶柄长 30 ~ 45 cm；叶片长卵形或三角状卵形，长 30 ~ 50 cm，宽 25 ~ 35 cm，顶部突然狭缩成尾状，三回羽状至 4 回羽裂；顶生羽片与侧生羽片同形，侧生羽片 5 ~ 7 对，基部 1 对羽片最大，长 10 ~ 20 cm，长三角状披针形，基部下侧小羽片特长并为羽裂或羽状，第 2 对以上的羽片均为线状披针形；小羽片斜方形，长 1.5 ~ 2.5 cm，具急尖头，基部不对称，上侧截形并呈三角形凸起，下侧楔形，边缘有芒刺状锐锯齿。孢子囊群生于小脉先端，靠近叶边；囊群盖圆肾形。

| 生境分布 | 生于山谷林下。分布于广东阳山、和平、乐昌、乳源及河源（市区）等。

| 资源情况 | 野生资源丰富。药材来源于野生。

| 采收加工 | 全年均可采挖，洗净泥土，鲜用或晒干。

| 药材性状 | 本品密被棕色披针形薄鳞片。

| 功能主治 | 微苦，温。祛风止痛，益肺止咳。用于关节痛，肺痨咳嗽。

| 用法用量 | 内服煎汤，10 ～ 15 g，鲜品 30 ～ 60 g。

| 凭证标本号 | 440281190816003LY、441825190804024LY、441823200708044LY。

鳞毛蕨科 Dryopteridaceae 复叶耳蕨属 *Arachniodes*

异羽复叶耳蕨
Arachniodes simplicior (Makino) Ohwi

| 药 材 名 | 长尾复叶耳蕨（药用部位：根茎。别名：小叶金鸡尾巴草、稀羽复叶耳蕨）。

| 形态特征 | 植株高 60 ～ 80 cm。根茎横卧，密被鳞片。叶近生；叶柄长 30 ～ 40 cm，禾秆色，被鳞片；叶片厚纸质，卵状长圆形，与叶柄近等长，宽 18 ～ 30 cm，顶部尾状，下面沿叶轴、羽轴及中脉偶有小鳞片，3 回羽裂或基三回羽状；羽片 3 ～ 5 对，基部 1 对羽片最大，基部 1 对小羽片伸长（下侧 1 片特长）；小羽片三角状长圆形，边缘浅裂而具芒刺状锯齿。孢子囊群生于小脉先端，在中脉两侧各排成 1 行；囊群盖圆肾形。

| 生境分布 | 生于山谷林下。分布于广东乳源及广州（市区）等。

| **资源情况** | 野生资源较少。药材来源于野生。

| **采收加工** | 全年均可采挖，除去须根，晒干或鲜用。

| **药材性状** | 本品圆柱形，表面具棕色叶柄残基，并有棕褐色鳞片；鳞片披针形或条状钻形，长 3 ～ 13 mm。质较硬。气微，味淡。

| **功能主治** | 苦，寒。归胃、肾经。清热解毒。用于内热腹痛。

| **用法用量** | 内服煎汤，10 ～ 15 g。

| **凭证标本号** | 441827180822034LY。

鳞毛蕨科 Dryopteridaceae 实蕨属 Bolbitis

长叶实蕨 *Bolbitis heteroclita* (Presl) Ching

| 药 材 名 | 长叶实蕨（药用部位：全草。别名：三叉剑、单刀石韦、三步跳）。

| 形态特征 | 植株高 35 ~ 85 cm。根茎横走，密被鳞片。叶近生，二型；叶柄长 10 ~ 40 cm；不育叶叶片形状多样，或为披针形单叶，或为三出，或为一回羽状，顶生羽片特大，长 30 ~ 40 cm，宽 5 ~ 8 cm，披针形，先端常延伸成鞭状，能着地生根并长出新株，侧生羽片 1 ~ 5 对，阔披针形，近全缘或浅波状，侧脉明显，小脉网结，网眼四角形或六角形，无内藏小脉；能育叶与不育叶同形但较狭小。孢子囊群沿网脉着生，成熟后布满叶背，无囊群盖。

| 生境分布 | 生于林下、溪边湿地。分布于广东封开及深圳（市区）等。

| **资源情况** | 野生资源较少。药材来源于野生。

| **采收加工** | 秋、冬季采收，除去须根，洗净，晒干。

| **药材性状** | 本品根茎扁平长条状，长 6 ~ 15 cm，直径 0.5 ~ 1 cm；表面密生棕褐色小鳞片，两侧及上面有凸起的叶柄痕，下面有残留的短须根；质脆，断面有多数筋脉小点。叶干后常皱缩；叶柄浅棕黄色；叶片褐色，形状多样。孢子囊群布满叶背。气微，味淡。

| **功能主治** | 淡，凉。归肺、肝、肾、大肠经。清热止咳，凉血止血。用于肺热咳嗽，咯血，痢疾，烫火伤，毒蛇咬伤。

| **用法用量** | 内服煎汤，9 ~ 15 g。

鳞毛蕨科 Dryopteridaceae 实蕨属 Bolbitis

华南实蕨 *Bolbitis subcordata* (Cop.) Ching

| 药 材 名 | 华南实蕨（药用部位：全草。别名：凤尾蕨、海南实蕨）。

| 形态特征 | 植株高 30 ～ 90 cm。根茎横走，密被鳞片。叶簇生，二型；叶柄长
30 ～ 60 cm；不育叶叶片椭圆形，长 20 ～ 50 cm，宽 15 ～ 28 cm，
一回羽状，羽片 4 ～ 10 对，有短柄，顶生羽片 3 裂，先端略延长，
常着地生根并长出新株，侧生羽片宽披针形，长 9 ～ 20 cm，宽 2.5 ～
5 cm，先端渐尖，边缘有深波状裂片，裂片具细齿，缺刻内有 1 尖
刺，网脉明显，多数具内藏小脉；能育叶与不育叶同形而较小，羽
片近线形。孢子囊群沿网脉着生，成熟时布满叶背，无囊群盖。

| 生境分布 | 生于林下、溪边湿地。分布于广东英德、大埔、始兴及深圳（市区）、
韶关（市区）等。

资源情况	野生资源丰富。药材来源于野生。
采收加工	夏、秋季采收,鲜用或晒干。
药材性状	本品根茎较粗而短,直径 1.5 ~ 2.5 cm,表面密生黑褐色鳞片。叶簇生于根茎上,二型;叶柄略扭曲,被稀疏鳞片;叶草质,干后变为黑色。孢子囊群沿网脉着生。气微,味淡、微涩。
功能主治	微涩,凉。归肝、肺经。清热解毒,凉血止血。用于毒蛇咬伤,痢疾,吐血,衄血,外伤出血。
用法用量	内服煎汤,9 ~ 15 g。外用适量,鲜品捣敷。
凭证标本号	441324180801046LY、441882180813021LY、441422210225670LY。

鳞毛蕨科 Dryopteridaceae 肋毛蕨属 Ctenitis

虹鳞肋毛蕨 *Ctenitis rhodolepis* (Clarke) Ching

| **药 材 名** | 虹鳞肋毛蕨（药用部位：全草）。

| **形态特征** | 植株高 30 ~ 60 cm。根茎斜升，先端及叶柄基部均密被鳞片。叶簇生；叶柄长 15 ~ 45 cm，基部以上禾秆色并疏被鳞片；叶片三角状卵形，长 20 ~ 30 cm，宽 15 ~ 25 cm，先端长渐尖，3 ~ 4 回羽裂；羽片 8 ~ 10 对，斜展，疏离，基部 1 对羽片最大，长三角形；小羽片 6 ~ 8 对，下侧小羽片较长，二回小羽片 7 ~ 10 对，椭圆形，基部与小羽轴合生；裂片 5 ~ 7 对，椭圆形，头钝，全缘；叶脉明显；叶轴及羽轴上面均被红棕色毛，下面被小鳞片。孢子囊群圆形，每末回小羽片 3 ~ 6 对；囊群盖早落。

| **生境分布** | 生于山地林下。分布于广东连平、始兴等。

| 资源情况 | 野生资源丰富。药材来源于野生。

| 采收加工 | 夏、秋季采收，洗净，晒干。

| 药材性状 | 本品根茎直径约 2 cm，先端密被红棕色狭披针形鳞片。叶草质，干后呈棕绿色或暗绿色，下面疏被短腺毛，边缘有睫毛。

| 功能主治 | 祛风除湿。用于痹证。

| 用法用量 | 内服煎汤，9 ~ 15 g。

| 凭证标本号 | 440281190423027LY、441324181215011LY。

鳞毛蕨科 Dryopteridaceae 贯众属 *Cyrtomium*

镰羽贯众 *Cyrtomium balansae* (Christ) C. Chr.

| 药 材 名 | 镰羽贯众（药用部位：根茎。别名：巴兰贯众）。

| 形态特征 | 植株高 30 ～ 70 cm。根茎与叶柄被鳞片。叶簇生；叶柄长 15 ～ 40 cm；叶片披针形，长 20 ～ 50 cm，宽 10 ～ 15 cm，先端渐尖并羽裂，一回羽状；羽片 10 ～ 20 对，平展，镰状披针形或镰状三角状，长 5 ～ 8 cm，宽 1.5 ～ 2.5 cm，先端渐尖，基部上侧呈三角状耳形，下侧斜切成楔形，边缘仅中部以上有疏锯齿；叶脉网状，主脉两侧各有 2 行整齐的网眼，具内藏小脉。孢子囊群圆形，生于内藏小脉中部或上部；囊群盖圆盾形，全缘，宿存。

| 生境分布 | 生于山谷林下、溪边湿地。分布于广东信宜、英德、连州、阳山、连山、龙门、丰顺、平远、连平、乐昌、仁化、翁源、乳源及

广州（市区）、深圳（市区）等。

| **资源情况** | 野生资源丰富。药材来源于野生。

| **采收加工** | 全年均可采挖，除去泥沙，晒干或鲜用。

| **药材性状** | 本品密被棕色披针形鳞片。

| **功能主治** | 微苦，寒。归肺、大肠经。清热解毒，驱虫。用于流行性感冒，肠道寄生虫病。

| **用法用量** | 内服煎汤，15 ～ 30 g。

| **凭证标本号** | 441825210313050LY、441882180410020LY。

鳞毛蕨科 Dryopteridaceae 贯众属 *Cyrtomium*

刺齿贯众

Cyrtomium caryotideum (Wall. ex Hook. et Grev.) Presl

| **药材名** | 大昏头鸡（药用部位：根茎。别名：贯众、蕨薇菜根、牛尾贯众）。

| **形态特征** | 植株高 35 ～ 60 cm。根茎短而直立，与叶柄均被鳞片。叶簇生；叶柄长 15 ～ 25 cm；叶片椭圆形，长 20 ～ 35 cm，宽 15 ～ 20 cm，奇数一回羽状；顶生羽片通常较大，长 12 ～ 15 cm，宽 8 ～ 10 cm，戟形，侧生羽片 3 ～ 5 对，近对生，镰状长三角形，先端具短尾尖，基部上侧具耳形突起，边缘有刺状尖锯齿；叶脉网状，主脉两侧各有网眼 6 ～ 7 行，具内藏小脉。孢子囊群圆形，生于内藏小脉中部，通常满布于叶背；囊群盖圆盾形，边缘有小齿。

| **生境分布** | 生于常绿阔叶林下。分布于广东连州、乐昌、乳源等。

| 资源情况 | 野生资源较少。药材来源于野生。

| 采收加工 | 全年均可采挖，除去泥沙，晒干或鲜用。

| 药材性状 | 本品短，先端及残留叶柄基部密被黑棕色披针形鳞片。

| 功能主治 | 苦，微寒；有毒。清热解毒，活血散瘀，利水消肿。用于疔疮痈肿，瘰疬，毒蛇咬伤，崩漏带下，水肿，跌打损伤，蛔积，麻疹，亦可用于预防流行性感冒。

| 用法用量 | 内服煎汤，10 ~ 30 g；或浸酒。外用适量，煎汤洗。

鳞毛蕨科 Dryopteridaceae 贯众属 Cyrtomium

披针贯众

Cyrtomium devexiscapulae (Koidz.) Ching

| 药 材 名 | 披针贯众（药用部位：全草。别名：无齿贯众）。

| 形态特征 | 植株高 35 ~ 70 cm。根茎直立，与叶柄基部均密被鳞片。叶簇生；叶柄长 20 ~ 40 cm；叶片椭圆状披针形，长 15 ~ 40 cm，宽约 20 cm，奇数一回羽状；顶生羽片与侧生羽片同形或为 2 ~ 3 叉，侧生羽片约 10 对，互生，镰状披针形，长 12 ~ 16 cm，宽 2 ~ 2.5 cm，先端渐尖或长渐尖，基部为楔形，全缘或具波状钝齿；叶脉联结，网眼内具内藏小脉。孢子囊群着生于内藏小脉中部；囊群盖圆盾形，边缘波状。

| 生境分布 | 生于林下、溪边湿地。分布于广东连州、阳山、乐昌、翁源等。

| 资源情况 | 野生资源丰富。药材来源于野生。

| 采收加工 | 夏、秋季采收，洗净，晒干。

| 功能主治 | 清热解毒，活血散瘀，利水通淋。

| 用法用量 | 内服煎汤，9 ~ 15 g。

| 凭证标本号 | 441823200901024LY。

鳞毛蕨科 Dryopteridaceae 贯众属 Cyrtomium

贯众
Cyrtomium fortunei J. Sm.

| 药 材 名 | 小贯众（药用部位：根茎。别名：鸡脑壳、地良姜、鸡头凤尾）、公鸡头叶（药用部位：叶）。

| 形态特征 | 植株高 30 ~ 60 cm。根茎短而斜升，与叶柄基部均密被大鳞片。叶簇生；叶柄长 10 ~ 25 cm，禾秆色，向上疏被鳞片；叶片椭圆状披针形，长 15 ~ 40 cm，宽 8 ~ 12 cm，奇数一回羽状；顶生羽片与侧生羽片同形或为 2 ~ 3 叉，侧生羽片 10 ~ 20 对，镰状披针形，长 6 ~ 8 cm，宽 2 ~ 3 cm，先端长渐尖，基部圆形或上侧稍呈耳状凸起而下侧呈楔形，边缘有细锯齿；叶脉联结，具内藏小脉。孢子囊群生于内藏小脉先端，散生于羽片背面；囊群盖圆盾形，全缘。

| 生境分布 | 生于石灰岩缝、路旁或墙缝。分布于广东英德、阳山、平远、乐昌、

乳源等。

| **资源情况** | 野生资源丰富。药材来源于野生。

| **采收加工** | **小贯众**：全年均可采收，采挖全株，除去地上部分及须根，晒干。
公鸡头叶：全年均可采收，洗净，鲜用或晒干。

| **药材性状** | **小贯众**：本品呈块状圆柱形或一端略细，微弯曲，长 10 ~ 30 cm，直径 2 ~ 5 cm。表面棕褐色，具多数叶柄残基，倾斜，呈覆瓦状围绕于根茎，并被有红棕色膜质半透明鳞片，下部着生较硬的黑色须根。叶柄残基长 2 ~ 4 cm，直径 3 ~ 5 mm，棕黑色，有不规则纵棱。根茎质较硬，鲜品折断面呈绿棕色，干品折断面呈红棕色，有 4 ~ 8 类白色小点（分体中柱），小点排列成环；叶柄残基断面略呈马蹄形，红棕色，有 3 ~ 4 类白色小点，小点三角形或四方形角隅排列。气微，味涩、微甘，易引起恶心。

| **功能主治** | **小贯众**：苦、涩，寒。归肝、肺、大肠经。清热解毒，凉血祛瘀，驱虫。用于感冒，热病斑疹，白喉，乳痈，瘰疬，痢疾，黄疸，吐血，便血，崩漏，痔血，带下，跌打损伤，肠道寄生虫病。
公鸡头叶：苦，微寒。凉血止血，清热利湿。用于崩漏，带下，刀伤出血，烫火伤。

| **用法用量** | **小贯众**：内服煎汤，9 ~ 15 g。外用适量，捣敷；或研末调敷。
公鸡头叶：内服煎汤，9 ~ 15 g；或研末，3 ~ 6 g。外用适量，捣绒敷；或研末调涂。

| **凭证标本号** | 440281190816001LY、441882180412003LY、441823191114010LY。

阔鳞鳞毛蕨
Dryopteris championii (Benth.) C. Chr.

| 药 材 名 | 毛贯众（药用部位：根茎。别名：小龙骨、小贯众）。

| 形态特征 | 植株高 50 ~ 90 cm。根茎横卧或斜升，先端密被鳞片。叶簇生；叶柄长 25 ~ 50 cm，与叶轴均密被棕色阔披针形鳞片；叶片长卵形至椭圆形，长 25 ~ 50 cm，宽 20 ~ 30 cm，先端长渐尖，基部不变狭，二回羽状至 3 回羽裂；羽片 8 ~ 12 对，互生，有短柄，下部羽片较大，披针形，长 10 ~ 18 cm，宽 3 ~ 4 cm，先端渐尖；小羽片椭圆状披针形或长卵形，头钝，基部上侧略呈耳形，边缘浅裂或有疏锯齿。孢子囊群生于小脉中部，沿主脉两侧各排成 1 行，略靠近边缘；囊群盖圆肾形，早落。

| 生境分布 | 生于山地林下或灌丛中。分布于广东英德、连州、阳山、紫金、和

平、乐昌、南雄、仁化、乳源及肇庆（市区）、深圳（市区）、清远（市区）等。

| **资源情况** | 野生资源丰富。药材来源于野生。

| **采收加工** | 夏、秋季采挖，洗净，除去须根，晒干。

| **药材性状** | 本品密被红棕色卵状披针形鳞片。

| **功能主治** | 苦，寒。归肺、大肠经。清热解毒，平喘，止血敛疮，驱虫。用于感冒，目赤肿痛，气喘，便血，疮毒溃烂，烫伤，钩虫病。

| **用法用量** | 内服煎汤，15 ~ 30 g。外用适量，捣敷。

| **凭证标本号** | 441825190707003LY、441523200106020LY、440523190522025LY。

桫椤鳞毛蕨

Dryopteris cycadina (Fr. et Sav.) C. Chr.

| 药 材 名 | 暗鳞鳞毛蕨（药用部位：根茎）。

| 形态特征 | 植株高 50 ～ 60 cm。根茎直立，与叶柄基部均密被鳞片。叶簇生；叶柄长 15 ～ 20 cm，深紫褐色，基部以上疏被鳞片；叶片披针形或椭圆状披针形，长 30 ～ 35 cm，中部宽约 15 cm，先端长渐尖，一回羽状；羽片约 20 对，互生，镰刀状披针形，中部羽片较长，长 8 ～ 10 cm，宽 1.2 ～ 1.5 cm，先端长渐尖，基部圆截形，边缘有粗锯齿或为浅裂，下部数对羽片略短；叶脉羽状，侧脉单一。孢子囊群圆形，着生于小脉中部，散布在中脉两侧；囊群盖圆肾形，全缘。

| 生境分布 | 生于山地林下。分布于广东信宜、阳山、饶平、乐昌、仁化、乳源等。

| **资源情况** | 野生资源丰富。药材来源于野生。

| **采收加工** | 全年均可采挖，除去杂质，洗净，鲜用或晒干。

| **功能主治** | 苦，寒。归肝、肾、大肠经。凉血止血，驱虫。用于功能失调性子宫出血，蛔虫病。

| **用法用量** | 内服煎汤，9 ~ 15 g。

| **凭证标本号** | 441882190616027LY。

鳞毛蕨科 Dryopteridaceae 鳞毛蕨属 Dryopteris

黑足鳞毛蕨 *Dryopteris fuscipes* C. Chr.

| 药材名 | 黑色鳞毛蕨（药用部位：根茎。别名：小叶山鸡尾巴草）。

| 形态特征 | 植株高 50 ～ 90 cm。根茎直立或斜升，密被鳞片。叶簇生；叶柄长 20 ～ 40 cm，向上至叶轴疏被褐色钻形小鳞片；叶片长卵形，长 20 ～ 60 cm，宽 10 ～ 25 cm，先端渐尖，二回羽状；羽片 10 ～ 13 对，近平展，有短柄，镰状披针形，中部羽片长 10 ～ 15 cm，宽 2 ～ 3 cm，先端长渐尖；小羽片椭圆形或长卵形，具圆钝头，边缘有浅锯齿，基部下侧 1 ～ 2 小羽片略短；羽轴及主脉下面疏被棕色泡状鳞片。孢子囊群圆形，生于小脉中部以下，靠近主脉并各排成 1 行；囊群盖圆肾形，膜质，全缘。

| 生境分布 | 生于林下或灌丛中。分布于广东阳山、和平、乐昌、翁源、乳源及

广州（市区）、深圳（市区）等。

| 资源情况 | 野生资源丰富。药材来源于野生。

| 采收加工 | 全年均可采挖，除去杂质，洗净，鲜用或晒干。

| 药材性状 | 本品连同残存的叶柄基部直径约 3 cm，密被褐棕色或黑褐色披针形鳞片。

| 功能主治 | 清热解毒，生肌敛疮。用于目赤肿痛，疮疡溃烂久不收口。

| 用法用量 | 内服煎汤，3 ~ 9 g。外用适量，捣敷。

| 凭证标本号 | 440281190424021LY、441825190709002LY、441284190718582LY。

鳞毛蕨科 Dryopteridaceae **鳞毛蕨属** *Dryopteris*

齿头鳞毛蕨 *Dryopteris labordei* (Christ) C. Chr.

| 药 材 名 | 青溪鳞毛蕨（药用部位：根茎。别名：尖齿鳞毛蕨）。

| 形态特征 | 植株高 30 ~ 60 cm。根茎斜升，先端及叶柄基部均密被鳞片。叶簇生；叶柄长 15 ~ 35 cm，光滑；叶片卵圆形或卵状披针形，长 20 ~ 35 cm，宽 10 ~ 25 cm，基部 1 ~ 2 对羽片大并弯向叶尖，二回羽状，基部小羽片羽状深裂或全裂；羽片 8 ~ 10 对，椭圆状披针形，基部 1 对羽片最大，长 10 ~ 15 cm，宽 4 ~ 6 cm；小羽片 15 ~ 20 对，基部下侧 1 小羽片最长，先端钝圆或短渐尖，边缘羽状深裂或全裂；裂片先端圆，具齿；羽轴及小羽片中脉下面疏被棕色泡状小鳞片。孢子囊群圆形，生于小脉中部，沿主脉两侧各排成 1 行；囊群盖圆肾形，早落。

| **生境分布** | 生于山谷溪边林下。分布于广东乐昌、韶关（市区）等。

| **资源情况** | 野生资源丰富。药材来源于野生。

| **采收加工** | 全年均可采挖，洗净泥沙，鲜用或晒干。

| **功能主治** | 微苦，凉。清热利湿，活血调经。用于肠炎，痢疾，痛经，月经不调。

| **用法用量** | 内服煎汤，10 ~ 15 g。

| **凭证标本号** | 441882190614011LY。

鳞毛蕨科 Dryopteridaceae 鳞毛蕨属 *Dryopteris*

奇数鳞毛蕨

Dryopteris sieboldii (van Houtte ex Mett.) O. Ktze.

| 药材名 |

奇数鳞毛蕨（药用部位：全草。别名：奇羽鳞毛蕨）。

| 形态特征 |

植株高 50 ～ 80 cm。根茎直立，与叶柄基部均密被鳞片。叶簇生；叶柄长 20 ～ 45 cm，禾秆色；叶片阔卵形，长 20 ～ 30 cm，奇数一回羽状；顶生羽片与侧生羽片同形，侧生羽片 1 ～ 4 对，披针形，下部羽片同大，长 10 ～ 20 cm，宽 2.5 ～ 3.5 cm，先端渐尖，基部圆形，略不对称，全缘或具波状锯齿；叶脉明显，侧脉二叉，每组有小脉 4 ～ 6。孢子囊群沿主脉两侧各排成不整齐的 3 ～ 4 行；囊群盖圆肾形。

| 生境分布 |

生于林下或灌丛中。分布于广东阳山、和平、乐昌、始兴、仁化、乳源及广州（市区）等。

| 资源情况 |

野生资源丰富。药材来源于野生。

| 采收加工 |

夏、秋季采收，洗净，晒干。

| 功能主治 | 辛、酸，平。活血化瘀。

| 用法用量 | 内服煎汤，9～15 g。

| 凭证标本号 | 441825210313024LY、441324180801016LY。

鳞毛蕨科 Dryopteridaceae 鳞毛蕨属 Dryopteris

稀羽鳞毛蕨
Dryopteris sparsa (D. Don) Kuntze

| 药 材 名 | 稀羽鳞毛蕨（药用部位：全草。别名：稀疏鳞毛蕨）。

| 形态特征 | 植株高 50 ~ 70 cm。根茎斜升，与叶柄基部均被鳞片。叶簇生；叶柄长 20 ~ 40 cm；叶片长卵形至三角状卵形，长 30 ~ 45 cm，宽 20 ~ 25 cm，二回羽状至 3 回深羽裂；羽片 7 ~ 9 对，对生，有短柄，基部 1 对羽片最大，长 10 ~ 15 cm，宽 3 ~ 5 cm，多少呈镰形，先端长渐尖；小羽片长卵形，长 2 ~ 3 cm，宽 8 ~ 10 mm，先端钝或圆，基部不对称，基部下侧 1 小羽片最大，长 6 ~ 8 cm，深羽裂，上侧裂片比下侧裂片大，先端钝圆并有刺状尖齿，边缘具疏锯齿。每小羽片有孢子囊群 3 ~ 5 对；囊群盖宿存。

| 生境分布 | 生于林下或灌丛中。分布于广东阳春、罗定、新兴、英德、阳山、

南雄、始兴、乳源及深圳（市区）、汕头（市区）等。

| 资源情况 | 野生资源丰富。药材来源于野生。

| 采收加工 | 夏、秋季采收，洗净，晒干。

| 功能主治 | 微涩，凉。清热止痛。

| 用法用量 | 内服煎汤，9 ~ 15 g。

| 凭证标本号 | 441825190806004LY、441324181215010LY、441823200721007LY。

鳞毛蕨科 Dryopteridaceae 鳞毛蕨属 Dryopteris

变异鳞毛蕨 *Dryopteris varia* (Linn.) O. Ktze.

| **药 材 名** | 变异鳞毛蕨（药用部位：根茎。别名：小叶金鸡尾巴草、小狗脊子）。

| **形态特征** | 植株高 40 ~ 80 cm。根茎直立或斜升，与叶柄基部均密被鳞片。叶簇生；叶柄长 20 ~ 45 cm，棕禾秆色，上部至叶轴疏被鳞片；叶片长卵形，长 25 ~ 40 cm，宽 15 ~ 20 cm，先端急缩狭成羽裂的长尾状，基部为三回羽状；侧生羽片 10 ~ 12 对，互生，基部 1 对羽片最大，长三角形，长约 17 cm，基部宽约 9 cm，先端尾状渐尖；小羽片 13 ~ 18 对，镰状披针形，基部下侧 1 小羽片最长，深羽裂；叶轴、羽轴均密被小鳞片。孢子囊群生于小脉中部以上，沿小羽轴两侧各排成 1 行；囊群盖圆肾形，全缘。

| **生境分布** | 生于山地常绿阔叶林中。分布于广东信宜、怀集、封开、德庆、阳山、

博罗、龙门、大埔、紫金、乐昌、乳源及广州（市区）、深圳（市区）、茂名（市区）、河源（市区）等。

| 资源情况 |　野生资源丰富。药材来源于野生。

| 采收加工 |　全年均可采收，除去须根，洗净，鲜用或晒干。

| 功能主治 |　微涩，凉。归肺、胃、大肠经。清热，止痛。用于内热腹痛、肺结核。

| 用法用量 |　内服煎汤，10 ～ 15 g。

| 凭证标本号 |　440281190426016LY、441523190918006LY、440523190713015LY。

鳞毛蕨科 Dryopteridaceae 耳蕨属 Polystichum

对生耳蕨 *Polystichum deltodon* (Bak.) Diels

| 药 材 名 |

灰贯众（药用部位：全草或叶。别名：蜈蚣草、胃痛药、小牛肋巴）。

| 形态特征 |

植株高 15 ～ 30 cm。根茎直立，与叶柄基部均密被鳞片。叶簇生；叶柄长 5 ～ 15 cm，上部疏生鳞片；叶片披针形，长 10 ～ 20 cm，中部宽 2.5 ～ 3.5 cm，先端渐尖，一回羽状；羽片 15 ～ 28 对，平展，无柄，中部羽片斜长方形或菱状三角形，长 1 ～ 2 cm，头锐尖，基部上侧较宽，耳状凸起，下侧平切，边缘具三角状尖锯齿或芒刺状锯齿；叶脉羽状分叉。孢子囊群生于小脉先端，通常在主脉两侧各排成 1 行；囊群盖大，圆盾形。

| 生境分布 |

生于石灰岩缝中。分布于广东乐昌、乳源等。

| 资源情况 |

野生资源较少。药材来源于野生。

| 采收加工 |

全年均可采收，洗净，鲜用或晒干。

| **药材性状** | 本品根茎短，密被暗棕色披针形鳞片。叶纸质，近光滑。

| **功能主治** | 酸、涩，微寒。归肝、肾经。清热解毒，活血止血。用于感冒，跌打损伤，外伤出血，蛇咬伤，亦可预防感冒。

| **用法用量** | 内服煎汤，15 ～ 30 g。外用适量，捣敷；或研末撒。

| **凭证标本号** | 441882190617013LY、441827180822007LY。

鳞毛蕨科 Dryopteridaceae 耳蕨属 *Polystichum*

小戟叶耳蕨

Polystichum hancockii (Hance) Diels

| 药 材 名 | 小三叶耳蕨（药用部位：全草。别名：蛇舌草）。

| 形态特征 | 植株高 30 ~ 50 cm。根茎短而直立，与叶柄基部均密被鳞片。叶簇生；叶柄长 15 ~ 20 cm；叶片戟状披针形，长 20 ~ 25 cm，宽 8 ~ 12 cm，掌状三出；羽片 3，基部 1 对羽片较小，长 3 ~ 5 cm，中间羽片最大，长 20 ~ 25 cm，宽 4 ~ 6 cm，线状披针形，一回羽状；小羽片约 25 对，斜长方形，中部小羽片较大，长 1.5 ~ 2 cm，宽 6 ~ 8 mm，先端短尖，基部不对称，上侧呈三角状耳形，下侧平切，边缘具粗钝齿并具芒状小刺尖。孢子囊群圆形，着生于上侧小脉先端；囊群盖膜质，早落。

| 生境分布 | 生于山地常绿阔叶林下。分布于广东信宜、连州、阳山、平远、乐

昌、仁化、翁源、乳源等。

| **资源情况** | 野生资源丰富。药材来源于野生。

| **采收加工** | 全年均可采收，洗净，鲜用或晒干。

| **药材性状** | 本品根茎短，密被褐色卵状披针形鳞片。

| **功能主治** | 微苦，凉。归肝、肾经。清热解毒。用于蛇咬伤，外伤。

| **用法用量** | 内服煎汤，10 ~ 15 g。外用适量，研末敷。

鳞毛蕨科 Dryopteridaceae 耳蕨属 Polystichum

黑鳞耳蕨 *Polystichum makinoi* (Tagawa) Tagawa

| 药 材 名 | 黑鳞大耳蕨（药用部位：嫩叶、根茎。别名：大叶山鸡尾巴草、冷蕨萁）。

| 形态特征 | 植株高 60 ~ 90 cm。根茎直立，与叶柄基部均被棕色鳞片。叶簇生；叶柄长约 30 cm，上部至叶轴被红棕色鳞片；叶片披针形，长 30 ~ 75 cm，宽 10 ~ 18 cm，二回羽状；羽片 15 ~ 20 对，下部羽片反折，中部羽片平展或斜展，长 7 ~ 9 cm，宽 1.5 ~ 2 cm；小羽片 12 ~ 15 对，菱状椭圆形，长 1 ~ 1.3 cm，先端急尖，基部不对称，上侧呈小耳形，下侧斜切，呈楔形，边缘具长刺状疏齿。孢子囊群在主脉两侧各排成 1 行，且略靠近叶缘；囊群盖圆形，脱落。

| 生境分布 | 生于山谷溪边林下。分布于广东信宜、博罗、乐昌、乳源及广州（市

区）、惠州（市区）等。

| **资源情况** | 野生资源丰富。药材来源于野生。

| **采收加工** | 春季采收嫩叶，全年均可采挖根茎，鲜用或晒干。

| **药材性状** | 本品根茎短，其直径为 3 ～ 4 cm，先端密被棕色狭披针形鳞片。叶薄革质，干后呈棕绿色，光滑无毛，仅羽轴略被纤维状小鳞片。

| **功能主治** | 苦，凉。归肺经。清热解毒。用于痈肿疮疖，泄泻，痢疾。

| **用法用量** | 内服煎汤，10 ～ 15 g。外用适量，捣敷。

鳞毛蕨科 Dryopteridaceae 耳蕨属 Polystichum

戟叶耳蕨

Polystichum tripteron (Kze.) Presl

| 药 材 名 | 戟叶耳蕨（药用部位：全草。别名：三叉耳蕨、三叶耳蕨）。

| 形态特征 | 植株高 50 ~ 60 cm。根茎直立，与叶柄基部均密被鳞片。叶簇生；叶柄长 15 ~ 25 cm；叶片戟形，长 30 ~ 40 cm，宽 10 ~ 20 cm，掌状三出；羽片 3，基部 1 对羽片较小，长约为中央羽片的 1/2，中央羽片长 30 ~ 40 cm，宽 5 ~ 8 cm，线状披针形，一回羽状；小羽片 25 ~ 30 对，互生，近平展，镰状披针形，长 3 ~ 5 cm，宽 8 ~ 12 mm，先端长渐尖，基部不对称，上侧截形并有耳状突起，下侧斜切，边缘具粗锯齿或羽裂，常有芒状小刺尖。孢子囊群圆形，生于小脉先端；囊群盖圆盾形，早落。

| 生境分布 | 生于山谷溪边林下石上。分布于广东英德、乐昌、乳源等。

资源情况	野生资源较少。药材来源于野生。
采收加工	夏、秋季采收，洗净，晒干。
药材性状	本品根茎短，密被褐色披针形鳞片。
功能主治	苦，凉。解毒。
用法用量	内服煎汤，10 ~ 15 g。
凭证标本号	441882190617008LY。

鳞毛蕨科 Dryopteridaceae 舌蕨属 *Elaphoglossum*

华南舌蕨

Elaphoglossum yoshinagae (Yatabe) Makino

| 药 材 名 | 华南舌蕨（药用部位：根及根茎。别名：小儿群、舌蕨）。

| 形态特征 | 植株高 15 ~ 30 cm。根茎短，横卧或斜升，与叶柄下部均密被鳞片。叶簇生或近生，二型；不育叶有短柄，长 1 ~ 5 cm，叶片革质，肥厚，披针形，长 15 ~ 30 cm，中部宽 3 ~ 5 cm，先端短渐尖，基部渐狭并下延，全缘，两面疏被鳞片，中部以下鳞片常较密，叶脉仅可见，主脉宽而平坦；能育叶叶柄长 7 ~ 15 cm，叶片略短而狭。孢子囊群沿侧脉着生，成熟时满布于叶背面。

| 生境分布 | 生于山地林下、溪边湿地石上。分布于广东信宜、阳山、南雄、始兴、新丰、乳源及鼎湖山等。

| 资源情况 | 野生资源较少。药材来源于野生。

| 采收加工 | 夏、秋季采收，除去须根，洗净，晒干或鲜用。

| 药材性状 | 本品根茎短，密被卵形或卵状披针形鳞片，鳞片长约 5 mm，边缘有睫毛，棕色，膜质。

| 功能主治 | 微苦、辛，凉。归肾、膀胱经。清热利湿。用于小便淋涩疼痛。

| 用法用量 | 内服煎汤，6 ～ 15 g。

叉蕨科 Aspidiaceae 地耳蕨属 *Quercifilix*

地耳蕨 *Quercifilix zeylanica* (Houtt.) Cop.

| 药 材 名 | 散血草（药用部位：全草。别名：干肚药）。

| 形态特征 | 植株高 10 ～ 20 cm。根茎长而横走，纤细，与叶柄基部均密被鳞片。叶疏生，二型；不育叶叶柄长 3 ～ 5 cm，密被淡棕色长节状毛，叶片椭圆形至卵形，三出，长 6 ～ 9 cm，宽 3 ～ 4 cm，侧生羽片短小，全缘或浅裂，顶生羽片浅羽裂，叶脉网状，有内藏小脉；能育叶远高出不育叶，叶柄长 8 ～ 18 cm，叶片狭缩，裂片阔线形，先端裂片较大，长 5 ～ 8 cm，下部羽片分裂，两侧 1 对裂片基部下侧通常有 1 分叉小裂片。孢子囊群成熟后满布于叶背，无囊群盖。

| 生境分布 | 生于山地林下湿地或溪边石上。分布于广东博罗及肇庆（市区）、佛山（市区）、广州（市区）、深圳（市区）等。

| 资源情况 | 野生资源丰富。药材来源于野生。

| 采收加工 | 夏、秋季采收，洗净，晒干。

| 药材性状 | 本品根茎纤细，直径 2 ～ 3 mm，密被红褐色卵状披针形鳞片。叶草质或纸质，被毛，干后呈深棕色。孢子囊群满布于叶背，无囊群盖。

| 功能主治 | 微苦，凉。归肝经。清热利湿，凉血止血。用于痢疾，小儿泄泻，淋浊，便血，衄血。

| 用法用量 | 内服煎汤，9 ～ 15 g。

| 凭证标本号 | 445222191124010LY。

| 附　　注 | FOC 将本种置于叉蕨属 *Tectaria* 中，并将其拉丁学名修订为 *Tectaria zeilanica* (Houtt.) Sledge。

下延叉蕨
Tectaria decurrens (Presl) Cop.

药材名

下延叉蕨（药用部位：全草）。

形态特征

植株高 50 ~ 100 cm。根茎短而直立，被鳞片。叶簇生，二型；叶柄长 35 ~ 60 cm；叶片长卵形，长 30 ~ 80 cm，基部宽 30 ~ 40 cm，先端渐尖，基部近截形而下延，叶轴两侧有阔翅，奇数 1 回羽裂；顶生裂片阔披针形，长 20 ~ 25 cm，侧生裂片 3 ~ 8 对，披针形，长 15 ~ 20 cm，基部稍狭并与叶轴合生，基部 1 对裂片通常分叉；能育叶叶片明显狭缩；叶脉联结成近六角形网眼，内藏小脉分叉。孢子囊群圆形，生于联结小脉上，侧脉间有孢子囊群 2 行；囊群盖圆盾形，全缘，宿存。

生境分布

生于山谷林下、沟谷水旁。分布于广东新兴、封开、连南、龙门、翁源、新丰及茂名（市区）、肇庆（市区）、广州（市区）、深圳（市区）等。

资源情况

野生资源丰富。药材来源于野生。

| **采收加工** | 夏、秋季采收，洗净，晒干。 |

| **药材性状** | 本品根茎短，直径 1.5 ～ 2 cm，密被平直的暗棕色披针形鳞片。叶坚纸质，干后呈淡褐色，无毛；叶轴棕禾秆色，两侧有阔翅。 |

| **功能主治** | 甘，寒。清热解毒。 |

| **用法用量** | 内服煎汤，9 ～ 15 g。 |

叉蕨科 Aspidiaceae 叉蕨属 Tectaria

三叉蕨
Tectaria subtriphylla (Hook. et Arn.) Copel.

药 材 名

三羽叉蕨（药用部位：全草。别名：三羽叉蕨、鸡爪蕨、大叶入地蜈蚣）。

形态特征

植株高 40 ~ 80 cm。根茎长而横走，与叶柄基部均密被黑色鳞片。叶近生；叶柄长20 ~ 50 cm，深禾秆色；叶片三角状五角形，长 25 ~ 35 cm，宽 20 ~ 25 cm，一回羽状；顶生羽片三角形，长 15 ~ 30 cm，宽约 15 cm，基部楔形并下延，两侧羽裂，基部 1 对裂片较长；侧生羽片 1 ~ 2 对，基部 1 对羽片最大，卵状三角形，两侧有 1 对平展的裂片，下侧 1 裂片较大；叶脉网状，有内藏小脉。孢子囊群小，圆形，生于小脉联结处；囊群盖圆肾形，早落。

生境分布

生于林下、溪边湿地。分布于广东高州、台山、恩平、新兴、怀集、博罗、龙门、饶平、仁化、翁源、乳源及广州（市区）、珠海（市区）、深圳（市区）、肇庆（市区）、佛山（市区）等。

| **资源情况** | 野生资源丰富。药材来源于野生。 |

| **采收加工** | 夏、秋季采收，鲜用或晒干。 |

| **药材性状** | 本品叶柄略扭曲，表面褐棕色，基部有鳞片。羽状复叶；叶片常皱缩，展平后呈三角状五角形，顶片三角形，羽状深裂，有柄；侧生羽片 1 ～ 2 对，下部羽片有柄，卵状三角形，第 2 对羽片披针形，浅羽裂；叶脉网状。网脉交叉处可见散生的孢子囊群。气微，味涩。 |

| **功能主治** | 涩，平。祛风除湿，解毒止血。用于风湿骨痛，痢疾，外伤出血，毒蛇咬伤。 |

| **用法用量** | 内服煎汤，9 ～ 15 g。外用适量，鲜品捣敷；或干品研末撒。 |

| **凭证标本号** | 441523200105008LY、440882180406015LY、441823210410046LY。 |

肾蕨
Nephrolepis auriculata (Linn.) Trimen

| 药 材 名 | 肾蕨（药用部位：全草或块茎、叶。别名：圆羊齿、蕨薯、凤凰蛋）。

| 形态特征 | 植株高达 70 cm。根茎、匍匐茎及叶柄均被鳞片，匍匐茎上生有圆形肉质块茎，直径 1 ~ 1.5 cm。叶簇生；叶柄长 6 ~ 11 cm；叶片狭披针形，长 30 ~ 70 cm，宽 3 ~ 5 cm，一回羽状；羽片互生，无柄，密集并呈覆瓦状排列，似镰状而钝，基部常不对称，上侧呈耳形，下侧呈圆楔形或圆形，边缘有浅齿；叶脉羽状分叉。孢子囊群于主脉两侧各排成 1 行；囊群盖肾形，无毛。

| 生境分布 | 生于山地林中石上或树干上。广东各地均有分布。

| 资源情况 | 野生资源丰富。药材来源于野生。

| **采收加工** | 全草、叶，夏、秋季采收，洗净，鲜用或晒干。块茎，全年均可挖取，刮去鳞片，洗净，鲜用或晒干。

| **药材性状** | 本品块茎球形或扁圆形，直径约 2 cm；表面密生黄棕色绒毛状鳞片，可见根茎脱落后留下的圆形疤痕，除去鳞片后表面显亮黄色，有明显的不规则皱纹；质坚硬。叶干后呈棕绿色或褐棕色，常皱缩，展平后呈线状披针形；羽片披针形，长约 2 cm，宽约 6 mm，边缘有疏浅钝齿；两边侧脉先端各有 1 行孢子囊群。气微，味苦。

| **功能主治** | 甘、淡、微涩，凉。归肝、肾、胃、小肠经。清热利湿，通淋止咳，解毒消肿。用于感冒发热，肺热咳嗽，黄疸，淋浊，小便涩痛，泄泻，痢疾，带下，疝气，乳痈，瘰疬，烫伤，刀伤，淋巴结炎，体癣，睾丸炎。

| **用法用量** | 内服煎汤，6 ～ 15 g，鲜品 30 ～ 60 g。外用适量，鲜全草或块茎捣敷。

| **凭证标本号** | 440882180501909LY、440224181130014LY、441523191018039LY。

肾蕨科 Nephrolepidaceae 肾蕨属 Nephrolepis

毛叶肾蕨 *Nephrolepis hirsutula* (Forst.) Presl

| 药 材 名 | 毛叶肾蕨（药用部位：全草。别名：毛绒肾蕨）。

| 形态特征 | 植株高 45 ～ 110 cm。根茎短而直立，被鳞片。叶片阔披针形或长圆状披针形，长 30 ～ 75 cm，宽 10 ～ 15 cm，两端渐狭，叶轴被鳞片，一回羽状；羽片 20 ～ 45 对，彼此不覆盖，近无柄，中部羽片较大，披针形，长 4 ～ 8 cm，宽约 1 cm，先端渐尖，基部不对称，下侧圆形，上侧截形并突出成三角状小耳片，边缘有疏钝齿；侧脉纤细，2 ～ 3 叉。孢子囊群圆形，靠近叶边；囊群盖圆肾形，无毛。

| 生境分布 | 生于疏林下。分布于广东高州、信宜、恩平、新兴、德庆、博罗、翁源及广州（市区）、深圳（市区）、茂名（市区）、云浮（市区）、佛山（市区）等。

| **资源情况** | 野生资源丰富。药材来源于野生。

| **采收加工** | 春、夏季采收，洗净，鲜用或晒干。

| **药材性状** | 本品根茎短，被黑褐色披针形鳞片。匍匐茎暗褐色，被鳞片。叶柄长 15 ～ 35 cm，灰棕色，贴生鳞片。叶干后呈棕绿色或褐棕色，无毛。

| **功能主治** | 淡，凉。归脾经。消积化痰。用于食滞，小儿疳积。

| **用法用量** | 内服煎汤，9 ～ 15 g。

| **凭证标本号** | 440882180429046LY。

骨碎补科 Davalliaceae 骨碎补属 Davallia

大叶骨碎补

Davallia divaricata Ching

| 药 材 名 | 大叶骨碎补（药用部位：根茎。别名：华南骨碎补、硬骨碎补）。

| 形态特征 | 植株高 1 ~ 1.5 m。根茎粗壮，横走，与叶柄基部均密被蓬松的鳞片。叶远生；叶柄长 30 ~ 50 cm；叶片三角形，长、宽均为 60 ~ 90 cm，先端渐尖，四回羽状或 5 回羽裂；羽片约 10 对，互生，基部 1 对羽片最大，长三角形，长 20 ~ 30 cm，宽 12 ~ 18 cm，向上的羽片逐渐缩小并为披针形。孢子囊群多数，每裂片有 1 孢子囊群；囊群盖管状，长约为宽的 2 倍，先端截形，有金黄色光泽。

| 生境分布 | 生于树干或岩石上。分布于广东新兴、英德、陆河及深圳（市区）、茂名（市区）、肇庆（市区）、河源（市区）等。

| 资源情况 | 野生资源丰富。药材来源于野生。

| 采收加工 | 一般于 4 ~ 8 月挖取，去净泥土，鲜用、晒干或蒸熟后晒干，或再用火燎去茸毛。

| 药材性状 | 本品圆柱形，通常扭曲，长 4 ~ 15 cm，直径约 1 cm。表面红棕色至棕褐色，具明显的纵沟纹和呈圆形凸起的叶基痕，并残留黄棕色鳞片。质坚硬，不易折断，断面略平坦，红棕色，有多数排列成环的黄色点状分体中柱，中心 2 分体中柱较大。气微，味涩。

| 功能主治 | 苦，温。活血化瘀，补肾壮骨，祛风止痛。用于跌打损伤，肾虚腰痛，风湿骨痛。

| 用法用量 | 内服煎汤，10 ~ 15 g。

| 凭证标本号 | 441323181027008LY。

骨碎补科 Davalliaceae 阴石蕨属 *Humata*

阴石蕨 *Humata repens* (Linn. f.) Diels

| 药 材 名 | 红毛蛇（药用部位：根茎。别名：平卧阴石蕨、裂叶阴石蕨）。

| 形态特征 | 植株高 5 ~ 20 cm。根茎长而横走，密被鳞片。叶远生；叶柄长 5 ~ 16 cm，疏被鳞片；叶片革质，卵状三角形，长 5 ~ 10 cm，基部宽 3 ~ 5 cm，向先端渐尖，2 回深羽裂；羽片 6 ~ 10 对，无柄，以狭翅相连，基部 1 对羽片最大，长 2 ~ 4 cm，宽 1 ~ 2 cm，近三角形或三角状披针形，头圆钝，基部不等宽，短楔形而下延，上方常为钝齿牙状，下方深裂，裂片 3 ~ 5 对，从第 2 对羽片向上渐缩短；叶脉在背面明显。孢子囊群沿叶缘着生；囊群盖半圆形。

| 生境分布 | 生于山地林中石上或树干上。分布于广东阳山、博罗、大埔、连平、乐昌、翁源、新丰及广州（市区）、深圳（市区）等。

资源情况	野生资源丰富。药材来源于野生。
采收加工	全年均可采挖，洗净，除去须根，鲜用或晒干。
药材性状	本品直径 2 ～ 3 mm，密被伏生的红棕色披针形鳞片。
功能主治	甘、淡，平。活血止血，清热利湿，续筋接骨。用于风湿痹痛，腰肌劳损，跌打损伤，牙痛，吐血，便血，尿路感染，带下，痈疮肿痛。
用法用量	内服煎汤，30 ～ 60 g。外用适量，鲜品捣敷。
凭证标本号	445222180318009LY、441523200105041LY、441823201031062LY。

骨碎补科 Davalliaceae 阴石蕨属 Humata

圆盖阴石蕨
Humata tyermanni Moore

药材名

白毛蛇（药用部位：根茎。别名：草石蚕、石祁蛇、石伸筋）。

形态特征

植株高约20 cm。根茎长而横走，密被棕色至灰白色蓬松鳞片。叶远生；叶柄长6～8 cm；叶片长三角状卵形，长、宽均为10～15 cm，或长稍大于宽，2～4回深羽裂；羽片约10对，基部1对羽片最大，三角状披针形，其余各回小羽片以基部下侧的为大，第2对以上的羽片较小，披针形，头钝。孢子囊群生于小脉先端；囊群盖近圆形，仅基部着生，其余部分分离。

生境分布

生于树干上或石上。分布于广东博罗、龙门、乐昌、曲江、始兴、翁源及广州（市区）、清远（市区）等。

资源情况

野生资源丰富。药材来源于野生。

采收加工

夏、秋季挖取，洗净，除去须根，鲜用或晒干。

| 药材性状 | 本品扁圆柱形，稍扭曲或有分枝，长短不一，直径 3 ~ 7 mm，表面密被线状披针形膜质鳞片，长约 4 mm，灰白色，基部圆形，红棕色，须根多数，棕褐色，除去鳞片、须根后，表面呈棕黑色，有不规则纵皱纹。质稍硬，易折断，断面平坦，黄绿色，有点状维管束。气微，味淡。

| 功能主治 | 微苦、甘，凉。清热解毒，祛风除湿，活血通络。用于肺热咳嗽，咽喉肿痛，风火牙痛，疖肿，带状疱疹，风湿痹痛，湿热黄疸，淋浊，带下，腰肌劳损，跌打损伤，骨折。

| 用法用量 | 内服煎汤，10 ~ 30 g；或研末；或浸酒。外用适量，鲜品捣敷。

| 凭证标本号 | 441284191003394LY、441623180628031LY、440523190721003LY。

中华双扇蕨 *Dipteris chinensis* Christ

| 药 材 名 | 半边藕（药用部位：根茎）。

| 形态特征 | 植株高 60 ~ 90 cm。根茎粗壮，长而横走，被狭披针形刚毛状鳞片。叶远生；叶柄长 30 ~ 60 cm；叶片长 20 ~ 30 cm，宽 30 ~ 60 cm，2 裂成相等的扇形，各半边（扇形）3 深裂，向基部至 1/2 ~ 2/3 处，裂片宽 5 ~ 8 cm，每裂片再 2 裂或不裂，末回裂片短而宽，边缘有疏粗锯齿；裂片上的主脉分叉，小脉网状，内藏小脉明显；叶纸质，下面沿主脉疏被灰棕色毛。孢子囊群小，近圆形，散生于网脉交叉点，无囊群盖，有隔丝。

| 生境分布 | 生于山谷。分布于广东罗定及深圳（市区）等。

| **资源情况** | 野生资源较少。药材来源于野生。

| **采收加工** | 夏、秋季采挖，洗净，鲜用或晒干。

| **功能主治** | 微苦，寒。清热利湿。用于小便淋沥涩痛，腰痛，水肿。

| **用法用量** | 内服煎汤，9 ～ 15 g。

水龙骨科 Polypodiaceae 节肢蕨属 *Arthromeris*

龙头节肢蕨 *Arthromeris lungtauensis* Ching

药材名

龙头节肢蕨（药用部位：根茎。别名：搜山虎、倒省莲、粤节肢蕨）。

形态特征

植株高 20 ～ 50 cm。根茎长而横走，密被鳞片。叶远生；叶柄长 10 ～ 20 cm，有光泽，基部有关节；叶片椭圆形至三角形，长 12 ～ 30 cm，宽 10 ～ 20 cm，两面疏被短柔毛，中脉上毛较密，奇数一回羽状；羽片 3 ～ 6 对，对生，近无柄，披针形，基部 1 对羽片较大，长 8 ～ 12 m，宽 2 ～ 2.5 cm，先端尾状渐尖，基部多呈心形，全缘；叶脉明显，小脉网状，内藏小脉分叉。孢子囊群小，圆形，在每对侧脉之间排成 2 行，在中脉至叶边则排成 3 ～ 4 行。

生境分布

生于树干或石上。分布于广东英德、龙门、曲江、乳源及广州（市区）等。

资源情况

野生资源较少。药材来源于野生。

| **采收加工** | 秋、冬季采挖，洗净，晒干或鲜用。

| **功能主治** | 苦、涩，平。归肾、膀胱经。清热利湿，止痛。用于小便不利，骨折。

| **用法用量** | 内服煎汤，15 ~ 30 g。外用适量，捣敷。

水龙骨科 Polypodiaceae 线蕨属 *Colysis*

线蕨 *Colysis elliptica* (Thunb.) Ching

| 药 材 名 | 羊七莲（药用部位：全草。别名：椭圆线蕨）。

| 形态特征 | 植株高 20 ~ 60 cm。根茎长而横走，与叶柄基部均密被鳞片。叶远生，通常近二型，以关节着生于根茎；不育叶和能育叶同形，裂片较宽；不育叶叶柄长 10 ~ 30 cm，能育叶叶柄较不育叶叶柄长；叶片长圆状卵形，长 15 ~ 20 cm，宽 10 ~ 15 cm，1 回深羽裂达叶轴；裂片 4 ~ 10 对，通常长 5 ~ 10 cm，宽 1 ~ 1.5 cm，基部下延，多少以狭翅相连；侧脉及小脉不明显。孢子囊群线形，斜向上，在每对侧脉之间排成 1 行，无囊群盖。

| 生境分布 | 生于山谷溪边林中石上。分布于广东广州（市区）、珠海（市区）、深圳（市区）、惠州（市区）、揭阳（市区）、汕头（市区）等。

| 资源情况 | 野生资源丰富。药材来源于野生。

| 采收加工 | 全年均可采收，洗净，晒干或鲜用。

| 药材性状 | 本品根茎长，密被棕色卵状披针形鳞片。叶厚纸质，无毛，干后稍呈褐棕色。孢子囊群线形。

| 功能主治 | 微苦，凉。活血散瘀，清热利尿。用于跌打损伤，尿路感染，肺结核。

| 用法用量 | 内服煎汤，9 ~ 15 g。外用适量，捣敷。

| 凭证标本号 | 441825190502040LY、441523200105025LY、441823191203004LY。

| 附   注 | FOC 将本种置于薄唇蕨属 *Leptochilus* 中，并将其拉丁学名修订为 *Leptochilus ellipticus* (Thunb.) Noot.。

水龙骨科 Polypodiaceae 线蕨属 Colysis

断线蕨 *Colysis hemionitidea* (Wall. ex Mett.) C. Presl

| 药 材 名 | 断线蕨（药用部位：全草。别名：石韦、一双剑、斩蛇剑）。

| 形态特征 | 植株高 30 ~ 60 cm。根茎长而横走，与叶柄均被鳞片。单叶，远生；叶柄长 1.5 ~ 2 cm，上部有狭翅；叶片阔披针形至倒披针形，长 40 ~ 60 cm，宽 5 ~ 7 cm，先端渐尖，基部渐狭并下延，全缘或为波状；主脉及侧脉在两面均隆起，横脉弯曲，在每对侧脉之间联结成 3 ~ 4 近方形的大网眼，有内藏小脉。孢子囊群大，椭圆形至短线形，分离，在每对侧脉之间排成不整齐的 1 行，通常仅叶片上半部能育，无囊群盖。

| 生境分布 | 生于山地山谷林下石上或树干上。分布于广东信宜、新兴、怀集、英德、阳山、连山、博罗、和平、乐昌、翁源、乳源及深圳（市区）、

肇庆（市区）等。

| **资源情况** | 野生资源丰富。药材来源于野生。

| **采收加工** | 全年均可采收，洗净，晒干或鲜用。

| **药材性状** | 本品根茎密被深褐色卵状披针形鳞片。叶纸质，干后呈棕色。

| **功能主治** | 淡、涩，凉。归膀胱、肾经。清热利尿，解毒。用于小便短赤淋痛，发痧，毒蛇咬伤。

| **用法用量** | 内服煎汤，15 ～ 30 g。外用适量，捣敷。

| **凭证标本号** | 441823191114018LY。

| **附　　注** | FOC 将本种置于薄唇蕨属 *Leptochilus* 中，并将其拉丁学名修订为 *Leptochilus hemionitideus* (Wall. ex Mett.) Noot.。

水龙骨科 Polypodiaceae 线蕨属 Colysis

胃叶线蕨 *Colysis hemitoma* (Hance) Ching

| **药 材 名** | 三枝枪（药用部位：全草）。

| **形态特征** | 植株高 25 ~ 65 cm。根茎长而横走，与叶柄基部均密被鳞片。叶远生；叶柄长 15 ~ 40 cm，上部有狭翅；叶片戟形，长 13 ~ 25 cm，基部宽 5 ~ 15 cm，先端长渐尖，基部截形，有 1 对平展的披针形裂片或边缘条裂为 2 ~ 6 对不规则的裂片，少为单叶，基部下延；裂片披针形，全缘或浅波状；侧脉明显，小脉网状，每对侧脉之间有 2 行网眼，有内藏小脉。孢子囊群线形，着生于网脉上，在每对侧脉之间排成 1 行，连续或偶中断，无囊群盖。

| **生境分布** | 生于山谷溪边林下石上。分布于广东阳春、英德、连州、连山、大埔、乐昌、南雄、始兴、翁源、新丰及肇庆（市区）、汕头（市区）、

韶关（市区）等。

| 资源情况 | 野生资源丰富。药材来源于野生。

| 采收加工 | 全年均可采收，洗净，晒干或鲜用。

| 药材性状 | 本品根茎长，密被黑褐色卵状披针形鳞片。叶薄纸质，下面沿叶轴及叶脉疏被鳞片。孢子囊群线形，无囊群盖。

| 功能主治 | 微苦，凉。清热解毒。用于外伤感染。

| 用法用量 | 内服煎汤，15 ~ 30 g。外用适量，捣敷。

| 凭证标本号 | 440281190628007LY、441825190808016LY、441823191001006LY。

| 附　　注 | FOC 将本种置于薄唇蕨属 *Leptochilus* 中，并将其拉丁学名修订为 *Leptochilus* × *hemitomus* (Hance) Noot.。

水龙骨科 Polypodiaceae 线蕨属 Colysis

矩圆线蕨 *Colysis henryi* (Bak.) Ching

| 药 材 名 | 矩圆线蕨（药用部位：全草。别名：大石韦、中狭线蕨、水剑草）。

| 形态特征 | 植株高 30 ～ 70 cm。根茎横走，密被鳞片，边缘有细锯齿。叶远生；叶柄长 15 ～ 35 cm，禾秆色，以关节着生于根茎；叶片椭圆形或卵状披针形，长 15 ～ 50 cm，宽 3 ～ 11 cm，向基部急变狭，下延成狭翅，头渐尖，全缘或略呈波状；侧脉斜展，小脉网状，有内藏小脉。孢子囊群线形，着生于网脉上，在每对侧脉间排列成 1 行，从中脉斜出，多数伸达叶边，无囊群盖。

| 生境分布 | 生于山谷林下阴湿处或溪边。分布于广东连山、乐昌、始兴及韶关（市区）等。

| 资源情况 | 野生资源较少。药材来源于野生。

| 采收加工 | 全年均可采收，洗净，晒干或鲜用。

| 药材性状 | 本品根茎密被褐色卵状披针形鳞片。叶草质，光滑无毛。孢子囊群线形，无囊群盖。

| 功能主治 | 甘，微寒。归肺、膀胱经。凉血止血，利湿解毒。用于肺热咯血，尿血，小便淋浊，痈疮肿毒，毒蛇咬伤，风湿痹痛。

| 用法用量 | 内服煎汤，15 ~ 30 g，鲜品 30 ~ 120 g。外用适量，捣敷。

| 附　　注 | FOC 将本种置于薄唇蕨属 *Leptochilus* 中，并将其拉丁学名修订为 *Leptochilus henryi* (Baker) X. C. Zhang。

水龙骨科 Polypodiaceae 线蕨属 Colysis

宽羽线蕨

Colysis pothifolia (D. Don) C. Presl

药材名

宽羽线蕨（药用部位：全草或根茎。别名：九龙盘、一包金、骨碎补）。

形态特征

植株高 60 ～ 100 cm。根茎长而横走，密被鳞片。叶远生；叶柄长 20 ～ 40 cm；叶片长卵形，长 20 ～ 50 cm，宽 15 ～ 25 cm，1 回深羽裂达叶轴；裂片 4 ～ 10 对，对生，下部裂片全部分离，线状披针形或披针状长圆形，长 5 ～ 20 cm，宽 1.5 ～ 3 cm，先端渐尖，基部稍狭而下延成狭翅，全缘或呈浅波状，有呈软骨质的边；叶脉在两面均明显，侧脉弯曲，小脉联结成大网眼，有内藏小脉。孢子囊群线形，棕色，斜展，在每对侧脉之间排成 1 行，连续或间断，无囊群盖。

生境分布

生于山谷溪边林下阴湿的岩石上。分布于广东信宜、阳春、怀集、英德、龙门、乐昌、始兴、新丰、乳源及深圳（市区）、肇庆（市区）、韶关（市区），以及罗浮山等。

资源情况

野生资源丰富。药材来源于野生。

采收加工	全年均可采收，洗净，晒干或鲜用。
药材性状	本品根茎粗壮，密被黑褐色披针形鳞片；鳞片先端渐尖，基部圆形，近全缘。叶纸质，干后呈棕绿色。孢子囊群线形，连续或间断，无囊群盖。
功能主治	淡、涩，温。归脾、肝经。祛风通络，散瘀止痛。用于风湿腰痛，跌打损伤。
用法用量	内服煎汤，6～15 g。外用适量，捣敷。
凭证标本号	440783200102005LY、440232160114043LY。
附　　注	FOC 将本种置于薄唇蕨属 *Leptochilus* 中，并将其拉丁学名修订为 *Leptochilus ellipticus* var. *pothifolius* (Buch.-Ham. ex D. Don) X. C. Zhang。

水龙骨科 Polypodiaceae 线蕨属 Colysis

褐叶线蕨 *Colysis wrightii* (Hook.) Ching

| 药 材 名 | 蓝天草（药用部位：全草。别名：连天草、小肺经草）。

| 形态特征 | 植株高 25 ~ 40 cm。根茎长而横走，密被鳞片。单叶，远生；叶柄短或近无柄；叶片倒披针形，长 25 ~ 35 cm，中部宽 3 ~ 4 cm，先端渐尖，自中部以下变狭成狭翅且下延，边缘呈浅波状；叶脉明显，侧脉斜展，小脉网状，在每对侧脉之间有 2 行网眼，有内藏小脉。孢子囊群线形，着生于网脉上，在每对侧脉之间排成 1 行，从主脉斜出直达叶边，无囊群盖。

| 生境分布 | 生于山谷溪边林中石上或树干上。分布于广东台山、封开、英德、连山、平远、始兴、新丰及阳江（市区）、肇庆（市区）、清远（市区）等。

| **资源情况** | 野生资源较少。药材来源于野生。

| **采收加工** | 全年均可采收，洗净，晒干。

| **药材性状** | 本品根茎长，密被褐棕色卵状披针形鳞片。叶薄草质，无毛，干后呈褐绿色。孢子囊群线形，无囊群盖。

| **功能主治** | 甘，平。补肺镇咳，散瘀止血，止带。用于虚劳咳嗽，血崩，带下。

| **用法用量** | 内服煎汤，3 ～ 15 g。

| **附　　注** | FOC 将本种置于薄唇蕨属 *Leptochilus* 中，并将其拉丁学名修订为 *Leptochilus wrightii* (Hooker & Baker) X. C. Zhang。

水龙骨科 Polypodiaceae 抱树莲属 Drymoglossum

抱树莲 *Drymoglossum piloselloides* (Linn.) C. Presl

| 药 材 名 | 抱树莲（药用部位：全草。别名：巧根藤、飞连草、瓜子菜）。

| 形态特征 | 植株高 2 ~ 12 cm。根茎细长，横走，密被棕色鳞片。叶疏生，二型；不育叶无柄，肉质，近圆形或为椭圆形，直径约 1 cm，长 5 ~ 6 cm，宽约 2 cm，先端圆形，基部渐狭，中脉仅下部可见，疏被贴伏的星状毛；能育叶有长达 1 cm 的短柄，线形，长 3 ~ 12 cm，宽 5 ~ 8 mm，先端圆形，基部渐狭，背面贴生星状毛。孢子囊群贴近叶缘并呈带状分布，常连续，偶断开，上至叶的先端均有分布，近基部不育。

| 生境分布 | 附生于林下树干或石上。分布于广东阳春、新兴及广州（市区）、珠海（市区）、深圳（市区）等。

| 资源情况 | 野生资源较少。药材来源于野生。 |

| 采收加工 | 全年均可采收，洗净，晒干或鲜用。 |

| 药材性状 | 本品根茎圆柱形，细长，直径约 1 mm，棕色或深棕色，密被细小鳞片；鳞片近圆形至卵形，边缘生有众多长睫毛。叶二型；不育叶近圆形或阔椭圆形，直径约 1 cm，长 5 ~ 6 cm，宽 2 cm，全缘，厚肉质，对光视之可见网状脉，表面疏被星状毛；能育叶线形，全缘，长 3 ~ 12 cm，宽 5 ~ 8 mm，厚肉质。孢子囊群长线形，生于背面叶缘处；孢子两面型。气微，味淡。 |

| 功能主治 | 甘、淡，微凉。归肝、肺经。清热解毒，消肿散结，止血。用于湿热黄疸，目赤肿痛，化脓性中耳炎，腮腺炎，淋巴结炎，疥癞，跌打肿痛，咳嗽咯血，血崩。 |

| 用法用量 | 内服煎汤，15 ~ 30 g。外用适量，煎汤洗；或捣敷。 |

| 凭证标本号 | 441422210224675LY。 |

| 附   注 | FOC 将本种置于石韦属 *Pyrrosia* 中。 |

水龙骨科 Polypodiaceae 丝带蕨属 Drymotaenium

丝带蕨

Drymotaenium miyoshianum (Makino) Makino

| **药 材 名** | 丝带蕨（药用部位：全草。别名：木兰、木莲金）。

| **形态特征** | 植株高 20 ~ 50 cm。根茎长而横生，密被棕色卵状披针形鳞片。叶近生，无柄；叶片长线形，长 20 ~ 50 cm，宽 3 ~ 5 mm，基部以关节着生；叶脉网状，主脉在上面凹陷，在下面隆起，叶背因叶边反卷而形成 2 纵沟。孢子囊群线形，着生于主脉两侧纵沟中，靠近主脉，中部以上能育，幼时有盾状隔丝覆盖；孢子椭圆形。

| **生境分布** | 附生于林下树干上。分布于广东云浮（市区）、清远（市区）等。

| **资源情况** | 野生资源较少。药材来源于野生。

| **采收加工** | 全年均可采收，洗净，晒干。

| **功能主治** | 甘，凉。归肝、肾经。清热息风，活血。用于小儿惊风，劳伤。 |

| **用法用量** | 内服煎汤，9 ～ 18 g；或浸酒。 |

| **附　　注** | FOC 将本种置于瓦韦属 *Lepisorus* 中，并将其拉丁学名修订为 *Lepisorus miyoshianus* (Makino) Fraser-Jenk.。 |

水龙骨科 Polypodiaceae 槲蕨属 Drynaria

团叶槲蕨 *Drynaria bonii* Christ

| 药材名 | 团叶槲蕨（药用部位：根茎。别名：肉碎补、骨碎补、石蜈蚣）。 |

| 形态特征 | 植株高 50 ~ 100 cm。根茎横走，直径 8 ~ 10 mm，肉质，先端密被披针形鳞片。叶二型；不育叶心形、圆形至卵形，无柄，长 10 ~ 15 cm，宽 8 ~ 12 cm，先端钝圆，基部浅心形并有互相覆盖的耳，全缘或略呈波状，叶脉明显；能育叶薄革质，叶柄长 10 ~ 20 cm，两侧有狭翅，叶片长卵形，长 30 ~ 60 cm，宽 20 ~ 30 cm，羽裂几达羽轴，裂片 3 ~ 7 对，阔披针形，长 12 ~ 20 cm，宽 2.5 ~ 5 cm；叶脉网状，每对侧脉之间有 5 ~ 6 大网眼。孢子囊群小，圆形，散生于网眼联结处，无囊群盖。 |

| 生境分布 | 附生于密林中树干或岩石上。分布于广东台山等。 |

| 资源情况 | 野生资源较少。药材来源于野生。

| 采收加工 | 全年均可采收，洗净，除去须根，晒干或鲜用。

| 药材性状 | 本品呈扁平长条状。表面棕色，密被鳞片，鳞片卵圆形，先端长渐尖，基部卵形，盾状着生，边缘具锯齿和密睫毛，两侧及上面有圆形叶柄痕，下面有残留的细根。质轻脆，易折断，断面可见多数排列成环的黄色点状分体中柱，排列成环。气微，味微苦。

| 功能主治 | 微苦，温。益肾气，壮筋骨，散瘀止血。用于肾虚耳鸣，牙痛，跌打损伤，骨折，风湿腰痛，外伤出血。

| 用法用量 | 内服煎汤，10 ~ 15 g。外用适量，鲜品捣敷；或研末敷。

水龙骨科 Polypodiaceae 槲蕨属 Drynaria

槲蕨 *Drynaria roosii* Nakaike

| 药 材 名 | 骨碎补（药用部位：根茎）。

| 形态特征 | 植株高 30 ~ 40 m。根茎横走，密被鳞片。叶二型；基生不育叶卵圆形，长 5 ~ 8 cm，宽 3 ~ 7 cm，无柄，基部心形，浅裂达叶缘至中脉的 1/3，全缘；能育叶叶柄长 4 ~ 10 cm，叶片长椭圆形，长 20 ~ 35 cm，宽 12 ~ 20 cm，深羽裂几达叶轴两侧的阔翅，向基部下延而呈波状；裂片 9 ~ 13 对，阔披针形，长 6 ~ 10 cm，宽 2 ~ 3 cm；叶脉在两面均明显，具内藏小脉。孢子囊群圆形，沿中脉两侧各排列成 2 ~ 4 行，无囊群盖。

| 生境分布 | 生于山地林中石上或树干上。分布于广东阳春、怀集、封开、英德、连州、阳山、始兴、乳源及广州（市区）、河源（市区）、肇庆（市

区）、清远（市区）等。

| 资源情况 | 野生资源丰富。药材来源于野生。

| 采收加工 | 全年均可采挖，除去泥沙，干燥，或再燎去茸毛（鳞片）。

| 药材性状 | 本品呈扁平长条状，多弯曲，有分枝，长 5 ~ 15 cm，宽 1 ~ 1.5 cm，厚 0.2 ~ 0.5 cm。表面密被深棕色至暗棕色小鳞片，鳞片柔软如毛，经火燎者呈棕褐色或暗褐色，两侧及上表面均具凸起或凹下的圆形叶痕，少数有叶柄残基和须根残留。体轻，质脆，易折断，断面红棕色，维管束呈黄色点状，排列成环。气微，味淡、微涩。本品呈不规则厚片。表面深棕色至棕褐色，常残留细小棕色的鳞片，有的可见圆形的叶痕。切面红棕色，黄色的点状维管束排列成环。气微，味淡、微涩。

| 功能主治 | 苦，温。归肝、肾经。疗伤止痛，补肾强骨，消风祛斑。用于跌扑闪挫，筋骨折伤，肾虚腰痛，筋骨痿软，耳鸣耳聋，牙齿松动；外用于斑秃，白癜风。

| 用法用量 | 内服煎汤，3 ~ 9 g；或入丸、散剂。外用适量，捣敷；或晒干研末敷；或浸酒搽。

| 凭证标本号 | 440281190627059LY、441823190115006LY、440224181129010LY。

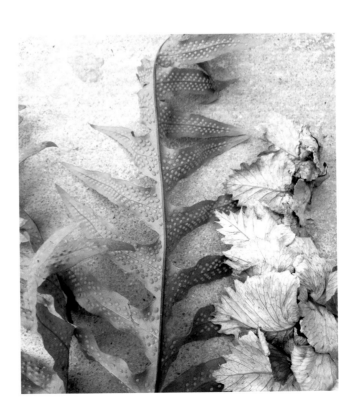

水龙骨科 Polypodiaceae 禾叶蕨属 Grammitis

两广禾叶蕨 *Grammitis lasiosora* (Bl.) Ching

| 药 材 名 |

两广禾叶蕨（药用部位：全草）。

| 形态特征 |

植株高约 5 cm。根茎短，近直立，先端被棕色卵形或卵状披针形鳞片。叶簇生；叶柄极短或近无柄；叶片长舌形，长 2 ~ 5 cm，宽 2.5 ~ 5 mm，中部以上较宽，头圆钝，基部下延，全缘，两面及叶柄均被锈色长硬毛。孢子囊群圆形，位于叶片上部，生于上侧分叉小脉的先端，紧靠主脉两侧且各排成 1 行；孢子囊上常有 1 ~ 3 针毛。

| 生境分布 |

附生于林下树干、山谷溪边岩石上。分布于广东信宜、阳春、封开、连山、博罗、饶平及广州（市区）、肇庆（市区）、韶关（市区）等。

| 资源情况 |

野生资源较少。药材来源于野生。

| 采收加工 |

全年均可采收，除去杂质，洗净，鲜用或晒干。

| **功能主治** | 甘、酸，平。消食，止咳。

| **用法用量** | 内服煎汤，9 ~ 15 g。

水龙骨科 Polypodiaceae 伏石蕨属 Lemmaphyllum

伏石蕨 *Lemmaphyllum microphyllum C. Presl*

| **药 材 名** | 螺厣草（药用部位：全草。别名：抱树莲、抱石莲）。

| **形态特征** | 根茎细长而横走，淡绿色，匍匐，疏被鳞片。叶远生，二型；不育叶近无柄，叶片卵圆形或近圆形，长 1.5 ~ 2.5 cm，先端圆，基部圆形或阔楔形，全缘；能育叶叶柄长约 1 cm，叶片舌形，长 2.5 ~ 5 cm，宽 5 ~ 6 mm，干后边缘反卷；叶脉网状，内藏小脉单一；叶幼时近膜质，成熟后为肉质，疏被鳞片。孢子囊群线形，位于主脉与叶缘之间，幼时被盾状隔丝覆盖。

| **生境分布** | 附生于林中树干或石上。分布于广东信宜、阳春、封开、连平、和平及广州（市区）、惠州（市区）、韶关（市区）等。

| **资源情况** | 野生资源丰富。药材来源于野生。

| **采收加工** | 全年均可采收，洗净，晒干或鲜用。

| **药材性状** | 本品叶肉质，干后呈褐色，疏被褐色卵形小鳞片。

| **功能主治** | 辛、微苦，凉。归肺、肝、胃经。清肺止咳，凉血止血，清热解毒。用于肺热咳嗽，肺痈，衄血，尿血，便血，崩漏，咽喉肿痛，腮腺炎，痢疾，瘰疬，痈疮肿毒，皮肤湿痒，风火牙痛，风湿骨痛。

| **用法用量** | 内服煎汤，9 ~ 18 g，鲜品 60 ~ 120 g；或捣汁。外用适量，捣敷；或研末敷；或煎汤洗；或绞汁滴耳。

| **凭证标本号** | 440783191103024LY、441324181214013LY、441523200105027LY。

水龙骨科 Polypodiaceae 骨牌蕨属 Lepidogrammitis

披针骨牌蕨 *Lepidogrammitis diversa* (Rosenst.) Ching

| 药 材 名 | 披针骨牌蕨（药用部位：全草。别名：万年青、克氏骨牌蕨）。

| 形态特征 | 植株高5～10 cm。根茎细长而横走，与叶柄基部均疏被暗褐色鳞片。叶远生，近二型；不育叶叶柄短，长0.5～2 cm，叶片披针形至椭圆状披针形，长4.5～9 cm，中部宽2～3 cm，先端渐尖，基部渐狭并下延，全缘；能育叶叶柄长3～4.5 cm，叶片披针形至狭披针形，长8～9 cm，宽约1 cm；主脉在两面稍隆起，小脉不显。孢子囊群圆形，着生于叶背面中部以上，在主脉两侧各排成1行，幼时有盾状隔丝覆盖。

| 生境分布 | 附生于山谷林下石上或树干上。分布于广东信宜、怀集、龙门、平远、连平、和平及韶关（市区）、清远（市区）、惠州（市区）等。

| 资源情况 | 野生资源丰富。药材来源于野生。

| 采收加工 | 全年均可采收，洗净，晒干或鲜用。

| 药材性状 | 本品叶近肉质，干后呈淡绿色，叶背略被小鳞片。

| 功能主治 | 微苦、涩，凉。归肺、肝经。清热止咳，祛风除湿，止血。用于小儿高热，肺热咳嗽，风湿性关节炎，外伤出血。

| 用法用量 | 内服煎汤，6 ~ 15 g。外用适量，捣敷。

| 凭证标本号 | 441523200107007LY。

| 附　　注 | FOC 将本种置于伏石蕨属 *Lemmaphyllum* 中，并将其拉丁学名修订为 *Lemmaphyllum diversum* (Rosenst.) De Vol & C. M. Kuo。

水龙骨科 Polypodiaceae 骨牌蕨属 Lepidogrammitis

抱石莲
Lepidogrammitis drymoglossoides (Bak.) Ching

| 药 材 名 | 鱼鳖金星（药用部位：全草。别名：瓜子金、石钱草）。

| 形态特征 | 植株高约 5 cm。根茎细长而横生，疏被棕色鳞片。叶远生，二型，具短柄；不育叶短小，肉质，长圆形、近圆形或倒卵形，长 1.5 ～ 3 cm，宽 1 ～ 1.5 cm，先端圆或钝，基部狭楔形，下延，全缘；能育叶较长，披针形或舌形，有时与不育叶同形，长 2 ～ 3 cm，宽不及 1 cm；叶脉不明显；叶肉质，背面疏被小鳞片。孢子囊群圆形，沿主脉两侧各排成 1 行，位于主脉与叶缘之间，幼时有盾状隔丝覆盖。

| 生境分布 | 生于山谷林下石上或树干上。分布于广东信宜、阳春、怀集、博罗、平远、乳源及肇庆（市区）等。

| 资源情况 | 野生资源丰富。药材来源于野生。

| 采收加工 | 全年均可采收，除去泥沙，洗净，晒干或鲜用。

| 功能主治 | 微苦，平。归肝、胃、膀胱经。清热解毒，利水通淋，消瘀，止血。用于小儿高热，疟腮，风火牙痛，痞块，臌胀，淋浊，咯血，吐血，衄血，便血，尿血，崩漏，外伤出血，疔疮痈肿，瘰疬，跌打损伤，以及高血压，鼻炎，气管炎。

| 用法用量 | 内服煎汤，15～30 g。外用适量，捣敷。

| 凭证标本号 | 441823190722023LY。

| 附　　注 | FOC 将本种置于伏石蕨属 *Lemmaphyllum* 中，并将其拉丁学名修订为 *Lemmaphyllum drymoglossoides* (Baker) Ching。

水龙骨科 Polypodiaceae 骨牌蕨属 Lepidogrammitis

骨牌蕨
Lepidogrammitis rostrata (Bedd.) Ching

| 药 材 名 | 上树咳（药用部位：全草。别名：桂寄生、骨牌草、瓜核草）。

| 形态特征 | 植株高 4 ~ 10 cm。根茎细长而横走，与叶柄基部均疏被褐色鳞片。叶远生，近二型，具短柄；不育叶阔披针形，近肉质，长 6 ~ 10 cm，中部宽 2 ~ 2.5 cm，先端呈鸟嘴状，基部楔形并下延，全缘；能育叶通常较长且狭；主脉在两面均隆起，小脉不明显，具内藏小脉。孢子囊群圆形，生于能育叶上半部分，在主脉两侧各排成 1 行，幼时有盾状隔丝覆盖。

| 生境分布 | 生于山谷林下石上或树干上。分布于广东阳春、怀集、封开、博罗、龙门、连平、和平及广州（市区）、珠海（市区）、韶关（市区）、茂名（市区）、清远（市区）等。

| 资源情况 | 野生资源丰富。药材来源于野生。

| 采收加工 | 全年均可采收，洗净，晒干。

| 药材性状 | 本品叶近肉质，鲜时呈淡绿色，干时呈褐棕色。

| 功能主治 | 甘、微苦，平。归肺、小肠经。清热利尿，止咳，除烦，解毒消肿。用于癃闭，小便淋沥涩痛，热咳，心烦，疮疡肿痛，跌打损伤。

| 用法用量 | 内服煎汤，15 ～ 24 g。

| 凭证标本号 | 441823200708018LY。

| 附　　注 | FOC 将本种置于伏石蕨属 *Lemmaphyllum* 中，并将其拉丁学名修订为 *Lemmaphyllum rostratum* (Beddome) Tagawa。

粤瓦韦
Lepisorus obscure-venulosus (Hayata) Ching

| 药 材 名 | 粤瓦韦（药用部位：全草。别名：小金刀、骨牌伸筋、一枝枪）。

| 形态特征 | 植株高 25 ～ 40 cm。根茎横走，与叶柄基部均被黑褐色卵状披针形鳞片。叶远生；叶柄长 3 ～ 6 cm，暗黑褐色；叶片狭披针形，长 25 ～ 35 cm，宽 2 ～ 3 cm，中部以下最宽，两端渐狭，先端长渐尖或呈尾状，基部楔形，全缘，上面有斑点状水囊，下面沿主脉疏被小鳞片；中脉在两面均稍隆起，侧脉不明显。孢子囊群圆形，橙黄色，在主脉两侧各排成 1 行，位于中脉与叶缘之间，幼时有圆形盾状隔丝覆盖。

| 生境分布 | 生于山谷林下石上或树干上。分布于广东信宜、英德、连州、连山、连南、饶平、乐昌、始兴、仁化、翁源、乳源及惠州（市区）、韶

关（市区）等。

| **资源情况** | 野生资源丰富。药材来源于野生。

| **采收加工** | 夏、秋季采收，洗净，晒干。

| **功能主治** | 苦，凉。归肝、脾、膀胱经。清热解毒，利水通淋，止血。用于咽喉肿痛，痈肿疮疡，烫火伤，蛇咬伤，小儿惊风，呕吐腹泻，热淋，吐血。

| **用法用量** | 内服煎汤，10 ~ 60 g。外用适量，捣敷。

| **凭证标本号** | 441523190516037LY。

水龙骨科 Polypodiaceae 瓦韦属 Lepisorus

鳞瓦韦
Lepisorus oligolepidus (Baker) Ching

| 药 材 名 | 鳞瓦韦（药用部位：全草。别名：剑刀草、镰刀草、龙骨牌）。

| 形态特征 | 植株高 10 ~ 25 cm。根茎横走，与叶柄基部均密被黑色钻状披针形鳞片。叶远生或略近生；叶柄长 2 ~ 3 cm，禾秆色；叶片披针形，长 8 ~ 20 cm，中部以下宽 1.2 ~ 2 cm，先端渐尖，基部下延，全缘；主脉在两面均略隆起，侧脉不明显；叶背被黑色卵形鳞片。孢子囊群圆形或椭圆形，位于叶上半部分，沿主脉两侧各排成 1 行，成熟时彼此接近，幼时被圆形盾状隔丝覆盖。

| 生境分布 | 生于山谷林下石上或树干上。分布于广东封开、龙门、平远、蕉岭及韶关（市区）、清远（市区）等。

| **资源情况** | 野生资源丰富。药材来源于野生。 |

| **采收加工** | 夏、秋季采收，洗净，晒干。 |

| **功能主治** | 苦、涩，平。清肺止咳，健脾消疳，止痛，止血。用于肺热咳嗽，头痛，腹痛，风湿痹痛，小儿疳积，外伤出血。 |

| **用法用量** | 内服煎汤，9 ~ 15 g。外用适量，捣敷。 |

水龙骨科 Polypodiaceae 瓦韦属 Lepisorus

瓦韦
Lepisorus thunbergianus (Kaulf.) Ching

| 药 材 名 | 瓦韦（药用部位：全草。别名：剑丹、七星草、骨牌草）。

| 形态特征 | 植株高 12 ~ 20 cm。根茎长而横走，与叶柄基部均密被黑褐色卵状披针形鳞片。叶疏生，有短柄或近无柄；叶片线形或线状披针形，长 10 ~ 20 cm，宽 1 ~ 1.5 cm，中部以上最宽，先端渐尖，基部渐狭并下延，全缘，边缘反卷；主脉在两面均隆起，侧脉不明显；叶革质，叶背近主脉处疏被小鳞片，上面有明显的水囊。孢子囊群圆形至椭圆形，稍靠近主脉，成熟时互相接近，幼时有圆形盾状隔丝覆盖。

| 生境分布 | 生于山谷溪边林下树干或石上。分布于广东英德、阳山、连平、乐昌、乳源、大埔及广州（市区）、深圳（市区）、河源（市区）等。

| 资源情况 | 野生资源丰富。药材来源于野生。 |

| 采收加工 | 夏、秋季采收，洗净，晒干或鲜用。 |

| 药材性状 | 本品干燥品常多株卷集成团。根茎横生，柱状，外被须根及鳞片；叶线状披针形，土黄色至绿色，皱缩、卷曲，沿两边向背面反卷；孢子囊群 10 ~ 20，于叶背排列成 2 行。叶味淡，根茎味苦。以干燥、色绿、背有棕色孢子囊群者为佳。 |

| 功能主治 | 苦，寒。归肺、小肠经。清热解毒，利尿通淋，止血。用于小儿高热、惊风，咽喉肿痛，痈肿疮疡，毒蛇咬伤，小便淋沥涩痛，尿血，咳嗽，咯血。 |

| 用法用量 | 内服煎汤，9 ~ 15 g。外用适量，捣敷；或煅存性，研末撒。 |

| 凭证标本号 | 440783200312017LY、441825190806022LY、441523200105052LY。 |

水龙骨科 Polypodiaceae 剑蕨属 Loxogramme

中华剑蕨
Loxogramme chinensis Ching

药材名

中华剑蕨（药用部位：全草或根茎。别名：华剑蕨、石龙）。

形态特征

植株高 7 ～ 12 cm。根茎细长而横走，密被褐棕色卵状披针形鳞片。叶具短柄；叶片线状披针形，长 5 ～ 12 cm，中部宽 5 ～ 8 mm，先端渐尖，基部楔形并下延，全缘或呈微波状；主脉在两面均稍隆起。孢子囊群短棒状，通常 5 ～ 8 对，彼此分开，极斜向上，有时与中脉几平行，排列于主脉两侧，着生于背面中部以上，下部不育，无囊群盖；孢子圆球形。

生境分布

生于山谷溪边林下岩石上或树干上。分布于广东信宜、乐昌、乳源等。

资源情况

野生资源较少。药材来源于野生。

采收加工

全年均可采收，除去须根，洗净，晒干。

| **功能主治** | 苦，微寒。清热解毒，利尿。用于尿路感染，乳腺炎，狂犬咬伤。

| **用法用量** | 内服煎汤，15～30 g。

水龙骨科 Polypodiaceae 剑蕨属 Loxogramme

柳叶剑蕨 *Loxogramme salicifolia* (Makino) Makino

| 药 材 名 | 柳叶剑蕨（药用部位：全草。别名：肺痨草、石虎）。

| 形态特征 | 植株高 15 ~ 35 cm。根茎长而横走，密被棕褐色卵状披针形鳞片。叶几无柄；叶片披针形，近肉质，长 12 ~ 30 cm，中部宽 1.2 ~ 2 cm，先端长渐尖，基部楔形并下延，全缘；主脉在正面平坦，在背面隆起，侧脉明显，小脉网状，无内藏小脉。孢子囊群线形，通常 10 对以上，靠近中脉，斜上，着生于叶片中部以上，沿主脉两侧各排成 1 行，无囊群盖；孢子椭圆形。

| 生境分布 | 附生于山谷溪边林中岩石上或树干上。分布于广东阳春、怀集、博罗、龙门、仁化、乳源及广州（市区）等。

| 资源情况 | 野生资源较少。药材来源于野生。

| 采收加工 | 夏、秋季采收，洗净，除去须根及叶柄，晒干。

| 功能主治 | 微苦，凉。清热解毒，利尿。用于尿路感染，咽喉肿痛，胃肠炎，狂犬咬伤。

| 用法用量 | 内服煎汤，15 ~ 30 g。

水龙骨科 Polypodiaceae 星蕨属 Microsorum

鳞果星蕨 *Microsorum buergerianum* (Miq.) Ching

| 药 材 名 | 一枝旗（药用部位：全草。别名：灯火草、攀缘星蕨）。

| 形态特征 | 植株高 20 ~ 50 cm。根茎攀缘，纤细，扁平，与叶柄基部均疏被鳞片。叶远生；叶柄长 3 ~ 8 cm，两侧有狭翅，以关节同根茎相连；叶片两面无毛，狭披针形，长 10 ~ 20 cm，宽 2 ~ 4 cm，先端渐尖，基部楔形并下延成翅，全缘或略呈波状；主脉隆起，小脉网状，具分叉的内藏小脉。孢子囊群圆形，小而密，散生于主脉与叶边之间，为不整齐的多行，能育叶片由基部至顶部均能育，无囊群盖。

| 生境分布 | 生于山谷溪边林下，攀缘于树上或石上。分布于广东阳山、龙门、饶平、五华、翁源、乳源及广州（市区）、深圳（市区）等。

| **资源情况** | 野生资源丰富。药材来源于野生。

| **采收加工** | 全年均可采收，洗净，鲜用或晒干。

| **功能主治** | 微苦、涩，凉。清热利湿。用于尿路感染，小便不利，黄疸。

| **用法用量** | 内服煎汤，10 ～ 15 g。

| **凭证标本号** | 441825210313031LY、441322160402041LY。

| **附　　注** | 最新的分类处理将本种置于瓦韦属 *Lepisorus* 中，并将其拉丁学名修订为 *Lepisorus buergerianus* (Miq.) C. F. Zhao, R. Wei & X. C. Zhang。

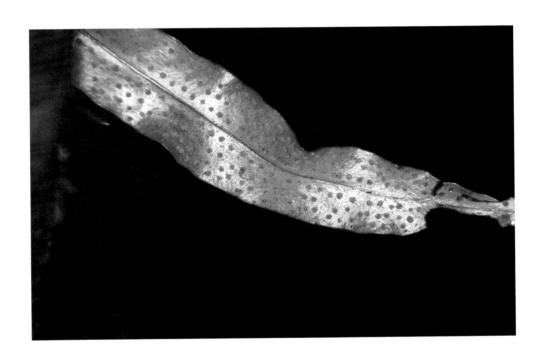

水龙骨科 Polypodiaceae 星蕨属 Microsorum

江南星蕨 *Microsorum fortunei* (T. Moore) Ching

| 药 材 名 | 大叶骨牌草（药用部位：全草。别名：七星蕨、牛舌草）。

| 形态特征 | 植株高 50 ～ 70 cm。根茎横走或攀缘，淡绿色，顶部与叶柄基部均被鳞片（易脱落）。叶远生；叶柄长 8 ～ 10 cm；叶片带状披针形，长 30 ～ 60 cm，宽 2 ～ 5 cm，先端长渐尖，基部下延于叶柄并形成狭翅，两面无毛，全缘并有软骨质狭边；中脉明显隆起，侧脉不明显，内藏小脉通常分叉。孢子囊群大，圆形，橙黄色，在主脉两侧排成不整齐的 1 ～ 2 行，靠近主脉，无囊群盖。

| 生境分布 | 附生于山谷林下石上或树干。分布于广东怀集、英德、阳山、连山、博罗、饶平、大埔、和平、乐昌、乳源及广州（市区）、深圳（市区）、云浮（市区）、肇庆（市区）、清远（市区）、东莞（市区）等。

| 资源情况 | 野生资源丰富。药材来源于野生。 |

| 采收加工 | 全年均可采收，洗净，鲜用或晒干。 |

| 功能主治 | 苦，寒。归肝、脾、心、肺经。清热利湿，凉血解毒。用于热淋，小便不利，赤白带下，痢疾，黄疸，咯血，衄血，痔疮出血，瘰疬结核，痈肿疮毒，毒蛇咬伤，风湿痹痛，跌打损伤，骨折。 |

| 用法用量 | 内服煎汤，15 ~ 30 g；或捣汁。外用适量，鲜品捣敷。 |

| 凭证标本号 | 440281190815001LY、440281200711008LY、441825190803005LY。 |

| 附　注 | FOC 将本种置于盾蕨属 *Neolepisorus* 中，有学者将本种置于瓦韦属 *Lepisorus* 中。 |

水龙骨科 Polypodiaceae 星蕨属 *Microsorum*

羽裂星蕨 *Microsorum insigne* (Bl.) Copel.

药 材 名	羽裂星蕨（药用部位：全草。别名：观音莲、海草、箭叶羽蕨）。
形态特征	植株高约 50 cm。根茎肉质，横走，疏被鳞片。叶疏生；叶柄长约 25 cm，褐色；叶片两面均无毛，卵形，长 30 ~ 40 cm，宽 20 ~ 25 cm，1 回深羽裂，偶为披针形的单叶；羽片线形，斜展，长 7 ~ 15 cm，宽 3 ~ 4 cm，先端渐尖，头钝，全缘，基部 1 对裂片稍大；叶轴两侧有阔翅，下延达叶柄基部；侧脉明显，弯曲，小脉不明显，联结成网眼，有内藏小脉。孢子囊群细小，近圆形或长圆形，散生于小脉联结处，无囊群盖。
生境分布	附生于山地林下阴湿树干或岩石上。分布于广东信宜、怀集、英德、大埔及肇庆（市区）等。

| **资源情况** | 野生资源丰富。药材来源于野生。

| **采收加工** | 全年均可采收，洗净，鲜用或晒干。

| **功能主治** | 苦、涩，平。活血，祛湿，解毒。用于关节痛，跌打损伤，疝气，无名肿毒。

| **用法用量** | 内服煎汤，3 ~ 9 g。外用适量，捣敷；或研末敷。

水龙骨科 Polypodiaceae 星蕨属 Microsorum

有翅星蕨 *Microsorum pteropus* (Bl.) Copel.

| 药 材 名 | 有翅星蕨（药用部位：全草。别名：三叉叶星蕨、铁皇冠）。

| 形态特征 | 植株高 20 ~ 35 cm。根茎横走，肉质，密被鳞片。叶远生；叶柄禾秆色，单叶的叶柄长不及 2 cm，3 裂叶的叶柄长达 20 cm；叶片为单叶或深 3 裂，单叶为披针形，长约 20 cm，宽约 2.5 cm，先端渐尖，基部急狭并下延，全缘，3 裂叶片长 20 ~ 25 cm，顶生裂片宽 2.5 ~ 3 cm，形状与单叶相似，侧生裂片与顶生裂片同形但较小；侧脉下面明显，小脉网结，在主脉两侧各有 1 行大网眼。孢子囊群小，圆形，不规则散布于网眼内。

| 生境分布 | 附生于山谷林下岩石上。分布于广东怀集、英德、连山、翁源及广州（市区）、佛山（市区）等。

| **资源情况** | 野生资源较少。药材来源于野生。 |

| **采收加工** | 全年均可采收，洗净，鲜用或晒干。 |

| **药材性状** | 本品根茎横走，肉质，密被灰棕色披针形鳞片。叶薄纸质，干后呈褐色，主脉下面被鳞片。 |

| **功能主治** | 清热利尿。 |

| **用法用量** | 内服煎汤，9 ~ 15 g。 |

| **凭证标本号** | 441422190127476LY。 |

水龙骨科 Polypodiaceae 星蕨属 Microsorum

星蕨
Microsorum punctatum (Linn.) Copel.

| **药 材 名** | 星蕨（药用部位：全草。别名：尖凤尾、二郎剑）。

| **形态特征** | 植株高 40 ~ 60 cm。根茎横走，被白粉，与叶柄基部均被鳞片（易脱落）。叶近簇生；叶柄短或近无柄，禾秆色；叶片淡绿色，带状披针形，长 35 ~ 55 cm，宽 5 ~ 8 cm，先端渐尖，基部渐狭而形成狭翅，圆楔形或近耳形，全缘或呈不规则波状，有软骨质狭边；叶脉可见，内藏小脉分叉。孢子囊群小而密，圆形，橙黄色，通常仅叶片上部能育，一般生于内藏小脉顶部，不规则散生或密集会合，无囊群盖。

| **生境分布** | 附生于山地林下阴湿处、树干或岩石上。分布于广东高州、阳春、新兴、惠东、陆丰及茂名（市区）、云浮（市区）、肇庆（市区）、

清远（市区），以及罗浮山等。

| **资源情况** | 野生资源丰富。药材来源于野生。

| **采收加工** | 全年均可采收，洗净，鲜用或晒干。

| **功能主治** | 苦，凉。归膀胱、大肠经。清热利湿，解毒。用于淋证，小便不利，跌打损伤，痢疾。

| **用法用量** | 内服煎汤，10 ~ 30 g。

| **凭证标本号** | 440923140821025LY、441323180921041LY、440304200616008LY。

水龙骨科 Polypodiaceae 盾蕨属 Neolepisorus

盾蕨 Neolepisorus ovatus (Bedd.) Ching

| 药 材 名 | 大金刀（药用部位：全草。别名：水石韦、肺经草、梳子草）。

| 形态特征 | 植株高 30 ~ 80 cm。根茎横走，密被褐色卵状披针形鳞片。叶远生；叶柄长 20 ~ 45 cm，灰褐色，疏被鳞片；叶片卵状披针形至长卵形，长 20 ~ 35 cm，宽 5 ~ 10 cm，头渐尖，基部较宽，圆形至圆楔形，多少下延，全缘或下部多少分裂，厚纸质，叶面光滑，背面疏被鳞片；侧脉网状，具内藏小脉。孢子囊群圆形，在主脉两侧排成不整齐的多行，幼时有盾状隔丝覆盖。

| 生境分布 | 生于山谷石上。分布于广东连州、乐昌、乳源及梅州（市区）等。

| 资源情况 | 野生资源丰富。药材来源于野生。

| 采收加工 | 全年均可采收，洗净，鲜用或晒干。

| 功能主治 | 苦，凉。归心、肺、膀胱经。清热利湿，止血，解毒。用于热淋，小便不利，尿血，肺痨咯血，吐血，外伤出血，痈肿，烫火伤。

| 用法用量 | 内服煎汤，15 ~ 30 g；或浸酒。外用适量，鲜品捣敷；或干品研末敷。

| 凭证标本号 | 441421190323744LY、441621180920020LY、440232160114004LY。

水龙骨科 Polypodiaceae 假瘤蕨属 *Phymatopteris*

金鸡脚假瘤蕨

Phymatopteris hastata (Thunb.) Kitagawa

药 材 名

金鸡脚（药用部位：全草。别名：独脚金鸡、三叉虎、鸡脚七）。

形态特征

植株高 10 ～ 35 cm。根茎细长而横走，与叶柄基部均密被披针形鳞片。叶疏生；叶柄长 5 ～ 20 cm，禾秆色，基部有关节；叶片厚纸质，单叶，形态变化极大，不分裂或戟状 2~3 分裂，不分裂叶的形态变化亦极大，卵圆形至长条形，分裂叶的形态也极其多样，常见的为戟状 2~3 分裂，叶片长 5 ～ 15 cm，宽 4 ～ 10 cm；裂片披针形，长 5 ～ 10 cm，宽 1 ～ 2 cm，先端渐尖，有软骨质狭边，两面光滑，侧生裂片同形但较小，斜展；叶脉明显，有内藏小脉。孢子囊群圆形，沿主脉两侧各排成 1 行。

生境分布

附生于林中树干或林缘湿地。分布于广东博罗、蕉岭、饶平、乐昌、乳源等。

资源情况

野生资源丰富。药材来源于野生。

| **采收加工** | 全年均可采收，除去杂质，洗净，鲜用或晒干。

| **药材性状** | 本品根茎圆柱形，细长，多折断，长短不一，直径 2 ～ 3 mm，密生棕红色或棕褐色鳞片。叶片多皱缩，润湿并展平后多为掌状 3 裂，也有 1 ～ 5 裂的，裂片披针形，长 5 ～ 10 cm，上表面棕绿色，下表面灰绿色，叶缘内卷，厚纸质，易破碎；叶柄长 2 ～ 18 cm。孢子囊群圆形，红棕色，稍近主脉，有的已脱落。气微，味淡。

| **功能主治** | 甘、微苦、微辛，凉。清热解毒，祛风镇惊，利水通淋。用于外感热病，肺热咳嗽，咽喉肿痛，小儿惊风，痈肿疮毒，蛇虫咬伤，烫火伤，痢疾，泄泻，小便淋浊。

| **用法用量** | 内服煎汤，15 ～ 30 g，大剂量可用至 60 g，鲜品加倍。外用适量，研末撒；或鲜品捣敷。

| **凭证标本号** | 441825190412048LY、445222191124004LY。

水龙骨科 Polypodiaceae 假瘤蕨属 *Phymatopteris*

喙叶假瘤蕨 *Phymatopteris rhynchophylla* (Hook.) Pic. Serm.

| 药 材 名 | 喙叶假瘤蕨（药用部位：全草。别名：喙叶金鸡脚）。

| 形态特征 | 植株高 4 ~ 20 cm。根茎长而横走，密被鳞片。叶远生，二型；不育叶的叶柄较短，长 1 ~ 2 cm，叶片卵形或椭圆形，长 1 ~ 5 cm，宽 1 ~ 2 cm，先端钝圆，基部阔楔形至圆楔形；能育叶的叶柄长 4 ~ 7 cm，叶片披针形，长 7 ~ 18 cm，宽约 2 cm，上部 1/3 能育部分狭缩为鸟喙状，先端钝圆，基部楔形，边缘软骨质，具缺刻；侧脉明显，具单一的内藏小脉；叶近革质，无毛。孢子囊群圆形，着生于能育叶的上部，在主脉两侧各排成 1 行。

| 生境分布 | 附生于林中树干上。分布于广东阳山、连山、博罗、乳源及广州（市区）等。

| 资源情况 | 野生资源丰富。药材来源于野生。

| 采收加工 | 全年均可采收，洗净，鲜用或晒干。

| 药材性状 | 本品根茎长而横走，直径约 2 mm，密被鳞片；鳞片披针形，棕色，长约 5 mm，先端渐尖，边缘有疏齿。叶为单叶，不育叶短，卵形或椭圆形，具圆头，能育叶长，披针形。

| 功能主治 | 苦，寒。清热解毒。

| 用法用量 | 内服煎汤，9 ～ 15 g。

水龙骨科 Polypodiaceae 瘤蕨属 Phymatosorus

光亮瘤蕨 *Phymatosorus cuspidatus* (D. Don) Pic. Serm.

| 药 材 名 | 猪毛蕨（药用部位：根茎。别名：骨碎补、爬岩龙、石生姜）。

| 形态特征 | 植株高 60 ~ 100 cm。根茎横走，肉质，直径约 1 cm，灰白色，与叶柄基部均被褐色卵形鳞片。叶远生；叶柄长 30 ~ 40 cm，淡棕色；叶片近革质，椭圆状披针形，长 40 ~ 60 cm，宽 20 ~ 30 cm，一回羽状；羽片 2 ~ 20 对，披针形，斜展，长 15 ~ 25 cm，宽 2 ~ 3 cm，先端尾状，基部下延，全缘，有软骨质边；主脉在两面稍隆起，侧脉不明显，内藏小脉分叉而先端呈棒状。孢子囊群圆形，在主脉两侧各排成 1 行。

| 生境分布 | 附生于疏林下向阳的石灰岩上。分布于广东信宜、阳春、博罗及茂名（市区）、云浮（市区）等。

| **资源情况** | 野生资源较少。药材来源于野生。 |

| **采收加工** | 全年均可挖取，除去须根，鲜用或晒干。 |

| **药材性状** | 本品干燥品圆柱形，长约 13 cm，常有趾状分歧。表面灰棕色，有多数须根痕或浅棕色鳞片。质坚硬，折断面略平坦，灰白色，维管束排列成环，并有众多棕色小点。气微弱，味微涩。 |

| **功能主治** | 辛、涩，温；有小毒。归肝、肾经。活血消肿，续骨。用于无名肿毒，小儿疳积，跌打损伤，骨折，腰腿痛。 |

| **用法用量** | 内服煎汤，5 ~ 9 g，大剂量可用至 15 g。外用适量，研末酒调敷。 |

水龙骨科 Polypodiaceae 水龙骨属 Polypodiodes

友水龙骨

Polypodiodes amoena (Wall. ex Mett.) Ching

| 药 材 名 |

土碎补（药用部位：根茎。别名：水龙骨）。

| 形态特征 |

植株高 30 ~ 70 cm。根茎长而横走，密被鳞片。叶远生；叶柄长 12 ~ 30 cm；叶片长卵形，长 25 ~ 40 cm，宽 10 ~ 20 cm，先端尾尖，羽状深裂几达叶轴；裂片 15 ~ 25对，平展（基部 1 对裂片略向下反折），狭披针形，长 6 ~ 12 cm，宽 8 ~ 15 mm，先端渐尖，边缘有浅锯齿；叶脉明显，主脉两侧各有 1 行整齐的网眼；叶轴及主脉下面疏被鳞片；叶纸质，无毛。孢子囊群圆形，在主脉两侧各排成 1 行，无囊群盖。

| 生境分布 |

附生于林中树干或岩石上。分布于广东信宜、阳山、连南、博罗、龙门、乐昌、乳源及广州（市区）、深圳（市区）、梅州（市区）等。

| 资源情况 |

野生资源丰富。药材来源于野生。

| 采收加工 | 全年均可采挖，洗净，鲜用或晒干。 |

| 功能主治 | 微苦，凉。舒筋活络，清热解毒，消肿止痛。用于风湿痹痛，跌打损伤，痈肿疮毒。 |

| 用法用量 | 内服煎汤，6～15 g。外用适量，研末撒；或鲜品捣敷。 |

| 凭证标本号 | 440232160114013LY、441322140826381LY。 |

| 附　注 | 最新的分类处理将本种置于棱脉蕨属 *Goniophlebium* 中。 |

水龙骨科 Polypodiaceae 水龙骨属 Polypodiodes

水龙骨
Polypodiodes niponica (Mett.) Ching

药材名

水龙骨（药用部位：根茎。别名：日本水龙骨、石蚕、石豇豆）。

形态特征

植株高 10 ~ 50 cm。根茎长而横走，通常光秃而被白粉，先端疏被卵状披针形鳞片。叶远生；叶柄长 5 ~ 20 cm，禾秆色，关节明显；叶片长圆状披针形，长 8 ~ 25 cm，宽 4 ~ 11 cm，向顶部渐狭，羽状深裂几达叶轴；裂片 10 ~ 30 对，互生，中部裂片较长，线状披针形，长 2 ~ 5.5 cm，宽 6 ~ 10 mm，先端钝或短尖，全缘；叶脉明显，在主脉两侧各有 1 行整齐的网眼；叶两面密被短柔毛。孢子囊群圆形，在主脉两侧靠近主脉处各排成 1 行。

生境分布

附生于树干或石上。分布于广东英德、连州、连山、连南、饶平、乐昌、乳源及汕头（市区）等。

资源情况

野生资源丰富。药材来源于野生。

| 采收加工 | 全年均可采挖，洗净，鲜用或晒干。

| 药材性状 | 本品干燥品呈细棒状，稍弯曲，有分枝，肉质，长 6 ~ 10 cm，直径 3 ~ 4 mm。表面黑褐色，光滑，有纵皱纹，并被白粉，一侧有须根痕或残留的须根。质硬而脆，易折断，断面较光滑。气无，味微苦。

| 功能主治 | 苦，凉。归心、肝、肺经。清热利湿，活血通络。用于淋浊，泄泻，痢疾，风湿痹痛，跌打损伤。

| 用法用量 | 内服煎汤，15 ~ 30 g。外用适量，煎汤洗；或鲜品捣敷。

| 凭证标本号 | 441882180814095LY。

| 附　　注 | 最新的分类处理将本种置于棱脉蕨属 *Goniophlebium* 中。

水龙骨科 Polypodiaceae 石韦属 Pyrrosia

贴生石韦

Pyrrosia adnascens (Sw.) Ching

| 药材名 |

贴生石韦（药用部位：全草。别名：上树咳、石头蛇、上树龟）。

| 形态特征 |

植株高 5 ~ 12 cm。根茎纤细而横走，与叶柄基部均密被鳞片。叶远生，二型；不育叶叶柄短，长 0.5 ~ 5 cm，能育叶叶柄较长；不育叶叶片椭圆形或卵状披针形，长 2 ~ 4 cm，宽 5 ~ 8 mm，先端钝圆，基部阔楔形，全缘，能育叶叶片线状舌形，长 10 ~ 15 cm，仅上半部能育。孢子囊群满布于能育部分，无囊群盖，幼时被星状毛覆盖，淡棕色，成熟时会合，深棕色。

| 生境分布 |

附生于树干或岩石上。分布于广东徐闻、信宜、阳春、鹤山、新兴、英德、博罗、陆丰、饶平及广州（市区）、深圳（市区）、汕头（市区）、茂名（市区）、江门（市区）、云浮（市区）、肇庆（市区）等。

| 资源情况 |

野生资源丰富。药材来源于野生。

| **采收加工** | 全年均可采收，除去杂质，洗净，鲜用或晒干。 |

| **药材性状** | 本品叶片厚革质并带肉质，干后呈褐色，有皱褶，上面散生星状毛，背面疏被贴伏的星状毛。能育叶叶片线状舌形，仅上半部能育，干后能育部分的叶缘常内卷。 |

| **功能主治** | 涩，凉。清热解毒，利尿。 |

| **用法用量** | 内服煎汤，9 ~ 15 g。 |

| **凭证标本号** | 440882180429357LY、441523190921031LY、445222180604009LY。 |

水龙骨科 Polypodiaceae 石韦属 Pyrrosia

相近石韦

Pyrrosia assimilis (Bak.) Ching

| 药 材 名 | 相近石韦（药用部位：全草。别名：相似石韦、相异石韦）。

| 形态特征 | 植株高 5 ~ 20 cm。根茎横走，密被棕褐色披针形鳞片。叶疏生，无柄或近无柄；叶片线形或线状披针形，长 5 ~ 15 cm，宽 3 ~ 6 mm，先端渐尖，基部渐狭并下延于叶柄，全缘；主脉在下面隆起，在上面略凹下，小脉不明显；叶厚革质，上面有明显的水囊洼点，幼时被灰白色星状毛，老时近无毛，下面密被灰棕色星状毛。孢子囊群满布于叶片下面，下部通常不育，幼时覆盖星状毛。

| 生境分布 | 附生于山坡林下阴湿岩石上。分布于广东徐闻、信宜、英德、阳山、博罗、饶平、乐昌、仁化、翁源、乳源及梅州（市区）等。

| 资源情况 | 野生资源丰富。药材来源于野生。

| 采收加工 | 全年均可采收，除去杂质，洗净，鲜用或晒干。

| 功能主治 | 苦、涩，凉。清热解毒，镇静，调经。

| 用法用量 | 内服煎汤，9 ~ 15 g。

| 凭证标本号 | 441827180715026LY、441823200710027LY。

水龙骨科 Polypodiaceae 石韦属 Pyrrosia

光石韦

Pyrrosia calvata (Bak.) Ching

| 药 材 名 | 光石韦（药用部位：全草。别名：石韦、一包针、石莲姜）。

| 形态特征 | 植株高 25 ~ 60 cm。根茎短粗，横生或斜生，与叶柄基部均密被棕色披针形鳞片。叶簇生；叶柄长 5 ~ 10 cm，深禾秆色，疏被星状毛；叶片披针形，长 20 ~ 50 cm，宽 2 ~ 4 cm，头渐尖，向基部变狭成楔形并下延，全缘；主脉明显，侧脉略可见，斜展；叶厚革质，上面近无毛，无水囊洼点，下面幼时被灰白色细长星状毛，老时近无毛。孢子囊群满布于叶背面上半部，无囊群盖。

| 生境分布 | 附生于林中树干或石上。分布于广东连州、阳山、乳源等。

| 资源情况 | 野生资源较少。药材来源于野生。

| 采收加工 | 全年均可采收，除去杂质，洗净，鲜用或晒干。

| 药材性状 | 本品叶多卷成压扁的管状或平展，革质，一型。叶片长披针形，先端渐尖，基部渐狭并下延，全缘，长 20 ～ 50 cm，宽约 3 cm；上表面黄绿色或黄棕色，有小凹点，用放大镜观察可见叶背面有星状毛或细绒毛，孢子囊群密布于叶背的中部以上。叶柄长 4 ～ 8 cm，宽 3 ～ 4 mm，有纵棱。气微，味淡。

| 功能主治 | 苦、酸，凉。归肺、膀胱经。清热，利尿，止咳，止血。用于肺热咳嗽，痰中带血，小便不利，热淋，石淋，颈淋巴结结核，烫火伤，外伤出血。

| 用法用量 | 内服煎汤，15 ～ 30 g。外用适量，研末撒或敷。

| 凭证标本号 | 441284210410679LY。

水龙骨科 Polypodiaceae 石韦属 Pyrrosia

石韦
Pyrrosia lingua (Thunb.) Farwell

| 药 材 名 | 石韦（药用部位：叶。别名：飞刀剑、蜈蚣七、七星剑）。

| 形态特征 | 植株高 10 ~ 30 cm。根茎横走，与叶柄基部均密被棕褐色披针形鳞片。叶远生；叶柄长 2 ~ 10 cm，幼时被星状毛；叶片披针形，长 6 ~ 20 cm，宽 1 ~ 3 cm，先端渐尖，基部楔形且略下延，全缘；叶厚革质，上面有时疏被星状毛，并有水囊洼点，下面密被灰棕色星状毛。孢子囊群满布于能育叶背面（有时仅上部能育），且在侧脉间排成多行，成熟时扩散并会合，幼时密被星状毛。

| 生境分布 | 附生于石上或树干上。广东各地均有分布。

| 资源情况 | 野生资源丰富。药材来源于野生。

| 采收加工 | 全年均可采收，晒干或阴干。

| 药材性状 | 本品叶片披针形或长圆披针形；叶柄直径约 1.5 mm，基部楔形，对称。孢子囊群在侧脉间排列紧密而整齐。以干燥、叶厚而完整、无泥、背面色棕红、有孢子囊者为佳。

| 功能主治 | 甘、苦，微寒。归肺、膀胱经。利尿通淋，清肺止咳，凉血止血。用于热淋，血淋，石淋，小便不通，淋沥涩痛，肺热喘咳，吐血，衄血，尿血，崩漏。

| 用法用量 | 内服煎汤，9 ~ 15 g；或研末。外用适量，研末涂敷。

| 凭证标本号 | 440281200713013LY、440783191103030LY、441825190708034LY。

| 附　注 | 2020 年版《中国药典》记载本种为石韦药材的基原之一。

水龙骨科 Polypodiaceae 石韦属 Pyrrosia

有柄石韦
Pyrrosia petiolosa (Christt) Ching

| **药 材 名** | 石韦（药用部位：叶。别名：长柄石韦、石英草、独叶草）。

| **形态特征** | 植株高 5 ~ 15 cm。根茎细长而横走，幼时密被披针形棕色鳞片。叶远生；叶柄长 3 ~ 15 cm，基部被鳞片，向上被星状毛；叶片革质，近舌形至椭圆形，长 4 ~ 8 cm，中部宽 1.5 ~ 2 cm，基部略下延，先端急尖，全缘，叶面近光滑，有洼点，背面密被较厚星状毛且疏被小鳞片，初为淡棕色，后为砖红色；侧脉和小脉均不明显。孢子囊群圆形，布满叶背，成熟时扩散并会合，无囊群盖，幼时被星状毛覆盖。

| **生境分布** | 附生于裸露的岩石上。分布于广东怀集、连州等。

| 资源情况 | 野生资源较少。药材来源于野生。

| 采收加工 | 全年均可采收，晒干或阴干。

| 药材性状 | 本品叶片多卷曲，呈筒状，展平后呈长圆形或卵状长圆形，长 3 ～ 8 cm，宽 1 ～ 2.5 cm；下表面侧脉不明显，布满孢子囊群。叶柄长 3 ～ 12 cm，直径约 1 mm，基部楔形，对称。

| 功能主治 | 甘、苦，微寒。归肺、膀胱经。利尿通淋，清肺止咳，凉血止血。用于热淋，血淋，石淋，小便不通，淋沥涩痛，肺热喘咳，吐血，衄血，尿血，崩漏。

| 用法用量 | 内服煎汤，9 ～ 15 g；或研末。外用适量，研末涂敷。

| 凭证标本号 | 441826151206215LY。

| 附　注 | 2020 年版《中国药典》记载本种为石韦药材的基原之一。

水龙骨科 Polypodiaceae 石韦属 Pyrrosia

庐山石韦 Pyrrosia sheareri (Bak.) Ching

| 药 材 名 | 庐山石韦（药用部位：叶。别名：大石韦、大金刀、金石韦）。

| 形态特征 | 植株高 30 ~ 60 cm。根茎横走，与叶柄基部均密被棕黄色披针形鳞片。叶近生；叶柄长 15 ~ 30 cm，被星状毛；叶片披针形，长 18 ~ 35 cm，宽 3 ~ 6 cm，基部最宽，先端短渐尖，基部圆形或为不对称的圆耳形，全缘；叶硬革质，上面近无毛，有细密洼点，下面密被较厚的棕色或深棕色星状毛。孢子囊群布满叶背，在侧脉间排成多行，幼时密被星状毛，无囊群盖，成熟时扩散并会合；孢子囊开裂且外露，呈深棕色。

| 生境分布 | 附生于山谷林下石上或树干上。分布于广东阳山、乐昌、仁化、乳源等。

| 资源情况 | 野生资源较少。药材来源于野生。

| 采收加工 | 全年均可采收，晒干或阴干。

| 药材性状 | 本品叶片略皱缩，展平后呈披针形，长 10 ~ 25 cm，宽 3 ~ 5 cm，先端渐尖，基部耳状偏斜，全缘，边缘常向内卷曲；上表面黄绿色或灰绿色，散布有黑色圆形小凹点，下表面密生红棕色星状毛，有的侧脉间布满棕色圆点状孢子囊群；革质。叶柄具 4 棱，长 10 ~ 20 cm，直径 1.5 ~ 3 mm，略扭曲，有纵槽。气微，味微涩、苦。

| 功能主治 | 甘、苦，微寒。归肺、膀胱经。利尿通淋，清肺止咳，凉血止血。用于淋病，水肿，小便不利，痰热咳喘，咯血，吐血，衄血，崩漏，外伤出血。

| 用法用量 | 内服煎汤，9 ~ 15 g；或研末。外用适量，研末涂敷。

| 附　　注 | 2020 年版《中国药典》记载本种为石韦药材的基原之一。

水龙骨科 Polypodiaceae 石蕨属 Saxiglossum

石蕨 Saxiglossum angustissimum (Gies. ex Diels) Ching

| 药 材 名 | 鸭舌鱼鳖（药用部位：全草。别名：拟石韦、卷叶蕨、回阳生）。

| 形态特征 | 植株高 5 ～ 12 cm。根茎细长，横走，密被红棕色披针形鳞片。叶远生；叶片线形，长 3 ～ 10 cm，宽 2 ～ 3.5 cm，先端钝尖，基部渐狭；主脉明显，小脉网状，沿主脉两侧各有 1 行狭长网眼，无内藏小脉；叶革质，边缘反卷，幼时上面疏被星状毛，后毛脱落，下面密被黄色星状毛，宿存。孢子囊群线形，沿主脉两侧各排成 1 行，幼时完全为反卷叶边所覆盖，成熟时挤开叶边，露出孢子囊群。

| 生境分布 | 生于林中石上或树干上。分布于广东阳山、饶平、乐昌、乳源等。

| 资源情况 | 野生资源较少。药材来源于野生。

| 采收加工 | 全年均可采收，除去杂质，洗净，鲜用或晒干。

| 功能主治 | 微苦，凉。清热，利湿，明目。用于肺热咳嗽，咽喉肿痛，目赤羞明，小儿惊风，小便不利，带下。

| 用法用量 | 内服煎汤，15 ～ 30 g。

| 附　　注 | FOC 将本种置于石韦属 *Pyrrosia* 中，并将其拉丁学名修订为 *Pyrrosia angustissima* (Giesenh. ex Diels) Tagawa & K. Iwats.。

崖姜蕨
Pseudodrynaria coronans (Wall. ex Mett.) Ching

| 药 材 名 | 骨碎补（药用部位：根茎。别名：穿石剑、马骝姜、玉麒麟）。

| 形态特征 | 根茎横卧，肉质，粗壮，密被蓬松的长鳞片，弯曲，盘结成垫状。多片叶簇生成鸟巢状；叶一型，硬革质；叶片长圆状倒披针形，长80 ~ 150 cm，中部宽 20 ~ 30 cm，向下渐变狭，至下约 1/4 处狭缩成宽 1 ~ 2 cm 的翅，至基部又渐扩展成圆心形，宽 15 ~ 25 cm，中部以上为深羽裂；裂片 20 ~ 30 对，披针形，全缘；叶脉明显，网状，有内藏小脉。孢子囊群近圆形，着生于小脉交叉处，每对侧脉间有 1 行，成熟后多少会合，叶片下半部通常不育。

| 生境分布 | 附生于山地林下石上或树干上。分布于广东高州、新兴、博罗、翁源及广州（市区）、中山（市区）、珠海（市区）、深圳（市区）、

茂名（市区）、阳江（市区）、清远（市区）等。

| **资源情况** | 野生资源丰富。药材来源于野生。

| **采收加工** | 全年均可采挖，除去泥沙，干燥，或燎去毛状鳞片。

| **药材性状** | 本品圆柱形，表面密被松软的条状披针形鳞片，鳞片脱落处显紫褐色，有大小不等的纵向沟脊及细小纹理。断面褐色，点状分体中柱排成类圆形。气极微，味涩。以条粗大、棕色者为佳。

| **功能主治** | 苦、微涩，温。祛风除湿，舒筋活络。用于肾虚腰痛，足膝痿弱，耳鸣耳聋，牙痛，久泻，遗尿，跌打损伤，骨折，斑秃。

| **用法用量** | 内服煎汤，10 ~ 20 g；或入丸、散剂。外用适量，捣敷；或干品研末敷；或浸酒搽。

| **凭证标本号** | 440783191102017LY、445222191103014LY。

苹科 Marsileaceae 苹属 Marsilea

苹

Marsilea quadrifolia Linn.

| 药 材 名 | 蘋（药用部位：全草。别名：田字草、四叶莲、四叶菜）。

| 形态特征 | 小型水生植物，高 5 ~ 20 cm。根茎柔软，细长而横走，有分枝，向下生出纤细须根。不育叶叶柄长 5 ~ 20 cm；叶片由 4 羽片组成，呈十字形；羽片倒三角形，长与宽均为 1 ~ 2 cm，外缘半圆形，基部楔形，全缘；叶脉扇形分叉，呈网状，网眼狭长，无内藏小脉。孢子果卵形，长 2 ~ 4 mm，棕色，通常 2 ~ 3 簇生于长不及 1 cm 的短柄上。

| 生境分布 | 生于水田或沟塘中。分布于广东阳春、连州、始兴及广州（市区）、梅州（市区）等。

| **资源情况** | 野生资源丰富。药材来源于野生。

| **采收加工** | 春、夏、秋季均可采收，洗净，鲜用或晒干。

| **药材性状** | 本品根茎细长，多分枝。叶柄纤细，长 3 ~ 18 cm，光滑，棕绿色；小叶 4，卷缩，展开后呈"田"字形，小叶片倒三角形，长约 1.6 cm，宽约 1.7 cm，上面绿色，下面黄绿色。气微，味淡。

| **功能主治** | 甘，寒。归肺、肝、肾经。利水消肿，清热解毒，止血，除烦安神。用于水肿，热淋，小便不利，黄疸，吐血，衄血，尿血，崩漏，带下，月经量多，心烦不眠，消渴，感冒，小儿夏季热，痈肿疮毒，瘰疬，乳腺炎，咽喉肿痛，急性结膜炎，毒蛇咬伤。

| **用法用量** | 内服煎汤，15 ~ 30 g，鲜品 60 ~ 90 g；或捣汁。外用适量，鲜品捣敷。

槐叶苹科 Salviniaceae 满江红属 Azolla

满江红 *Azolla imbricata* (Roxb.) Nakai

| **药 材 名** | 满江红（药用部位：全草。别名：红浮萍、草无根、红浮漂）。

| **形态特征** | 小型漂浮植物。植株圆形或三角形，直径约 1 cm。根茎横走，羽状分枝，向下生出悬垂于水中的纤细须根。叶小如芝麻，无柄，互生，覆瓦状排列，梨形、卵形或椭圆形，全缘，背面有空腔，通常分裂为上、下 2 叶，上叶肉质，绿色（秋后变为红色），下叶贝壳状，沉于水中。孢子果双生于分枝处。有大小之分，大孢子果小，长卵形，小孢子果大，球形。

| **生境分布** | 生于水田、沟塘和静水溪河内。分布于广东廉江、开平及汕头（市区）、梅州（市区）等。

| 资源情况 | 野生资源丰富。药材来源于野生。 |

| 采收加工 | 夏、秋季捞取，晒干。 |

| 药材性状 | 本品为干燥全草。叶小，三角形，密生于细枝上，皱缩成粒片状，直径约4 mm，上面黄绿色，下面紫褐色或红褐色。细须根多数，呈泥灰色。质轻，气无。以色红者为佳。 |

| 功能主治 | 辛，凉。归肺、膀胱经。解表透疹，祛风胜湿，解毒。用于感冒咳嗽，麻疹不透，风湿痹痛，小便不利，水肿，荨麻疹，皮肤瘙痒，疮疡，丹毒，烫火伤。 |

| 用法用量 | 内服煎汤，3 ~ 15 g，大剂量可用至30 g。外用适量，煎汤洗；或热熨；或炒存性，研末调油敷。 |

 槐叶苹科 Salviniaceae 槐叶苹属 Salvinia

槐叶苹 *Salvinia natans* (Linn.) All.

| 药 材 名 | 蜈蚣萍（药用部位：全草。别名：蜈蚣漂、大浮萍）。

| 形态特征 | 漂浮植物。根茎细弱，横走，被毛，羽状分枝，向下生出须根。叶小，无柄，3 叶轮生，上面 2 叶漂浮于水面，形如槐叶，长圆形或椭圆形，长 0.8 ~ 1.5 cm，全缘，覆瓦状排列，正面深绿色，背面密被棕色绒毛，下面 1 叶沉于水中，细裂成线状。孢子果成对，4 ~ 8 簇生于沉水叶基部，有大小之分，大孢子果小，长卵形，小孢子果大，球形。孢子期 9 ~ 12 月。

| 生境分布 | 生于水田、沟塘和静水溪河内。分布于广东信宜及江门（市区）、广州（市区）、汕头（市区）、梅州（市区）等。

| **资源情况** | 野生资源丰富。药材来源于野生。

| **采收加工** | 夏、秋季采收，洗净，鲜用或晒干。

| **药材性状** | 本品茎细长，有毛。叶二型，一种细长如根，另一种羽状排列于茎的两侧；叶片矩圆形，长 8 ~ 12 mm，宽 5 ~ 6 mm，头圆钝，基部圆形或稍呈心形，全缘，上面淡绿色，在侧脉间有 5 ~ 9 突起，其上生一簇短粗毛，下面灰褐色，生有节的短粗毛。根状叶基部生有短小枝，枝上生有大孢子果和小孢子果 4 ~ 8。气微，味辛。

| **功能主治** | 辛、苦，寒。清热解表，利水消肿，解毒。用于风热感冒，麻疹不透，水肿，热淋，小便不利，热痢，痔疮，痈肿疔疮，丹毒，腮腺炎，湿疹，烫火伤。

| **用法用量** | 内服煎汤，15 ~ 30 g。外用适量，捣敷；或煎汤洗。

裸子植物

苏铁科 Cycadaceae 苏铁属 Cycas

篦齿苏铁

Cycas pectinata Griff.

| 药 材 名 | 铁树（药用部位：根、茎、叶、球花、种子。别名：象尾菜、铁树果）。

| 形态特征 | 多年生棕榈状植物。茎干圆柱状，高 4 ~ 12 m；茎皮灰白色，光滑。大型羽状叶顶生，长 1.5 ~ 2.4 m，平展，多少呈灰蓝绿色，具光泽。雌性孢子叶球包被紧密，呈半球形，大孢子叶不育顶片掌状阔三角形，顶裂片和侧裂片先端刺化，胚珠无毛；雄性孢子叶球长卵状球形，硬挺，小孢子叶先端具明显伸长的刺，刺尖锐，不反卷。种子扁卵球形，长 4.2 ~ 4.5 cm，成熟时呈橘黄色，有纤维层，硬种皮光滑，无海绵状内种皮。花期 10 ~ 12 月，果期翌年 5 ~ 7 月。

| 生境分布 | 广东无野生分布。广东深圳、广州等地有引种栽培。

| 资源情况 | 广东无野生资源。药材来源于栽培。

| 采收加工 | 全年均可采收根、茎、叶，10 ~ 12 月采集球花，翌年 5 ~ 7 月采收种子，晒干。

| 功能主治 | 根，祛风通络，活血止血。用于风湿麻木，筋骨疼痛，跌打损伤，劳伤吐血，腰痛，带下，口疮。叶，收敛止血，解毒止痛。用于各种出血，胃炎，胃溃疡，高血压，神经痛，闭经，恶性肿瘤。球花，甘，平，理气止痛，益肾固精。用于胃痛，遗精，带下，痛经。种子，苦、涩，平，有毒，归肺、肝、大肠经，平肝降血压，镇咳祛痰，收敛固涩。用于高血压，慢性肝炎，咳嗽痰多，痢疾，遗精，带下，跌打损伤，刀伤。

| 用法用量 | 根，内服煎汤，10 ~ 15 g；或研末。外用适量，煎汤含漱。叶，内服煎汤，9 ~ 15 g；或烧存性，研末。外用适量，烧灰或煅存性研末敷。球花，内服煎汤，15 ~ 60 g。种子，内服煎汤，9 ~ 15 g；或研末。外用适量，研末敷。

| 附　　注 | 分布于广东的苏铁属植物有仙湖苏铁 *Cycas fairylakea* D. Y. Wang，广东引种栽培的苏铁属植物有越南篦齿苏铁 *Cycas elongata* (Leandri) D. Yue Wang、海南苏铁 *Cycas hainanensis* C. J. Chen、六籽苏铁 *Cycas sexseminifera* F. N. Wei、四川苏铁 *Cycas szechuanensis* C. Y. Cheng, W. C. Cheng & L. K. Fu 和台湾苏铁 *Cycas taiwaniana* Carruth. 等。

苏铁科 Cycadaceae 苏铁属 Cycas

苏铁
Cycas revoluta Thunb.

| 药 材 名 | 铁树叶（药用部位：叶。别名：凤尾蕉叶）、铁树花（药用部位：雄性孢子叶球。别名：凤尾蕉花、梭罗花）、铁树果（药用部位：种子。别名：凤凰蛋）、铁树根（药用部位：根）。

| 形态特征 | 多年生常绿棕榈状植物。茎柱状，一般高 0.5 ～ 4 m，茎干上有宿存叶基，茎顶密被棕黄色硬毛。大型羽状叶顶生，长 50 ～ 120 cm，呈 "V" 字形展开；小羽片厚革质，边缘反卷；雌性孢子叶球包菜状，大孢子叶密被棕黄色毛，不育顶片卵状三角形，两侧深裂，下部收缩成长柄状，胚珠密被毛；雄性孢子叶球（俗称 "雄球花" "铁树花"）柱状长卵形，开花时呈黄色。种子成熟时呈橘黄色或红橘色，被毛，卵球状。花期 4 ～ 5 月，果期 10 ～ 11 月。

| 生境分布 | 广东无野生分布。广东各地均有栽培。

| 资源情况 | 广东无野生资源。药材来源于栽培。

| 采收加工 | **铁树叶：** 全年均可采收，晒干。

铁树花： 4 ～ 5 月采集雄性孢子叶球，晒干。

铁树果： 10 ～ 11 月采收种子，晒干。

铁树根： 全年均可采收，晒干。

| 药材性状 | **铁树叶：** 本品为大型羽状叶，叶轴扁圆柱形，叶柄基部两侧具刺，干燥后呈灰绿黄色；质硬，断面纤维性。小羽片条形，长 9 ～ 18 cm，宽 4 ～ 6 mm，干燥后呈灰黄绿色或黄褐色，边缘反卷，背面中脉隆起，疏生褐色毛；质脆，易折断，断面平坦。气微，味淡。

| 功能主治 | **铁树叶：** 收敛止血，解毒止痛。用于各种出血，胃炎，胃溃疡，高血压，神经痛，闭经，恶性肿瘤。

铁树花： 甘，平。理气止痛，益肾固精。用于胃痛，遗精，带下，痛经。

铁树果： 苦、涩，平；有毒。归肺、肝、大肠经。平肝降血压，镇咳祛痰，收敛固涩。用于高血压，慢性肝炎，咳嗽痰多，痢疾，遗精，白带下，跌打损伤，刀伤。

铁树根： 祛风通络，活血止血。用于风湿麻木，筋骨疼痛，跌打损伤，劳伤吐血，腰痛，带下，口疮。

| 用法用量 | **铁树叶：** 内服煎汤，9 ～ 15 g；或烧存性，研末。外用适量，烧灰或煅存性研末敷。

铁树花： 内服煎汤，15 ～ 60 g。

铁树果： 内服煎汤，9 ～ 15 g；或研末。外用适量，研末敷。

铁树根： 内服煎汤，10 ～ 15 g；或研末。外用适量，煎汤含漱。

| 凭证标本号 | 440303210220031LY、440404210722005LY、442000180418059LY。

马永提供

苏铁科 Cycadaceae 苏铁属 Cycas

刺叶苏铁
Cycas rumphii Miq.

药材名

刺叶苏铁（药用部位：种子、根、茎、叶、雄球花、花粉及其分泌的愈伤组织）。

形态特征

多年生常绿棕榈状植物。茎高 4 ~ 12 m，有残存的叶柄和鳞叶痕。大型羽状叶集生于茎顶，长 150 ~ 250 cm，近直展，亮绿色；小羽片条形，长 15 ~ 30 cm，宽 1 ~ 1.5 cm，多少呈镰状。雌孢子叶球卵状，顶生，大孢子叶条状倒披针形，长 18 ~ 32 cm，不育顶片两侧具小齿，柄侧生 4 ~ 6 胚珠。雄球花长圆形，长 12 ~ 25 cm，褐黄色。种子扁卵球形，直径 3 ~ 4.5 cm；外种皮成熟时呈橙褐色，无纤维层，中种皮具棱，有海绵层。花期 6 ~ 7 月，种子 11 ~ 12 月成熟。

生境分布

广东无野生分布。广东广州、深圳等地有栽培。

资源情况

广东无野生资源。药材主要来源于栽培。

| 采收加工 | 种子，11 ~ 12 月采集，晒干。根、茎、叶，全年均可采收。雄球花，6 ~ 7 月采收。 |

| 功能主治 | 甘、淡，平。平肝祛风，消肿敛疮。用于高血压，风湿痹痛，无名肿毒，湿疹。 |

| 用法用量 | 内服煎汤，种子 6 ~ 9 g，根 10 ~ 15 g。外用适量，研末调涂。 |

银杏科 Ginkgoaceae 银杏属 Ginkgo

银杏

Ginkgo biloba Linn.

| 药 材 名 | 白果（药用部位：种子。别名：白果仁）、银杏叶（药用部位：叶。别名：白果叶）、白果根（药用部位：根。别名：银杏根）。

| 形态特征 | 落叶乔木。成年树树皮褐灰色，老年树树皮色深，纵裂且粗糙。叶扇形，翠绿色，秋季落叶前变为黄色，有多数叉状并列细脉，先端宽 5 ～ 8 cm，有长柄。雌雄异株；球花呈簇生状，生于短枝叶腋内；雌球花具长梗，梗尖常分 2 叉，叉顶各生 1 胚珠；雄球花呈柔荑花序状，具短梗。种子核果状，卵状近球形或椭圆形，长25 ～ 35 mm；外种皮肉质，成熟时呈杏黄色，外被白粉，有臭味，中种皮骨质，黄白色，具 2 ～ 3 纵脊；内种皮膜质，淡红褐色，胚乳丰富，味甘略苦。花期 3 ～ 4 月，种子 9 ～ 10 月成熟。

| **生境分布** | 广东无野生分布。广东韶关（南雄）、清远（连州、阳山）、广州、深圳等地有栽培。

| **资源情况** | 广东无野生资源。药材主要来源于栽培。

| **采收加工** | **白果：**10 ~ 11 月种子成熟时采收，除去肉质外种皮（有臭味），洗净，稍蒸或略煮后烘干。

　　　　　　　银杏叶：秋季采摘，洗净，晒干或鲜用。

　　　　　　　白果根：全年均可采收。

| **药材性状** | **白果：** 本品呈椭圆形，一端稍尖，另一端钝，长 1.5 ~ 3 cm，宽 1 ~ 2.2 cm，厚约 1 cm。外壳（中种皮）骨质，光滑，表面黄白色或淡棕黄色，基部有一圆点状突起，边缘各有 1 棱线，偶见 3 棱线；内种皮膜质，红褐色或淡黄棕色。种仁扁球形，淡黄色，胚乳肥厚，粉质，中间有空隙；胚极小。气无，味微甘、苦。以壳色黄白、种仁饱满、断面色淡黄者为佳。

银杏叶： 本品多皱折或破碎，完整者呈扇形，长 3 ~ 12 cm，宽 5 ~ 15 cm，黄绿色或浅棕黄色，上缘呈不规则的波状弯曲，有的中间凹入，深者可达叶长的 4/5，叶脉二叉状平行，细而密，叶片光滑无毛，易纵向撕裂。叶基楔形，叶柄长 2 ~ 8 cm。体轻。气微，味微苦。

白果根： 本品呈圆柱形，稍弯曲，有分枝，直径 0.5 ~ 3 cm。表面灰黄色，有纵皱纹、横向皮孔及侧根痕。质硬，断面黄白色，有菊花心及放射状环。皮部带纤维。气微，味淡。

| **功能主治** | **白果：** 甘、苦、涩，平；有小毒。归肺、肾经。敛肺定喘，祛痰，止带缩尿。用于哮喘，咳嗽，咳痰，遗精，淋病，尿频等。

银杏叶： 苦、甘、涩，平；有小毒。归心、肺、脾经。益心敛肺，化湿止泻，活血化瘀，通络止痛，化浊降脂。用于胸闷心痛，心悸怔忡，痰喘咳嗽，泻痢，带下等。

白果根： 甘，温。益气补虚。用于遗精，遗尿，夜尿频多，带下，石淋。

| **用法用量** | **白果：** 内服煎汤，3 ~ 9 g；或捣汁；或入丸、散剂。外用适量，捣敷；或切片涂。

银杏叶： 内服煎汤，5 ~ 9 g；或研末。

白果根： 内服煎汤，15 ~ 60 g。

| **凭证标本号** | 445222191026038LY。

南洋杉科 Araucariaceae 南洋杉属 Araucaria

肯氏南洋杉

Araucaria cunninghamii Sweet

| 药 材 名 |

肯氏南洋杉（药用部位：树脂、树节、树皮、叶、种子）。

| 形态特征 |

高大乔木。树皮深红褐色、灰褐色或暗灰色，粗糙，横裂，卷片状剥离。大枝近轮状排列。叶三角状钻形，基部宽，上部渐窄或微圆，先端尖或钝，中脉明显或不明显，有多数气孔线，长 8 ~ 10 mm，暗绿色，螺旋状轮生，多少覆瓦状排列，常集聚在分枝的末端。雌雄同株；雄球花常单生于树冠中、下部枝条先端，穗状圆柱形，长约 10 cm；雌球花常单生于近冠顶的枝条上，椭圆形至卵球形。种鳞上部盾状加厚，先端具尖刺；种子多少扁平，具膜质翅，红褐色。花期 11 ~ 12 月，果期翌年 2 ~ 3 月。

| 生境分布 |

栽培种。广东各地均有栽培。

| 资源情况 |

药材来源于栽培。

采收加工	树脂、树节、树皮、叶，全年均可采收。种子，2 ~ 3 月采收。

药材性状 ｜ 本品树脂半透明状，琥珀色。幼树的叶长三角状针形，长 23 ~ 27 mm，比成年树的叶更长且更平展；成年树的叶三角状钻形，基部宽，上部渐窄或微圆，先端尖或钝，中脉明显或不明显，有多数气孔线，长 8 ~ 10 mm，无毛，暗绿色，螺旋状轮生，多少覆瓦状重叠，常集聚在分枝的末端。

功能主治 ｜ 用于风湿病，肾病，局部肌肉拉伤，静脉曲张，呼吸道感染，疱疹，糖尿病，高脂血症。

用法用量 ｜ 内服适量，煎汤；或浸酒。外用适量，局部涂抹。

凭证标本号 ｜ 440882180406583LY。

松科 Lamiaceae 松属 Pinus

马尾松 *Pinus massoniana* Lamb.

药 材 名

松香（药材来源：渗出的树脂经蒸馏提取且除去杂质和挥发油后而得的固态树脂。别名：松脂、松膏、黄香）、松节油（药材来源：渗出的树脂经蒸馏或提取而得的挥发油。别名：松油、沥油）、松球（药用部位：雌球果。别名：松实、松元、松果）、松花粉（药用部位：雄球花的花粉。别名：松黄、松花）、松笔头（药用部位：松枝在春季抽出的嫩梢。别名：松树蕊、松尖、松树梢）、松树皮（药用部位：树干内皮。别名：松木皮）、松节（药用部位：枝干的结节。别名：黄松木节、松郎头）、松根（药用部位：幼根或根皮）、松针（药用部位：针叶）。

形态特征

常绿乔木。树皮褐色，裂成龟甲状薄块并脱落。冬芽褐色。针叶2（～3）针1束，长12～22 cm；树脂道4～7，边生；叶鞘膜质，宿存。雌雄同株；雌球果卵球形或长卵球形，长4～7 cm，基部稍偏斜，常生于新枝先端或上部，花期呈绿色，成熟后变为暗褐色，宿存于树上多年不落；种鳞上部盾状增厚，成熟后呈斜方形；鳞脐微凹，无尖刺或偶有短刺。雄球花卵状柱形，穗状，数花聚生

缪绅裕提供

于新枝基部，散粉时呈黄色。种子长卵状圆形，稍扁压，两侧具棱脊，有翅。花期 4 ~ 5 月，果熟期翌年 10 ~ 12 月。

| 生境分布 | 生于海拔 700 m 以下的山地。广东各地均有分布。广东各地均有栽培。

| 资源情况 | 野生资源丰富。药材来源于野生和栽培。

| 采收加工 | **松香**：5 ~ 10 月采用 "Y" 形开割法收集渗出的树脂，再通过蒸馏提取及除去杂质和挥发油后获得松香。

松节油：采收树脂经蒸馏或提取即得。

松球：春末夏初采集雌球果，鲜用或干燥。

松花粉：4 ~ 5 月采收成熟雄花穗，晾干，抖下花粉，或抖动过筛后收集黄色细花粉，除去杂质，再进一步晾干。

松笔头：春季松树嫩梢长出时采摘，鲜用或晒干。

松树皮：全年均可采收，洗净，切段或片，晒干。

松根：全年均可采收，洗净，鲜用或切段、片后晒干。

松针：全年均可采收，以夏季采收为佳，洗净，晾干或鲜用。

松节：多于采伐时或木器厂加工时锯取之，晒干或阴干。

| **药材性状** | **松香：** 本品为透明或半透明不规则块状固体，浅黄色至深棕色，常温时质地较脆，有玻璃样光泽，遇热变软，进而熔化，燃烧时产生黄棕色浓烟。

松球： 本品呈卵球形或长卵球形，长 4 ~ 7 cm，直径 2.5 ~ 5.5 cm，基部稍偏斜，花期呈绿色；种鳞鳞片盾状增厚，成熟后鳞盾中部渐呈褐色。

松花粉： 本品干燥品为淡黄色细粉，质轻易飞扬，手捻有滑润感，不沉于水。用放大镜观察可见均匀的小圆粒。气微香，味有油腻感。以色黄、细腻、无杂质、流动性较强者为佳。

松节： 本品呈扁圆节段状或不规则片状或块状，长短、粗细不一。表面黄棕色、浅黄棕色或红棕色，稍粗糙，有时带有棕色至黑棕色油脂斑，或有残存的栓皮。质坚硬而重，横断面木质部淡棕色，心材色稍深，可见同心环纹，有时可见散在的棕色小孔状树脂道，显油性；髓部小，淡黄棕色，纵断面纹理直或斜，较均匀。有松节油香气，味微苦、辛。以体大、色红棕、油性足者为佳。

| **功能主治** | **松香：** 苦、甘，温。归肝、脾经。祛风燥湿，生肌止痛。用于痈疽疮疡，湿疹，外伤出血，烫火伤。

松节油： 活血通络，消肿止痛。用于关节肿痛，肌肉痛，跌打损伤等。

松球： 苦，温。归肺、大肠经。祛风除痹，化痰止咳平喘，利尿，通便。用于风寒湿痹，白癜风，慢性气管炎，淋浊，便秘，痔疮。

松花粉： 甘，温。归肝、胃经。祛风，益气，收湿，止血。用于头痛眩晕，泄泻下痢，湿疹，创伤出血。

松笔头： 苦、涩，凉。祛风利湿，活血消肿，清热解毒。用于风湿痹痛，淋证，尿浊，跌打损伤，乳痈，动物咬伤，夜盲症。

松树皮： 苦、涩，温。收敛，生肌。外用于烫火伤，小儿湿疹。

松节： 苦，温。归心、肺经。祛风燥湿，舒筋通络，活血止痛。用于风寒湿痹，历节风痛，脚痹痿软，跌打伤痛。

松根： 苦，温。归肺、胃经。祛风除湿，活血止血。用于风湿痹痛，风疹瘙痒，带下，咳嗽，跌打吐血，风虫牙痛。

松针： 祛风活血，明目，安神，解毒，止痒。用于流行性感冒，风湿关节痛，跌打肿痛，夜盲症，高血压，神经衰弱；外用于冻疮。

| **用法用量** | **松香：** 内服煎汤，3 ~ 5 g；或入丸、散剂；或浸酒。外用适量，研末掺或敷。

松球： 内服煎汤，9 ~ 15 g；或入丸、散剂。外用适量，鲜品捣汁搽；或煎汤洗。

松花粉： 内服煎汤，3 ~ 6 g；或浸酒。外用适量，研末掺或敷。

松笔头：内服煎汤，10 ~ 30 g。外用适量，捣敷。

松树皮：外用适量，焙干研粉，香油调搽；或煎汤洗。

松节：内服煎汤，10 ~ 15 g；或浸酒、醋等。外用适量，浸酒涂擦；或炒后研末敷。

松根：内服煎汤，30 ~ 60 g。外用适量，鲜品捣敷；或煎汤洗。

松针：内服煎汤，鲜品 30 ~ 60 g。外用适量，煎汤洗。

| 凭证标本号 | 441825190807012LY、441324181105049LY、441523190917036LY。

松科 Lamiaceae 松属 Pinus

火炬松 *Pinus taeda* Linn.

| 药 材 名 | 松香（药材来源：渗出的树脂经蒸馏提取且除去杂质和挥发油后而得的固态树脂。别名：松脂、松膏、黄香）、松节油（药材来源：渗出的树脂经蒸馏提取而得的挥发油。别名：松油、沥油）。

| 形态特征 | 常绿高大乔木。树皮橘褐色，片状深裂。小枝黄褐色，有时被白粉；冬芽椭圆状卵形，淡褐色，芽鳞分离，有反曲的尖头。针叶 2 ～ 3 针 1 束，长 15 ～ 25 cm，刚硬，微扭转，蓝绿色；树脂道 2，中生；叶鞘宿存。雌雄同株；雌球果腋生，无柄，长卵状圆锥形，长 6 ～ 10 cm，淡褐色；种鳞的鳞盾横脊显著隆起，鳞脐隆起而成外曲尖刺。雄球花长穗状，数花簇生于新枝基部，幼时呈淡玫红色，成熟时为黄色带褐色或黄色。种子菱形，长 6 ～ 7 mm，红褐色；种翅长。花

期4月上旬，球果成熟期10月中旬。

| **生境分布** | 生于阳光充足、排水不良的潮湿、酸性土壤中。广东广州、雷州有引种栽培。

| **资源情况** | 广东无野生资源。药材来源于栽培。

| **采收加工** | 松香：同"马尾松"。

| **药材性状** | 松香：本品为透明或半透明不规则块状物，大小不等，浅黄色至深棕色。常温时质地较脆，破碎面平滑，有玻璃样光泽。气微弱。遇热先变软，而后熔化，燃烧时产生黄棕色浓烟。

| **功能主治** | 松香：苦、甘，温。归肝、脾经。祛风燥湿，排脓拔毒，生肌止痛。用于痈疽恶疮，瘰疬，瘘症，疥癣，白秃，疬风，痹证，金疮，扭伤，带下，血栓闭塞性脉管炎。
松节油：活血通络，消肿止痛。用于关节肿痛，肌肉痛，跌打损伤等。

| **用法用量** | 松香：内服煎汤，3 ~ 5g；或入丸、散剂；或浸酒。外用适量，研末掺或敷。
松节油：外用适量，入膏剂。

| **凭证标本号** | 441422190302225LY。

松科 Lamiaceae 松属 Pinus

黑松 *Pinus thunbergii* Parl.

| 药 材 名 | 松香（药材来源：渗出的树脂经蒸馏提取并除去杂质和挥发油后而得的固态树脂。别名：松脂、松膏、黄香）、松节油（药材来源：渗出的树脂经蒸馏或提取而得的挥发油。别名：松油、沥油）、松针（药用部位：针叶）。

| 形态特征 | 高大乔木。成年树树皮暗灰色至灰黑色，粗厚，裂成块片并脱落。树冠宽圆锥状或伞形。冬芽银白色，椭圆状圆柱形，先端尖。针叶2针1束，深绿色，长 6 ~ 12 cm，刚硬；树脂道 6 ~ 11，中生。雌雄同株；雌球花单生或 2 ~ 3 聚生于新枝近先端；雄球花淡红褐色，圆柱形，长 1.5 ~ 2 cm，聚生于新枝下部。球果成熟时呈黄褐色，卵圆形或卵状圆锥形，长 4 ~ 6 cm，有短梗，向下弯垂；鳞

盾微肥厚，横脊显著，鳞脐微凹，有短刺。种子倒卵状椭圆形，长 5 ～ 7 mm；种翅灰褐色，有深色条纹。花期 4 ～ 5 月，种子翌年 10 月成熟。

| **生境分布** | 栽培种。广东各地均有栽培。

| **资源情况** | 广东无野生资源。药材来源于栽培。

| **采收加工** | 同"马尾松"。

| **药材性状** | 同"马尾松"。

| **功能主治** | 同"马尾松"。

| **用法用量** | 同"马尾松"。

| **凭证标本号** | 441521160714072LY。

缪绅裕提供

柏科 Cupressaceae 扁柏属 Chamaecyparis

线柏 *Chamaecyparis pisifera* (Siebold et Zuccarini) Enelicher cv. Filifera Dallimore and Jackson

| 药 材 名 | 线柏（药用部位：根）。

| 形态特征 | 常绿灌木或小乔木。树冠近球形至阔圆锥形。枝叶浓密或稀疏，绿色或黄绿色；鳞叶对生，紧贴小枝生长，先端锐尖。小枝线条状，纤细下垂。偶尔结球果。

| 生境分布 | 栽培种。广东广州、深圳等地有栽培。

| 资源情况 | 广东无野生资源。药材来源于栽培。

| 采收加工 |　全年均可采收。

| 功能主治 |　杀虫止痒。

柏科 Cupressaceae 柳杉属 Cryptomeria

日本柳杉

Cryptomeria japonica (Thunb. Ex Linn. f.) D. Don.

| 药 材 名 |

柳杉叶（药用部位：枝叶）。

| 形态特征 |

高大常绿乔木。树冠尖塔形。树皮红褐色，纵向长纤维状，裂成条片并脱落。大枝常轮状着生，水平开展或微下垂。叶钻形，长 0.4 ~ 2 cm，直伸，先端通常不内曲，四面有气孔线。雌雄同株；雄球花长椭圆形或圆柱形；雌球花顶生于短枝。球果近球形，稀微扁，直径 1.5 ~ 2.5（~ 3.5）cm；种鳞 20 ~ 30，先端裂齿和苞鳞尖头较长，齿长 6 ~ 7 mm，每个可育种鳞有 2 ~ 5 种子；种子棕褐色，椭圆形或不规则多角形，长 5 ~ 6 mm，边缘有窄翅。花期 4 月，球果 10 月成熟。

| 生境分布 |

广东无野生分布。广东各地均有栽培。

| 资源情况 |

广东无野生资源。药材来源于栽培。

| 采收加工 |

春、秋季采摘，鲜用或晒干。

| 功能主治 | 清热解毒。用于痈疽疮毒。

| 用法用量 | 外用适量，捣敷；或煎汤洗。

| 凭证标本号 | 440783200312023LY。

柏科 Cupressaceae 柳杉属 Cryptomeria

柳杉

Cryptomeria japonica (Thunb. Ex Linn. f.) D. Don. var. *sinensis* Miquel

药材名

柳杉（药用部位：根皮、树皮）、柳杉叶（药用部位：枝叶）。

形态特征

高大乔木。树皮红棕色，开裂成长条片并脱落。大枝近轮生，小枝细长下垂。叶微呈镰状钻形，长 1 ~ 1.5 cm，先端向内弯曲，四边有气孔线。雌雄同株；雌球花顶生于短枝；雄球花单生于叶腋，长椭圆形，长约 7 mm，多个雄球花集生于小枝上部叶腋而成穗状花序。球果圆形或扁球形，直径 1.2 ~ 2 cm；种鳞约 20，种鳞先端的裂齿和苞鳞尖头较短，齿长 2 ~ 4 mm，每个可育种鳞具 2 种子；种子褐色，近椭圆形，扁平，长 4 ~ 6.5mm，边缘有窄翅。花期 4 月，球果 10 月成熟。

生境分布

广东无野生分布。广东各地均有栽培。

资源情况

广东无野生资源。药材来源于栽培。

| **采收加工** | **柳杉**：根皮，全年均可采收，除去栓皮，切片，鲜用或晒干。树皮，春、秋季采收，切片，鲜用或晒干。 |
| | **柳杉叶**：春、秋季采摘，鲜用或晒干。 |

| **功能主治** | **柳杉**：苦、辛，寒。解毒，杀虫，止痒。用于癣疮，鹅掌风，烫伤。 |
| | **柳杉叶**：清热解毒。用于痈疽疮毒。 |

| **用法用量** | 外用适量，捣敷；或煎汤洗。 |

| **凭证标本号** | 441823191203005LY、440224181117006LY。 |

柏科 Cupressaceae 水松属 Glyptostrobus

水松

Glyptostrobus pensilis (Staunt. ex D. Don) Koch

| 药 材 名 |

水松皮（药用部位：树皮。别名：水松树皮）、水松枝叶（药用部位：枝叶。别名：水松须、水松叶）、水松球果（药用部位：雌球果。别名：水松果）。

| 形态特征 |

乔木，生于水湿环境者树干基部膨大成柱槽状，并伴有吸收根。树干有扭纹。树皮褐色或灰褐色，纵裂成不规则的长条片。短枝从二年生枝的顶芽或多年生枝的腋芽伸出，长 8 ~ 18 cm，冬季脱落。叶延下生长；宿存枝上的叶甚小，鳞形，长 2 ~ 3 mm，螺旋状排列，冬季不脱落；脱落枝上的叶较长，长 9 ~ 20（~ 30）mm，线状钻形或线形，展开或斜展成 2 列或 3 列；条形叶及条状钻形叶均于冬季连同侧生短枝一同脱落。雌雄同株；球花单生于枝顶。球果倒卵圆形，长 2 ~ 2.5 cm，直径 1.3 ~ 1.5 cm；种鳞木质，扁平，近中部有反曲的尖头；苞鳞与种鳞几乎全部合生；种子椭圆形，稍扁，长 5 ~ 7 mm，下端有长翅。花期 1 ~ 2 月，球果秋后成熟。

| 生境分布 | 生于珠江三角洲海拔 1 000 m 以下的地区。分布于广东东部及西部。分布于广东封开、高州、广宁、怀集、平远、四会及广州（市区）、惠州（市区）、深圳（市区）、江门（市区）、佛山（市区）、珠海（市区）等。广东博罗及肇庆（市区）等有栽培。

| 资源情况 | 野生资源稀少。药材主要来源于栽培。

| 采收加工 | 水松皮：全年均可采剥，鲜用或晒干。
水松枝叶：夏、秋季叶落前采收，鲜用或晒干。
水松球果：秋、冬季采摘，阴干。

| 药材性状 | 水松枝叶：本品小枝圆柱形，具鳞形叶或钻形叶，紧密排列。鳞形叶小，长 2 ~ 3 mm，钻形叶稍大，长 6 ~ 10 mm，绿色或枯绿色，羽状排列。质稍硬。气微香，味微涩。
水松球果：本品倒卵圆形，长约 2 cm，绿棕色或棕色。种鳞木质，大小不等，螺旋形层状排列，最下层种鳞扁平、肥厚，背部上缘有 6 ~ 9 微外反的三角状尖齿，近中部有 1 反曲的尖头，种鳞间有种子；种于基部有长翅。气微香，味涩。

| 功能主治 | 水松皮：苦，平。杀虫止痒，去火毒。用于水疱疮，烫火伤。
水松枝叶：苦，平。祛风湿，通络止痛，杀虫止痒。用于风湿骨痛，高血压，腰痛，皮炎。
水松球果：苦，平。理气止痛。用于胃痛，疝气痛。

| 用法用量 | 水松皮：外用适量，煎汤洗；或煅炭研末敷。
水松枝叶：内服煎汤，15 ~ 30 g。外用适量，煎汤洗；或捣敷。
水松球果：内服煎汤，15 ~ 30 g。

| 凭证标本号 | 440224190609073LY。

柏科 Cupressaceae 水杉属 Metasequoia

水杉

Metasequoia glyptostroboides Hu et W. C. Cheng

药材名

水杉（药用部位：枝叶、球果）。

形态特征

落叶乔木。树皮灰褐色至暗灰色，裂成长条状并脱落。树冠塔形至广圆形。叶条形，具中脉，在侧生小枝两侧呈羽状排列，冬季与小枝一同脱落。侧生小枝成对着生。雌雄同株；雄球花生于一年生枝的叶腋，在顶部花枝上交互对生及顶生，排成总状花序或圆锥花序；雌球花近卵球形，成熟前呈绿色，成熟时呈深褐色，长 1.8 ~ 2.5 cm。种鳞木质，盾形，交叉对生，每个可育种鳞有 5 ~ 9 种子；种子扁平，倒卵形，周围有翅，先端有凹缺，长约 5 mm。花期 2 月下旬，球果 11 月成熟。

生境分布

广东无野生分布。广东信宜、郁南及肇庆（市区）、广州（市区）、深圳（市区）等有栽培。

资源情况

广东无野生资源。药材来源于栽培。

| **采收加工** | 枝叶，夏季或秋季叶落前采收，鲜用或阴干。 |

| **功能主治** | 枝叶，辛，温，解毒杀虫，透表，疏风。用于风疹，疮疡，疥癣，接触性皮炎，过敏性皮炎。球果，抗肿瘤。 |

柏科 Cupressaceae 落羽杉属 Taxodium

落羽杉

Taxodium distichum (Linn.) Rich.

| 药 材 名 |

落羽杉（药用部位：树脂、枝叶、树皮、种子、球果）。

| 形态特征 |

落叶或半落叶乔木，树基常膨大，周边常生有钟乳石状的呼吸根。树皮棕色，呈长条状剥落。枝条水平开展。树冠圆锥形至阔圆锥形。叶二型，在老枝上为钻形，宿存，在一年生小枝上为条形；条形叶在小枝两侧呈羽状排列，于冬季变成黄色或红褐色并随小枝一同脱落。雌雄同株；雄球花卵圆形，有短梗；雌球花单生于小枝先端，每个珠鳞有胚珠 2，苞鳞与珠鳞几全部合生。球果球形或卵圆形，成熟时呈淡褐黄色，有白粉；种鳞木质，盾形；种子有锐棱，长 1.2 ~ 1.8 cm，褐色。花期春末，球果 10 月成熟。

| 生境分布 |

栽培种。广东各市县多有栽培。

| 资源情况 |

广东无野生资源。药材来源于栽培。

| **采收加工** | 枝叶，夏、秋季叶落前采收，鲜用或晒干。树皮，全年均可采剥，鲜用或晒干。球果，秋、冬季采摘，阴干。 |

| **功能主治** | 利尿，祛风，疗疮。 |

| **凭证标本号** | 441283170604029LY、440403210621004LY、445121190707044LY。 |

柏科 Cupressaceae 杉木属 Cunninghamia

杉木

Cunninghamia lanceolata (Lamb.) Hook.

药材名

杉木（药用部位：心材、树枝。别名：杉材）、杉皮（药用部位：树皮。别名：杉木皮）、杉木根（药用部位：根或根皮）、杉木节（药用部位：枝干上的结节。别名：杉节）、杉叶（药用部位：叶）、杉子（药用部位：种子。别名：杉树子）、杉塔（药用部位：雌球果。别名：杉果、杉树果）、杉木油（药用部位：杉木分泌的树脂。别名：杉树油、杉木脂、杉树脂）。

形态特征

高大常绿乔木。树冠圆锥形。树皮灰褐色，长条片状脱落。叶在主枝上呈辐射状伸展，在侧枝基部扭转成近二列状，条状披针形，革质，长 2 ~ 6 cm，背面沿中脉两侧各有 1 白粉气孔带。雄球花圆锥状，常近 40 簇生于枝顶；雌球花单生或 2 ~ 4 集生，绿色。雌球果卵圆形，长 2.5 ~ 5 cm，成熟时苞鳞革质，棕黄色，三角状卵形，长约 1.7 cm，先端有刺尖头，背面中肋两侧具多条气孔带；种鳞很小，腹面着生 3 种子；种子扁平，遮盖着种鳞，暗褐色，两侧有窄翅，长 7 ~ 8 mm。花期 4 月，球果 10 月下旬成熟。

缪绅裕提供

| 生境分布 | 生于海拔 1 100 ～ 1 400 m 的山地。广东各地均有栽培。

| 资源情况 | 野生资源丰富。药材来源于野生或栽培。

| 采收加工 | **杉木、杉皮、杉木根、杉木节、杉叶**：全年均可采收，鲜用或晒干。

杉塔：7 ～ 8 月采摘，晒干。

杉子：7 ～ 8 月采摘球果，晒干后收集种子。

杉木油：全年可采制。

| 药材性状 | **杉皮**：本品呈板片状或扭曲的卷状，大小不一。外表面灰褐色或淡褐色，具粗糙的裂纹；内表面棕红色，稍光滑。干皮较厚，枝皮较薄。气微，味涩。

杉叶：本品为条状披针形，长 2.5 ～ 6 cm，先端锐渐尖，基部下延而扭转，边缘有细齿，表面墨绿色或黄绿色，主脉 1。主脉两侧上表面的气孔线较下表面的少，下表面可见 2 白色粉带。质坚硬。气微香，味涩。

杉子：本品扁平，长 6 ～ 8 mm，表面褐色，两侧有狭翅。种皮较硬，种仁含丰富脂肪油。气香，味微涩。

| 功能主治 | **杉木**：辛，微温。归脾、胃经。辟秽，止痛，散湿毒，下逆气。用于漆疮，风湿毒疮，脚气，奔豚，心腹胀痛。

杉皮：辛，微温。利湿，消肿解毒。用于水肿，脚气，漆疮，流火，烫伤，金疮出血，毒虫咬伤。

杉木根：辛，微温。祛风利湿，行气止痛，理伤接骨。用于风湿痹痛，胃痛，疝气痛，淋病，带下，血瘀崩漏，痔疮，骨折，脱臼，刀伤。

杉木节：辛，微温。祛风止痛，散湿毒。用于风湿关节疼痛，胃痛，脚气肿痛，带下，跌打损伤，臁疮。

杉叶：辛，微温。祛风，化痰，活血，解毒。用于半身不遂初起，风疹，咳嗽，牙痛，天疱疮，脓疱疮，鹅掌风，跌打损伤，毒虫咬伤。

杉子：辛，微温。理气散寒，止痛。用于疝气疼痛。

杉塔：辛，微温。温肾壮阳，杀虫解毒，宁心，止咳。用于遗精，阳痿，白癜风，乳痈，心悸，咳嗽。

杉木油：苦、辛，微温。利尿排石，消肿杀虫。用于淋证，尿路结石，遗精，带下，顽癣，疔疮。

| 用法用量 | **杉木**：内服煎汤，30 ～ 60 g；或煅存性，研末。外用适量，煎汤熏洗；或烧存性，

研末敷。

杉皮： 内服煎汤，10 ～ 30 g。外用适量，煎汤熏洗；或烧存性，研末敷。

杉木根： 内服煎汤，30 ～ 60 g。外用适量，捣敷；或烧存性，研末敷。

杉木节： 内服煎汤，10 ～ 30 g；或入散剂；或浸酒。外用适量，煎汤浸洗；或烧存性，研末敷。

杉叶： 内服煎汤，15 ～ 30 g。外用适量，煎汤含漱；或捣汁搽；或研末敷。

杉塔： 内服煎汤，10 ～ 90 g。外用适量，研末调敷。

杉子： 内服煎汤，5 ～ 10 g。

杉木油： 内服煎汤，3 ～ 20 g；或冲服。外用适量，搽患处。

| 凭证标本号 | 441825210313002LY、441523191020009LY、440281190424013LY。

柏科 Cupressaceae 柏木属 Cupressus

柏木

Cupressus funebris Endl.

| 药 材 名 |

柏树根（药用部位：根）、柏树叶（药用部位：枝叶）、柏树果（药用部位：球果、种子。别名：柏树子、香柏树子）、柏树油（药用部位：从树干渗出的树脂。别名：柏油、寸柏香）。

| 形态特征 |

常绿高大乔木。树皮淡褐灰色，呈长条状开裂。小枝细长下垂，生鳞叶的小枝扁，排成一平面；较老的小枝圆柱形。雌雄同株；雄球花椭圆形或卵圆形；雌球花近球形。球果圆球形，直径 8 ~ 12 mm，微被白粉，成熟时呈暗褐色，常着生于小枝先端；种鳞 4 对，先端为不规则五边形或方形，可育种鳞有 5 ~ 6 种子；种子宽倒卵状菱形或近圆形，微扁，有棱脊，成熟时呈淡黄褐色，有光泽，长 2.5 ~ 3 mm，两侧具窄翅。花期 3 ~ 5 月，种子翌年 5 ~ 6 月成熟。

| 生境分布 |

分布于长江流域及其以南海拔 300 ~ 1 000 m 的地区。分布于广东乳源、乐昌、连山、连南。广东广州、深圳等地有栽培。

| **资源情况** | 野生资源较丰富。药材来源于野生和栽培。

| **采收加工** | 柏树根：全年均可采挖，洗去泥土，切片，晒干。

柏树叶：全年均可采收，阴干。

柏树果：8 ~ 10 月球果长大未开裂时采收，晒干。

柏树油：7 ~ 8 月割破树干，待树脂渗出并凝结后收集。

| **药材性状** | 柏树叶：本品带鳞叶小枝扁平，新鲜时呈绿色，干后呈灰绿色或黄褐色；质脆，易断。鳞形叶细小，交互对生在小枝上，叶片先端锐尖，手触时有刺感。气淡，味涩。以枝叶嫩、色深绿者为佳。

柏树果：本品球果呈圆球形，直径 8 ~ 12 mm，暗褐色；种鳞 4 对，先端为不规则五角形或方形，能育种鳞有种子 5 ~ 6；种子宽倒卵状菱形或近圆形，略扁，淡褐色，有光泽，长约 2.5 mm，边缘具窄翅。气微，味涩。

| 功能主治 | **柏树根：**苦、辛，凉。清热解毒。用于麻疹，身热不退。

柏树叶：苦、涩，平。凉血止血，敛疮生肌。用于吐血，血痢，痔疮，癞疮，烫伤，刀伤，毒蛇咬伤，外伤出血。

柏树果：苦、甘，平。归心、肺经。祛风，和中，安神，止血。用于感冒发热，胃痛呕吐，烦躁，失眠，劳伤吐血。

柏树油：甘、微涩，平。祛风，除湿，解毒，生肌。用于风热头痛，带下，淋浊，痈疽疮疡，赘疣，刀伤出血。

| 用法用量 | **柏树根：**内服煎汤，6 ~ 15 g。

柏树叶：内服煎汤，9 ~ 15 g；或研末。外用适量，捣敷；或研末敷。

柏树果：内服煎汤，9 ~ 15 g；或研末。

柏树油：内服煎汤，3 ~ 9 g。外用适量，研末撒。

| 凭证标本号 | 440281200708001LY、441823191203010LY。

柏科 Cupressaceae 福建柏属 *Fokienia*

福建柏
Fokienia hodginsii (Dunn) Henry et Thomas

| 药 材 名 |

福建柏（药用部位：心材）。

| 形态特征 |

常绿乔木。树干端直。枝叶浓密。树冠呈宝塔形。树皮紫褐色，平滑，有气孔；老树皮具纵裂纹。生鳞叶小枝扁平，同侧枝排列成一平面。鳞叶交互对生，呈节状，上面光亮，蓝绿色，下面凹陷，具白色气孔带。雌雄同株，球花单性；雄球花生于鳞叶小枝先端，近球形，散粉时伸长成穗状，无梗。雌球果近球形，直径 2 ~ 2.5 cm，成熟时呈褐色；种鳞开裂，种鳞顶部盾状多角形，表面皱缩、凹陷，中央有一小尖头，可育种鳞具种子 2。种子长约 4 mm，上部有一大一小 2 膜质翅。花期 3 ~ 4 月，种子翌年 10 ~ 11 月成熟。

| 生境分布 |

生于海拔 580 ~ 1 500 m 的常绿阔叶林中。分布于广东从化、乐昌、乳源。广东广州、深圳等地有栽培。

| 资源情况 |

野生资源丰富。栽培资源丰富。药材来源于野生和栽培。

| 采收加工 | 全年均可采收，剥去树皮，取心材，切段或切片，晒干。

| 功能主治 | 苦、辛，寒。行气止痛，降逆止呕。用于脘腹疼痛，噎膈，呃逆，恶心呕吐。

| 用法用量 | 内服煎汤，6 ~ 15 g。

| 凭证标本号 | 441825191001026LY、445222180621012LY、441823201031025LY。

柏科 Cupressaceae 刺柏属 Juniperus

圆柏

Juniperus chinensis Linn.

| 药 材 名 |

圆柏（药用部位：枝叶、树皮。别名：桧、桧柏）。

| 形态特征 |

常绿高大乔木。树冠塔形至广圆形。树皮深灰色，纵裂。生鳞叶小枝近圆柱形或近四棱形。叶有刺叶及鳞叶之分；刺叶生于幼树，老树则全为鳞叶，壮龄树兼有鳞叶与刺叶；鳞叶包被紧密，背面有微凹腺体；刺叶长6～12 mm，上面微凹，有 2 白粉带。雌雄异株，稀同株；雄球花穗状，黄褐色；雌球花直径6～8 mm，2 年成熟，成熟时近球形，暗褐色，常被白粉，有种子1～4。种子卵圆形，扁，先端钝，有棱脊及少数树脂槽。花期5～6月，球果翌年成熟。

| 生境分布 |

生于排水良好之山地。分布于广东封开、仁化及江门（市区）等。广东博罗、从化、始兴及深圳（市区）、肇庆（市区）等有栽培。

| 资源情况 |

野生资源丰富。药材来源于野生或栽培。

| 采收加工 | 全年均可采收，鲜用或晒干。

| 药材性状 | 本品生鳞叶小枝为近圆柱形或近四棱形，直径 1 ～ 1.2 mm；叶二型，即刺叶及鳞叶，新鲜时呈绿色或黄绿色，干后呈褐黄色。树皮深灰色或灰褐色，具纵裂条纹或纵裂成不规则薄片状。

| 功能主治 | 苦、辛，温；有小毒。祛风散寒，活血消肿，解毒利尿。用于风寒感冒，肺结核，尿路感染；外用于荨麻疹，风湿关节痛。

| 用法用量 | 内服煎汤，9 ～ 15 g。外用适量，煎汤洗；或点燃取烟熏烤。

| 凭证标本号 | 441225190320005LY、441781150126004LY、441521160716004LY

柏科 Cupressaceae 刺柏属 *Juniperus*

龙柏
Juniperus chinensis Linn. cv. Kaizuca

| 药 材 名 | 龙柏（药用部位：枝叶）。

| 形态特征 | 常绿乔木，高可达 8 m。树干挺直。树冠柱状塔形。枝叶浓密，小枝端形成近等长之密簇，当树干长到一定高度时，枝条扭转且盘旋向上生长，好像盘龙姿态，故名"龙柏"；鳞叶排列紧密，翠绿色。球果蓝色，微被白粉。

| 生境分布 | 栽培种。广东广州、深圳等地有栽培。

| 资源情况 | 广东无野生资源。药材来源于栽培。

| 采收加工 | 全年均可采收，鲜用或晒干。

| **功能主治** | 涩，平。杀虫止痒。用于湿疹。

| **用法用量** | 内服煎汤，9 ~ 15 g。外用适量，煎汤洗；或点燃后取烟熏烤。

刺柏

Juniperus formosana Hayata

| 药 材 名 |

刺柏（药用部位：根或根皮、枝叶。别名：刺松、山刺柏、刺柏树、短柏木）。

| 形态特征 |

常绿小乔木，常多分枝。树皮褐色，纵裂成长条薄片并脱落。树冠塔形或圆柱形。叶 3 轮生，条状披针形或条形，长 1.2 ~ 2（~ 3.2）cm，先端刺尖，基部有关节；刺叶上面灰绿色，中脉两侧各有 1 白色气孔带，下面绿色，有纵脊。球花单生于叶腋；雄球花圆球形至椭圆形；雌球花近球形或宽卵圆形，长 6 ~ 10 mm，成熟时呈肉质，淡红褐色，被白粉或白粉脱落，顶部有时微张开。种子 3，半月形，具 3 ~ 4 棱脊，先端尖，近基部有 3 ~ 4 树脂槽。

| 生境分布 |

生于海拔 200 ~ 1 902 m 的裸石山坡、河谷岩缝、林下或林缘等。广东北部及广州、深圳等有栽培。

| 资源情况 |

药材来源于栽培。

| **采收加工** | 根或根皮，秋、冬季采收。枝叶，全年均可采收，洗净，晒干。 |

| **药材性状** | 本品枝三棱形。叶 3 轮生，条状披针形或条形，长 1.2 ~ 2（~ 3.2）cm，宽 1.2 ~ 2 mm，先端刺尖，基部有关节；刺叶上面平凹，新鲜时呈灰绿色，中脉绿色，隆起，中脉两侧各有 1 白色宽气孔带，下面绿色，有光泽，背有纵脊，干后呈黄褐色。 |

| **功能主治** | 苦，寒。清热解毒，燥湿止痒。用于麻疹，高热，湿疹，癣疮。 |

| **用法用量** | 内服煎汤，6 ~ 15 g。外用适量，煎汤洗。 |

柏科 Cupressaceae 侧柏属 *Platycladus*

侧柏

Platycladus orientalis (Linn.) Franco

药材名

侧柏叶（药用部位：枝梢、叶。别名：柏叶、扁柏叶、丛柏叶）、柏枝节（药用部位：枝条）、柏根白皮（药用部位：除去栓皮的白色根皮。别名：柏皮、柏白皮）、柏子仁（药用部位：种仁。别名：柏实、柏子、柏仁）、柏脂（药用部位：树干或树枝燃烧后分泌的树脂。别名：柏油）。

形态特征

常绿乔木。独干或有数个分枝。树皮薄，浅灰褐色，纵裂成条片状。树冠卵状塔形至广圆形。生鳞叶小枝细，扁平，排成一平面。叶鳞形，交互对生；小枝中央的叶背面有条状腺槽，小枝两侧的叶船形，背部有钝脊和腺点。雌雄同株；雄球花顶生于小枝先端，黄绿色；雌球花未成熟时呈蓝绿色，被白粉。球果近卵圆形，长 1.5 ~ 2.5 cm，成熟后木质种鳞开裂，红褐色或褐色；种子卵圆形或近椭圆形，灰褐色或紫褐色，长 6 ~ 8 mm，稍有棱脊，无翅或有极窄之翅。花期 3 ~ 4 月，球果 10 月成熟。

生境分布

分布于海拔 250 ~ 1 902 m 的地区。广东各

地均有栽培。

| 资源情况 |　野生资源一般。药材来源于栽培。

| 采收加工 |　**侧柏叶：**全年均可采收，以夏、秋季采收为佳，剪取树枝，干燥后取其小枝叶，
扎成小把，置通风处风干，不宜暴晒。炮制方法如下。①侧柏叶。拣净杂质，
揉碎去梗，筛净灰屑。②侧柏炭。取净侧柏叶，置锅内用武火炒至焦褐色，存性，
喷洒清水，取出，晒干。

　　柏枝节：全年均可采收，以夏、秋季采收者为佳。剪取树枝，置通风处风干用。

　　柏根白皮：冬季采收，洗净，趁新鲜时刮去栓皮，纵向剖开，以木槌轻击，使
皮部与木心分离，剥取白皮，晒干。

　　柏子仁：秋、冬季采收成熟球果，晒干，碾去种皮，簸净，取种仁。炮制方
法如下。①柏子仁。拣净杂质，除去残留的外壳和种皮。②柏子霜。取拣净的
柏子仁，碾碎，用吸油纸包裹，加热微炕，压榨去油，研细。

　　柏脂：全年均可采收，将侧柏树干或树枝点燃，收集其分泌的树脂。

| 药材性状 |　**侧柏叶：**本品枝长短不一，多分枝，小枝扁平。叶细小，鳞片状，交互对生，
贴伏于枝上，深绿色或黄绿色。质脆，易折断。气清香，味苦、涩、微辛。以

叶嫩、色青绿、无碎末者为佳。

| **功能主治** | **侧柏叶**：苦、涩，微寒。归肺、肝、大肠经。凉血止血，止咳祛痰，祛风湿，散肿毒。用于咯血，吐血，衄血，尿血，血痢，肠风下血，崩漏不止，咳嗽痰多，风湿痹痛，丹毒，痄腮，烫伤。

柏枝节：苦、辛，温。祛风除湿，解毒疗疮。用于风寒湿痹，历节风，霍乱转筋，牙齿肿痛，恶疮，疥癞。

柏根白皮：苦，平。凉血，解毒，敛疮，生发。用于烫伤，灸疮，疮疡溃烂，毛发脱落。

柏子仁：甘，平。归心、肾、大肠经。养心安神，敛汗，润肠通便。用于惊悸怔忡，失眠健忘，盗汗，肠燥便秘。

柏脂：甘，平。除湿清热，解毒杀虫。用于疥癣，癞疮，秃疮，黄水疮，丹毒，赘疣。

| **用法用量** | **侧柏叶**：内服煎汤，6～15 g；或入丸、散剂。外用适量，煎汤洗；捣敷；或研末敷。

柏枝节：内服研末，3～6 g。外用适量，捣敷；或研末调敷；或煎汤洗。

柏根白皮：内服煎汤，6～12 g；或入丸、散剂。外用适量，入猪油或犬油内煎枯去渣，涂搽。

柏子仁：内服煎汤，10～15 g；或入丸、散剂；便溏者制霜用。外用适量，研末敷；或鲜品捣敷。

柏脂：外用适量，涂敷；或熬膏搽。

| **凭证标本号** | 440783191208014LY、440281190626065LY、440224181117019LY。

罗汉松科 Podocarpaceae 鸡毛松属 Dacrycarpus

鸡毛松

Dacrycarpus imbricatus (Blume) de Laub.

| 药 材 名 |

鸡毛松（药用部位：枝叶、树皮）。

| 形态特征 |

常绿乔木。树干通直。树皮灰褐色。枝条开展或下垂；小枝密生，纤细，下垂或向上伸展。叶异型；老枝及果枝上的叶鳞形或钻形，覆瓦状排列，长 2 ~ 3 mm；幼树和小枝先端之叶呈钻状条形，于小枝两侧呈羽状排列，近扁平，长 6 ~ 12 mm，宽约 1.2 mm。雄球花穗状，生于小枝先端；雌球花单生或成对生于小枝先端，常仅 1 雌球花发育。种子无梗，卵圆形，长 5 ~ 6 mm，有光泽，成熟时肉质假种皮红色，着生于肉质种托上。花期 4 月，种子 10 月成熟。

| 生境分布 |

生于海拔 600 ~ 1 200 m 的山地，多生于山谷、溪涧旁，常与常绿阔叶树组成混交林或纯林。分布于广东茂名（信宜）等。广东广州、深圳有栽培。

| 资源情况 |

野生资源少见。药材来源于野生或栽培。

| **采收加工** | 枝叶、树皮全年均可采收。

| **功能主治** | 淡、涩，微温。散热消肿，杀虫止痒。

罗汉松科 Podocarpaceae 竹柏属 Nageia

竹柏

Nageia nagi (Thunb.) Kuntze.

药材名

竹柏叶（药用部位：叶）、竹柏根（药用部位：根、树皮）。

形态特征

常绿乔木。树皮近光滑，紫褐色，外皮常薄片状脱落，脱落后呈红褐色。枝开展。树冠广圆锥形。叶有光泽、厚革质，对生或近对生，长卵形或椭圆状披针形，长 3.5 ~ 9 cm，宽 1.5 ~ 2.8 cm，具多数平行细脉，基部楔形，向下变窄而呈柄状。雌雄异株；雄球花常由 3 ~ 5 分枝的穗状花序组成，自叶腋伸出；雌球花单生于叶腋，稀成对腋生。种子球形，直径 1.2 ~ 1.5 cm，成熟时肉质假种皮呈暗紫色，有白粉，梗长 7 ~ 13 cm。花期 3 ~ 4 月，种子 10 月成熟。

生境分布

生于丘陵或高山的常绿阔叶林中。分布于广东始兴、台山、龙门、大埔、丰顺、蕉岭及广州（市区）、汕头（市区）、湛江（市区）、肇庆（市区）。广东广州、深圳等有栽培。

资源情况

野生资源较丰富。药材来源于野生和栽培。

| 采收加工 | **竹柏叶：** 全年均可采集，洗净，鲜用或晒干。
竹柏根： 全年均可采挖根或剥取树皮，除净杂质，切段，晒干。

| 功能主治 | **竹柏叶：** 止血，接骨。用于外伤出血，骨折。
竹柏根： 淡、涩，平。祛风除湿。用于风湿痹痛。

| 用法用量 | **竹柏叶：** 外用适量，鲜品捣敷；或干品研末敷。
竹柏根： 外用适量，捣敷。

| 凭证标本号 | 441523190514037LY、441421190421711LY、440224181117019LY。

| 附　　注 | 与本种同属的长叶竹柏 *Nageia fleuryi* (Hickel) de Laub. 分布于广东高要、增城、龙门等，其药用价值与本种近似。

小叶罗汉松 *Podocarpus chinensis* Wall. ex J. Forbes.

| 药 材 名 |

罗汉松根皮（药用部位：根皮）、罗汉松叶（药用部位：枝叶。别名：江南柏叶、江西侧柏叶）、罗汉松实（药用部位：种子及种托）。

| 形态特征 |

常绿小乔木或呈灌木状。树皮灰色或灰褐色，浅纵裂，薄片状脱落。枝条向上斜展。叶螺旋状着生，短而密，长 2.5 ~ 7 cm，宽 3 ~ 7 mm，先端钝或圆，基部楔形，中脉在两面均隆起。雌雄异株；雄球花长穗状，腋生，常 3 ~ 5 穗簇生于极短的总梗上；雌球花单生于叶腋，有梗。种子卵球形，直径约 1 cm，成熟时肉质假种皮呈黑紫色，有白粉，着生于红色或紫红色的肉质种托上。花期 4 ~ 5 月，种子 8 ~ 9 月成熟。

| 生境分布 |

广东无野生分布。分布于广东广州、惠州（博罗）、清远（英德）等。广东深圳等有栽培。

| 资源情况 |

广东无野生资源。药材来源于栽培。

| 采收加工 | **罗汉松根皮**：全年均可采收，洗净，鲜用或晒干。
罗汉松叶：全年均可采收，晒干。
罗汉松实：秋季种子成熟时连同种托一起摘下，晒干。

| 药材性状 | **罗汉松根皮**：本品灰色或灰褐色，浅纵裂，呈薄片状脱落。
罗汉松叶：本品短且密集，叶条状披针形，长 2.5 ～ 7 cm，宽 3 ～ 7 mm，先端钝或圆。
罗汉松实：本品卵球形，直径约 1 cm，成熟时肉质假种皮黑紫色，有白粉，着生于红色或紫红色的肉质种托上。干后外表灰白色或棕褐色，多数被白霜，具凸起的网纹，基部着生于倒钟形的肉质花托上。质硬，不易破碎，折断面中心粉白色。气微，味淡。

| 功能主治 | **罗汉松根皮**：甘、微苦，微温。活血祛瘀，祛风除湿，杀虫止痒。用于跌打损伤，风湿痹痛，癣疾。
罗汉松叶：淡，平。止血。用于吐血，咯血。
罗汉松实：甘，微温。行气止痛，温中补血。用于胃脘疼痛，血虚面色萎黄。

| 用法用量 | **罗汉松根皮**：内服煎汤，9 ～ 15 g。外用适量，鲜品捣敷；或煎汤熏洗。
罗汉松叶：外用适量，鲜叶捣烂，酒炒敷。
罗汉松实：内服煎汤，15 ～ 24 g；或炖猪肉食。

罗汉松
Podocarpus macrophyllus (Thunb.) D. Don

| **药 材 名** | 罗汉松根皮（药用部位：根皮）、罗汉松叶（药用部位：枝叶。别名：江南柏叶、江西侧柏叶）、罗汉松实（药用部位：种子及种托）。

| **形态特征** | 常绿乔木。树皮灰色或灰褐色，浅纵裂，呈薄片状脱落。枝开展或斜展，较密。叶螺旋状着生，条状披针形，长 7 ~ 12 cm，宽 7 ~ 10 mm，先端尖，基部楔形，中脉在两面均隆起，下面带白色、灰绿色或淡绿色，中脉微隆起。雌雄异株；雄球花长穗状，腋生，常 3 ~ 5 穗簇生于极短的总梗上；雌球花单生于叶腋，有梗。种子卵球形，直径约 1 cm，成熟时肉质假种皮呈黑紫色，有白粉，着生于红色或紫红色的肉质种托上。花期 4 ~ 5 月，种子 8 ~ 9 月成熟。

| **生境分布** | 生于排水良好、湿润的砂壤土。分布于广东翁源、乳源及广州（市

区）、深圳（市区）、珠海（市区）、茂名（市区）。广东各地均有栽培。

| 资源情况 | 野生资源一般，栽培资源丰富。药材来源于栽培。

| 采收加工 | **罗汉松根皮**：全年均可采收，洗净，鲜用或晒干。

罗汉松叶：全年均可采收，晒干。

罗汉松实：秋季种子成熟时连同种托一起摘下，晒干。

| 药材性状 | **罗汉松叶**：本品商品药材除叶外，有的还有带叶小枝。枝条直径 2 ~ 5 mm，表面淡黄褐色，粗糙，具近三角形的叶基脱落痕。叶条状披针形，长 7 ~ 12 cm，宽 4 ~ 7 mm，先端短尖或钝，上面灰绿色至暗褐色，下面黄绿色至淡棕色。质脆，易折断。气微，味淡。

罗汉松实：本品种子椭圆形、近圆形或斜卵圆形，长 8 ~ 11 mm，直径 7 ~ 9 mm。外表面灰白色或棕褐色，多数被白霜，具凸起的网纹，基部着生于倒钟形的肉质种托上。质硬，不易破碎，折断面种皮厚，中心粉白色。气微，味淡。

| 功能主治 | **罗汉松根皮**：甘、微苦，微温。活血祛瘀，祛风除湿，杀虫止痒。用于跌打损伤，风湿痹痛，癣疾。

罗汉松叶：淡，平。止血。用于吐血，咯血。

罗汉松实：甘，微温。行气止痛，温中补血。用于胃脘疼痛，血虚面色萎黄。

| 用法用量 | **罗汉松根皮**：内服煎汤，9 ~ 15 g。外用适量，捣敷；或煎汤熏洗。

罗汉松叶：内服煎汤，10 ~ 30 g。

罗汉松实：内服煎汤，10 ~ 20 g。

| 凭证标本号 | 440523190717018LY、440785180709068LY、445224190728013LY。

| 附　　注 | 罗汉松下分 3 个变种：罗汉松（原变种）*Podocarpus macrophyllus* var. *macrophyllus*，狭叶罗汉松 *Podocarpus macrophyllus* var. *angustifolius* Bl. Rumphia，柱冠罗汉松 *Podocarpus macrophyllus* var. *chingii* N. E. Gray，其药用价值可参考原变种。

罗汉松科 Podocarpaceae 罗汉松属 Podocarpus

百日青

Podocarpus neriifolius D. Don

药 材 名

百日青（药用部位：枝叶。别名：竹叶松、大叶罗汉松、璎珞松）。

形态特征

常绿乔木。树皮灰褐色，薄纤维质，片状纵裂。枝条开展或斜展。叶螺旋状着生，披针形，厚革质，常微弯，长 7 ~ 15 cm，宽 9 ~ 15 mm，上部渐窄，先端有长尖头，基部楔形，有短柄，上面中脉隆起，下面中脉微隆起或近平坦。雄球花穗状，单生或 2 ~ 3 簇生，长 2.5 ~ 5 cm，总梗较短。种子卵圆形，长 8 ~ 16 mm，先端圆钝，成熟时肉质假种皮紫红色，种托肉质，橙红色，梗长 9 ~ 22 mm。花期 5 月，种子 10 ~ 11 月成熟。

生境分布

生于海拔 400 ~ 1 000 m 的山地，与阔叶树混生成林。分布于广东仁化、乐昌、信宜、怀集、连山等。广东各地均有栽培。

资源情况

野生资源一般。药材来源于野生和栽培。

| 采收加工 | 全年均可采收，晒干。

| 药材性状 | 本品叶螺旋状着生，披针形，厚革质，常微弯，长 7 ～ 15 cm，宽 9 ～ 15 mm，上部渐窄，先端有渐尖的长尖头，萌生枝上的叶稍宽，有短尖头，基部渐窄，楔形，有短柄，上面中脉隆起，下面中脉微隆起或近平坦。

| 功能主治 | 消炎利水，祛风，接骨。用于风湿病，骨折，斑疹等。

| 用法用量 | 外用适量，煎汤洗；或鲜品捣敷。

| 凭证标本号 | 440781190321020LY。

三尖杉科 Cephalotaxaceae 三尖杉属 Cephalotaxus

三尖杉 *Cephalotaxus fortunei* Hook.

| 药 材 名 |

三尖杉（药用部位：枝叶）、三尖杉根（药用部位：根）、粗榧子（药用部位：种子。别名：榧子、山榧子、血榧）。

| 形态特征 |

常绿乔木或小乔木。树皮褐色或红褐色，裂成片状并脱落。树冠广圆形。叶常于小枝两侧排成 2 列且水平展开，披针状条形，长 4 ~ 13 cm，上面深绿色，下面沿中脉两侧各具 1 较宽的白色气孔带。雄球花 8 ~ 10 聚生成头状，直径约 1 cm，总花梗粗，基部及总花梗上部有 18 ~ 24 苞片；雌球花中的 3 ~ 8 胚珠发育成种子。种子椭圆状卵形至长椭圆状倒卵形，长约 2.5 cm，假种皮成熟时呈紫色或红紫色，先端有小尖头。花期 4 月，种子 8 ~ 10 月成熟。

| 生境分布 |

生于海拔 200 ~ 1 000 m 的阔叶、针叶混交林中。分布于广东仁化、乳源、乐昌、南雄、大埔、丰顺、连平、和平、连州、饶平等。广东广州、深圳等有栽培。

| **资源情况** | 野生资源一般。药材主要来源于栽培。

| **采收加工** | 三尖杉：全年均可采收，以秋季采收为佳，洗净，干燥。
三尖杉根：全年均可采挖，除去泥土，洗净，晒干。
粗榧子：秋季采收，晒干。

| **药材性状** | 三尖杉：本品小枝对生，圆柱形，基部有宿存芽鳞。叶螺旋状着生于小枝上，常于小枝两侧水平展开成 2 列，披针状条形，长 4 ~ 13 cm，宽 3 ~ 4 mm，先端尖，基部楔形，上面深绿色，中脉隆起，下面中脉两侧有白色气孔带。气微，味微涩。
粗榧子：本品椭圆状卵形或椭圆状倒卵形，长约 2.5 cm。假种皮成熟时呈紫色或红紫色，先端有小尖头。

| **功能主治** | 三尖杉：苦、涩，寒；有毒。抗癌。用于恶性淋巴瘤，白血病，肺癌，胃癌，食管癌，直肠癌等。
三尖杉根：苦、涩，平。抗癌，活血，止痛。用于直肠癌，跌打损伤。
粗榧子：甘、涩，平。驱虫，消积。用于蛔虫病，钩虫病，食积。

| **用法用量** | 三尖杉：一般提取其中生物碱制成注射剂使用。总碱用量为成人每天 2±0.5 mg/kg，分 2 次肌内注射。
三尖杉根：内服煎汤，10 ~ 60 g。
粗榧子：内服煎汤，15 ~ 18 g；或炒熟食。

| **凭证标本号** | 44188219616023LY。

三尖杉科 Cephalotaxaceae 三尖杉属 Cephalotaxus

海南粗榧

Cephalotaxus hainanensis Li

| 药 材 名 |

海南粗榧（药用部位：树枝、树皮）。

| 形态特征 |

常绿乔木。树皮浅褐色、褐色或红紫色，平滑且薄，裂成片状并脱落。叶条形，在小枝上排成 2 列，长 2 ~ 4 cm，宽 2.5 ~ 3.5 mm，常较薄，叶上有明显中脉，急尖，基部圆形或圆截形。雌雄异株；雄球花生于叶腋；雌球花头状，有长梗，生于小枝基部，稀顶生。种子核果状，常微扁，倒卵状椭圆形，长 2.2 ~ 2.8 cm，先端具小尖头；假种皮肉质，成熟时呈红色。花期 3 ~ 4 月，种子 9 ~ 10 月成熟。

| 生境分布 |

常散生于海拔 1 100 m 以下的南亚热带山地雨林中。分布于广东信宜。广东广州有栽培。

| 资源情况 |

野生资源一般。药材主要来源于栽培。

| 采收加工 |

枝叶，全年均可采收，晒干。树皮，全年均可采收，洗净，刮去粗皮，切片，晒干。

| **功能主治** | 苦、涩，温。抗癌。用于淋巴瘤，白血病等。

| **用法用量** | 一般提取其生物碱制成注射剂使用。

三尖杉科 Cephalotaxaceae 三尖杉属 Cephalotaxus

篦子三尖杉

Cephalotaxus oliveri Mast.

| 药 材 名 | 篦子三尖杉（药用部位：枝叶、种子）。

| 形态特征 | 灌木。树皮灰褐色。小枝对生，基部有宿存芽鳞。叶条形，于小枝两侧紧密排列成 2 列，中部以上常向上方微弯，长 1.5 ～ 3.2 cm，宽 3 ～ 4.5 mm，上面微拱圆，中脉仅部分明显，先端具小尖头，基部截形，几无柄。雌雄异株；雄球花生于叶腋，常 6 ～ 7 聚生成头状花序；雌球花常生于小枝先端或枝节处，1 ～ 2 胚珠常发育成种子。种子倒卵圆形至长倒卵圆形，长约 2.7 cm，直径约 1.8 cm，先端具小凸尖，有梗。花期 3 ～ 4 月，种子 8 ～ 10 月成熟。

| 生境分布 | 生于海拔 300 ～ 1 800 m 的阔叶林或针叶林中。广东乐昌、连州、仁化、乳源、始兴等有分布。广东广州、深圳等有栽培。

资源情况	野生资源稀少。药材主要来源于栽培。
采收加工	全年均可采收枝叶，秋季种子成熟时采收种子，晒干。
功能主治	苦、涩，寒。抗癌。用于血液系统肿瘤及恶性实体瘤。
用法用量	提取其中三尖杉酯碱使用。
凭证标本号	440781190321020LY。

三尖杉科 Cephalotaxaceae 三尖杉属 Cephalotaxus

粗榧

Cephalotaxus sinensis (Rehd. et Wils.) Li.

| **药 材 名** | 粗榧根（药用部位：根）、粗榧枝叶（药用部位：枝叶）、粗榧子（种子。别名：榧子、山榧子、土香榧）。

| **形态特征** | 常绿小乔木或灌木。树皮灰色或灰褐色，呈薄片状脱落。小枝对生，基部有宿存芽鳞。叶条形，在小枝两侧排成2列，通常直，长2～5 cm，宽约3 mm，先端渐尖，基部近圆形，质地较厚，中脉明显。雄球花6～7聚生成头状，每个雄球花有雄蕊4～11；雌球花头状，通常2～5胚珠发育成种子。种子长圆形、卵圆形或近圆形，长1.8～2.5 cm，先端中央有尖头；成熟时肉质假种皮鲜红色。花期3～4月，种子10～11月成熟。

| **生境分布** | 生于海拔600～1 900 m 的花岗岩、砂岩及石灰岩山地。分布于广

东乳源、信宜。广东广州、深圳等有栽培。

| 资源情况 | 野生资源一般。药材主要来源于栽培。

| 采收加工 | 粗榧根：全年均可采收，洗净，刮去粗皮，切片，晒干。

粗榧枝叶：全年或夏、秋季采收，晒干。

粗榧子：秋季种子成熟时采收，晒干。

| 药材性状 | 粗榧枝叶：本品小枝对生，基部有宿存芽鳞。叶螺旋状着生，基部扭转且在小枝两侧排成 2 列，条形，通常直，长 2 ~ 5 cm，宽约 3 mm，先端渐尖或微凸尖，基部近圆形，质地较厚，上面深绿色，中脉明显，下面有 2 较宽的白色气孔带。

粗榧子：本品长圆形、卵圆形或近圆形，长 1.8 ~ 2.5 cm，先端中央有尖头。

| 功能主治 | 粗榧根：淡、涩，平。祛风除湿。用于风湿痹痛。

粗榧枝叶：苦、涩，寒。抗癌。用于白血病，淋巴瘤。

粗榧子：甘、涩，平。驱虫，消积。用于蛔虫病，钩虫病，食积。

| 用法用量 | 粗榧根：内服煎汤，15 ~ 30 g。

粗榧枝叶：一般提取其生物碱制成注射剂使用，具体用法用量遵医嘱。

粗榧子：内服煎汤，5 ~ 15 g；或炒熟食。

| 凭证标本号 | 440783191103033LY。

红豆杉科 Taxaceae 穗花杉属 Amentotaxus

穗花杉

Amentotaxus argotaenia (Hance) Pilg.

| 药 材 名 |

穗花杉根（药用部位：根、树皮）、穗花杉叶（药用部位：叶）、穗花杉种子（药用部位：种子。别名：硬壳虫、杉枣）。

| 形态特征 |

常绿灌木或小乔木。树皮灰褐色或淡红褐色，裂成小片并脱落。叶基部扭转且在小枝两侧排成 2 列，条状披针形，直或稍呈镰状，长 3 ~ 11 cm，宽 6 ~ 11 mm，先端常渐尖，基部渐狭成楔形或楔圆形，有极短的柄，上面中脉明显，下面中脉两侧具较宽的白色气孔带。每个雄球花含 1 ~ 4 穗，穗长5 ~ 6.5 cm。种子椭圆形，成熟时假种皮鲜红色，长 2 ~ 2.5 cm，直径约 1.3 cm，先端有小尖头，梗长约 1.3 cm。花期 4 月，种子10 月成熟。

| 生境分布 |

生于海拔 300 ~ 1 100 m 的溪谷两侧的阴湿林下。分布于罗浮山及深圳七娘山等地。

| 资源情况 |

野生资源少见。药材来源于野生和栽培。

| 采收加工 | 穗花杉根：全年均可采收，洗净，鲜用或晒干。
穗花杉叶：夏、秋季采收，鲜用或晒干。
穗花杉种子：秋季种子成熟时采收，晒干。

| 功能主治 | 穗花杉根：活血，止痛，生肌。用于跌打损伤，骨折。
穗花杉叶：苦，温。清热解毒，祛湿止痒。用于毒蛇咬伤，湿疹。
穗花杉种子：驱虫，消积。用于虫积腹痛，小儿疳积。

| 用法用量 | 穗花杉根：外用适量，捣敷；或研末撒。
穗花杉叶：外用适量，煎汤熏洗；或鲜品捣敷。
穗花杉种子：内服煎汤，6 ~ 15 g。

| 凭证标本号 | 441900190903045LY、440232151106003LY、441322160725281LY。

红豆杉科 Taxaceae 红豆杉属 Taxus

南方红豆杉

Taxus wallichiana (Pilger) Rehd. var. *mairei* (Lemée et Lévl.) L. K. Fu & Nan Li

| 药 材 名 |

南方红豆杉（药用部位：种子、茎皮）。

| 形态特征 |

常绿乔木。树皮灰褐色、灰紫色或淡紫褐色，鳞状或薄片状脱落。叶排成 2 列，条形，近镰状，质地较厚，边缘不反卷，长 2 ~ 3.5 cm，宽 3 ~ 4 mm，上面中脉隆起，下面中脉带明晰可见。雌雄异株，球花单生于叶腋；雌球花基部有多数覆瓦状排列的苞片，胚珠直立，基部有圆盘状珠托，受精后珠托发育成肉质红色假种皮。种子坚果状，微扁，多呈倒卵状圆形，长 7 ~ 8 mm，生于杯状肉质假种皮中，成熟时肉质假种皮鲜红色，稀橘红色，种脐常呈椭圆形。

| 生境分布 |

生于海拔 1 000 ~ 1 200 m 的山地。分布于广东仁化、乳源、乐昌、连山、连州。

| 资源情况 |

野生资源少见。药材主要来源于栽培。

| 采收加工 |

种子，秋季种子成熟时采收，晒干。茎皮，

全年均可采收。

| **药材性状** | 本品种子坚果状，微扁，多呈倒卵状圆形，长 7 ~ 8 mm，直径 5 mm，生于杯状肉质假种皮中，成熟时肉质假种皮鲜红色，稀橘红色，种脐常呈椭圆形。

| **功能主治** | 种子，驱虫。用于食积，蛔虫病。树皮、枝叶，抗癌。用于前列腺癌，乳腺癌晚期，食管癌，咽喉癌等。

| **用法用量** | 种子，内服煎汤，9 ~ 18 g。

| **凭证标本号** | 440281200713002LY、441823201031052LY、441422210224695LY。

买麻藤科 Gnetaceae 买麻藤属 Gnetum

罗浮买麻藤 *Gnetum luofuense* C. Y. Cheng

| 药 材 名 | 买麻藤（药用部位：藤茎、叶、根。别名：买麻藤、大麻骨风、接骨藤）。

| 形态特征 | 常绿木质藤本，长可超过 10 m。茎皮紫棕色，关节处膨大。叶对生；叶片薄革质，矩圆形或矩圆状卵形，长 10 ~ 18 cm，宽 5 ~ 8 cm，先端短渐尖，基部近圆形或宽楔形，全缘；叶柄长 8 ~ 10 mm。雌雄同株或异株，花单性，轮生于有节的穗状花序上；雄花序具总苞 10 ~ 20 轮；雌花序生于老枝上，每轮有雌花 3 ~ 9。种子核果状，矩圆状椭圆形，长约 2.5 cm；肉质假种皮成熟时呈灰绿色或橘红色，表面常具大小不等的银白色斑点。花期 4 ~ 6 月，果期 9 ~ 11 月。

| 生境分布 | 生于海拔较低的干燥平原或湿润谷地的森林中，常缠绕于林木枝干

上。广东各地均有分布。

| **资源情况** | 野生资源丰富。药材主要来源于野生。

| **采收加工** | 全年均可采收，藤茎、根切块，鲜用或晒干，叶鲜用或晒干。

| **功能主治** | 苦，微温。祛风除湿，散瘀止痛，活血接骨，化痰止咳。用于风湿性关节炎，腰肌劳损，筋骨酸软，跌打损伤，支气管炎，溃疡出血，蛇咬伤；外用于骨折。

| **用法用量** | 内服煎汤，6 ~ 9 g，鲜品 15 ~ 60 g；或捣汁。外用适量，研末调；或鲜品捣敷。

| **凭证标本号** | 441523190514023LY、440783190812008LY、441823210528005LY。

| **附　注** | 本种与小叶买麻藤 *Gnetum parvifolium* (Warb.) C. Y. Cheng ex Chun 系同属且分布范围相近的物种，两者的主要区别在于本种雄花序较长，总苞 10~20 轮，叶较大，长 10~18 cm；种子长约 2.5 cm，直径 1.5~1.8 cm。

苏俊霞提供

买麻藤科 Gnetaceae 买麻藤属 Gnetum

小叶买麻藤

Gnetum parvifolium (Warb.) C.Y. Cheng ex Chun

| 药 材 名 | 小叶买麻藤 (入药部位：藤茎、根、叶。别名：大节藤、拦地青、驳骨藤)。

| 形态特征 | 常绿木质藤本，长可超过 10 m。茎皮灰褐色或暗褐色，关节处膨大，皮孔明显。叶对生，革质，有光泽，窄椭圆形、长卵形或微倒卵状，长 4 ～ 10 cm，宽 2.5 ～ 4 cm，先端钝尖，基部楔形或稍圆，全缘；叶柄长 5 ～ 10 mm。雌雄同株或异株；花单性，轮生于有节的穗状花序上；雄花序具总苞 9 ～ 13 轮；雌花序生于老枝上，每轮有雌花 3 ～ 9。种子核果状，长圆形或窄长圆状倒卵形，长 1.3 ～ 2.2 cm；肉质假种皮成熟时呈红色，常光滑。花期 4 ～ 6 月，果期 9 ～ 11 月。

| 生境分布 | 生于海拔较低的干燥平原或湿润谷地的森林中，常缠绕于林木枝干

上。分布于广东翁源、乐昌、南雄、台山、徐闻、高州、封开、高要、龙门、大埔、丰顺、五华、平远、蕉岭、连平、和平、连山、英德及广州（市区）、深圳（市区）。

| 资源情况 | 野生资源较丰富。药材主要来源于野生。

| 采收加工 | 全年均可采收，藤茎、根切块，鲜用或晒干，叶鲜用或晒干。

| 功能主治 | 苦，微温。祛风活血，消肿止痛，化痰止咳。用于风湿性关节炎，腰肌劳损，筋骨酸软，跌打损伤，支气管炎，溃疡出血，蛇咬伤；外用于骨折。

| 用法用量 | 内服煎汤，15 ～ 30 g。外用适量，鲜品捣敷。

| 凭证标本号 | 441523190404001LY、440781190514020LY、440781190516028LY。

被子植物

木兰科 Magnoliaceae 厚朴属 Houpoea

厚朴

Houpoea officinalis Rehd. & Wils.

| 药 材 名 | 厚朴（药用部位：干皮、根皮、枝皮。别名：川朴、紫油厚朴、赤朴）、厚朴花（药用部位：花蕾）、厚朴果（药用部位：果实）。

| 形态特征 | 落叶乔木。冬芽芽鳞被浅黄色绒毛。叶柄粗壮，托叶痕长约为叶柄的 2/3；叶近革质；叶片 7 ～ 9 集生于枝顶，长圆状倒卵形，长22 ～ 46 cm，先端短尖或钝圆，基部渐狭成楔形，下面被灰色柔毛。花单生；花被片 9 ～ 12 或更多，外轮花被片 3，绿色，盛开时向外反卷，内 2 轮花被片白色，倒卵状匙形；雄蕊多数，花丝红色；雌蕊多数，彼此分离。聚合果长圆形；蓇葖果具短喙。种子三角状倒卵形；外种皮红色。花期 4 ～ 5 月，果期 9 ～ 10 月。

| 生境分布 | 生于海拔 300 ～ 1 000 m 的山地林中。分布于广东连州、阳山、英

德等。广东博罗有栽培。

| 资源情况 | 栽培资源较少。药材来源于栽培。

| 采收加工 | 厚朴：4～6月剥取，干皮置沸水中微煮，堆置阴湿处发汗，至内表面变为紫褐色或棕褐色时蒸软，取出，卷成筒状，干燥；根皮和枝皮直接阴干。

厚朴花：春季花未开放时采摘，稍蒸后晒干或低温干燥。

厚朴果：9～10月采摘，除去果柄，晒干。

| 药材性状 | 厚朴：本品呈弯曲的丝条状或单卷、双卷筒状。外表面灰褐色，有时可见椭圆形皮孔或纵皱纹；内表面紫棕色或深紫褐色，较平滑，具细密纵纹，划之显油痕。切面颗粒状，具油性，有的可见小亮星。气香，味辛辣、微苦。

厚朴花：本品呈长圆锥形，长4～7 cm，红棕色至棕褐色。花被片9~12，外层花被片呈长方状倒卵形，内层花被片呈匙形。雄蕊和雌蕊多数，螺旋状排列于圆锥形的花托上。花梗密被灰黄色绒毛。质脆，易破碎。气香，味淡。

厚朴果：本品聚合果长圆形，长9～12 cm，直径4.5～6 cm，先端钝圆，基部近圆形，棕色至棕褐色；蓇葖果多数，木质，先端有外弯尖头。种子扁卵形或三角状倒卵形，腹部具沟槽；外种皮棕红色。气微，味微涩。

| 功能主治 | 厚朴：苦、辛，温。归脾、胃、肺、大肠经。燥湿消痰，下气除满。用于湿滞伤中，脘痞吐泻，食积气滞，腹胀便秘，痰饮喘咳。

厚朴花：苦，微温。归脾、胃经。芳香化湿，理气宽中。用于脾胃湿阻气滞，胸脘痞闷胀满，纳谷不香。

厚朴果：甘，温。消食，理气，散结。用于消化不良，胸脘胀闷，鼠瘘。

| 用法用量 | 厚朴：内服煎汤，3～10 g。

厚朴花：内服煎汤，3～9 g。

厚朴果：内服煎汤，2～5 g。

| 凭证标本号 | 440222181103031LY。

| 附　注 | 山玉兰 *Magnolia delarayi* Franch.、桂南木莲 *Manglietia chingii* Dandy、红花木莲 *Manglietia insignis* (Wall.) Bl.、四川木莲 *Manglietia szechuanica* Hu 等的树皮也混充厚朴使用，应注意区分。

木兰科 Magnoliaceae 厚朴属 Houpoea

凹叶厚朴

Houpoea officinalis Rehd. et Wils. var. *biloba* Rehd. et Wils.

| 药 材 名 | 厚朴（药用部位：干皮、根皮、枝皮。别名：庐山厚朴、川朴、紫油厚朴）、厚朴花（药用部位：花蕾）。

| 形态特征 | 本种与厚朴十分相似，主要区别是本种叶先端凹缺成 2 钝圆的浅裂片，聚合果基部较窄。花期 4 ~ 5 月，果期 9 ~ 10 月。

| 生境分布 | 生于海拔 300 ~ 1 000 m 的山坡、山麓及路旁溪边的杂木林中。广东乐昌等有栽培。

| 资源情况 | 栽培资源丰富。药材来源于栽培。

| 采收加工 | **厚朴**：4 ~ 6 月剥取，干皮置沸水中微煮，堆置阴湿处发汗，至内表面变为紫褐色或棕褐色时蒸软，取出，卷成筒状，干燥；根皮和

枝皮直接阴干。

厚朴花：春季花未开放时采摘，稍蒸后晒干或低温干燥。

| **药材性状** | **厚朴：**本品呈弯曲的丝条状或单卷、双卷筒状。外表面灰褐色，有时可见椭圆形皮孔或纵皱纹；内表面紫棕色或深紫褐色，具细密纵纹，划之显油痕。切面颗粒状，具油性，有的可见小亮星。气香，味辛辣、微苦。

厚朴花：本品长圆锥形，长 4 ~ 7 cm，红棕色至棕褐色。花被片多为 12，每轮 3，外层花被片呈长方状倒卵形，内层花被片呈匙形。雄蕊和雌蕊多数，螺旋状排列于圆锥形花托上。气香，味淡。

| **功能主治** | **厚朴：**苦、辛，温。归脾、胃、肺、大肠经。燥湿消痰，下气除满。用于湿滞伤中，脘痞吐泻，食积气滞，腹胀便秘，痰饮喘咳。

厚朴花：苦，微温。归脾、胃经。芳香化湿，理气宽中。用于脾胃湿阻气滞，胸脘痞闷胀满，纳谷不香。

| **用法用量** | **厚朴：**内服煎汤，3 ~ 10 g。

厚朴花：内服煎汤，3 ~ 9 g。

木兰科 Magnoliaceae 鹅掌楸属 Liriodendron

鹅掌楸 *Liriodendron chinense* (Hemsl.) Sarg.

| 药 材 名 | 凹朴皮（药用部位：树皮。别名：马褂木皮、双飘树、遮阳树）、鹅掌楸根（药用部位：根）。

| 形态特征 | 落叶乔木。树皮黑褐色，纵裂。叶互生；托叶和叶柄分离；叶片呈马褂形，长 4 ~ 18 cm，宽 2.5 ~ 20 cm，先端平截或微凹，基部圆形或浅心形，近基部具 1 对侧裂片。花单生于枝顶，杯状，花被片 9，近相等，外轮花被片 3，绿色，萼片状，外展，内 2 轮花被片 6，直立，外面绿色，具黄色纵条纹；雄蕊多数，密叠于一纺锤状中柱上。聚合果卵状圆锥形；小坚果先端延伸成翅，连翅长 2 ~ 3 cm。种子 1 ~ 2。花期 5 月，果期 9 ~ 10 月。

| 生境分布 | 生于海拔 900 ~ 1 000 m 的山地林中。广东乐昌及深圳（市区）、

肇庆（市区）有栽培。

| 资源情况 | 栽培资源较少。药材来源于栽培。

| 采收加工 | 凹朴皮：夏、秋季采收，晒干。
鹅掌楸根：秋季采挖，除尽泥土，鲜用或晒干。

| 功能主治 | 凹朴皮：辛，温。祛风除湿，散寒止咳。用于风湿痹痛，风寒咳嗽。
鹅掌楸根：辛，温。祛风湿，强筋骨。用于风湿关节痛，肌肉痿软。

| 用法用量 | 凹朴皮：内服煎汤，9 ~ 15 g。
鹅掌楸根：内服煎汤，15 ~ 30 g；或浸酒。

| 凭证标本号 | 441900231126008LY。

| 附　注 | 本种为异花受粉种类，但有孤雌生殖现象，雌蕊往往在含苞欲放时即已成熟，开花时柱头已枯黄，失去受粉能力，在未受精的情况下，雌蕊虽能继续发育，但种子生命弱，故发芽率低，本种是濒危树种之一。

木兰科 Magnoliaceae 鹅掌楸属 Liriodendron

北美鹅掌楸 *Liriodendron tulipifera* Linn.

| 药 材 名 | 凹朴皮（药用部位：树皮。别名：马褂木皮）。

| 形态特征 | 乔木。小枝褐色或紫褐色，常具白粉。叶互生；托叶和叶柄分离；叶片马褂状，长7～12 cm，宽8～18 cm，先端2浅裂，近基部2～3侧裂，幼叶下面被白色细毛。花杯状，花被片9，外轮花被片3，绿色，萼片状，向外弯垂，内2轮花被片6，绿黄色，内面中部以下有一橙黄色蜜腺；雄蕊多数，黄绿色，花药较花丝长，花时不伸出花被之外。聚合果纺锤形；小坚果有长而窄的翅。种子1～2。花期5月，果期9～10月。

| 生境分布 | 我国南部各大城市有栽培。分布于广东广州等。

| 资源情况 | 栽培资源较少。药材来源于栽培。 |

| 采收加工 | 夏、秋季采收，晒干。 |

| 药材性状 | 本品呈槽状或半卷筒状，厚 3 ～ 5 mm。老树皮外表面黄棕色，极粗糙，鳞片状脱落，幼树皮外表面灰褐色，具纵裂纹；内表面黄棕色或黄白色，具细纵纹。质脆，易折断，断面外层颗粒状，内层纤维性。气微，味微辛。 |

| 功能主治 | 辛，温。祛风除湿，散寒止咳。用于风湿痹痛，风寒咳嗽。 |

| 用法用量 | 内服煎汤，9 ～ 15 g。 |

| 凭证标本号 | 441900231126010LY。 |

木兰科 Magnoliaceae 木兰属 Magnolia

香港木兰 *Magnolia championii* Benth.

| **药 材 名** | 长叶木兰（药用部位：根、花。别名：香港玉兰）。

| **形态特征** | 常绿小乔木。叶薄革质，干时质脆，窄椭圆形、窄倒卵形或倒卵状披针形，长 9 ~ 15（~ 30）cm，先端长渐尖，基部楔形，边缘波状，侧脉 12 ~ 15 对；托叶痕几达叶柄先端，边缘隆起。花梗花时下弯，果时近直立；花芳香；花被片 9，外轮花被片 3，近革质，淡蓝绿色，长圆状椭圆形，内 2 轮花被片白色，肉质，倒卵形；心皮被黄色毛。聚合果褐色，椭圆形；蓇葖具短喙。花期 4 ~ 6 月，果期 9 ~ 10 月。

| **生境分布** | 生于低海拔的山地常绿阔叶林中。分布于广东新会、台山、阳春、罗定及深圳（市区），以及鼎湖山、珠江口岛屿等。

资源情况	野生资源较少。药材来源于野生。
采收加工	根，初夏采挖，洗净，晒干。花，夏季花开时采收，晒干。
功能主治	微苦、辛，温。行气止痛，通窍。
凭证标本号	441226170613021LY、441283170606015LY。

木兰科 Magnoliaceae 木兰属 Magnolia

夜合花
Magnolia coco (Lour.) DC.

| 药 材 名 | 夜合花（药用部位：花。别名：夜香木兰、广东合欢花）。

| 形态特征 | 灌木或小乔木。全株无毛。小枝微具棱脊。叶互生；托叶痕达叶柄先端；叶片革质，椭圆形、狭椭圆形或倒卵状椭圆形，长 7 ~ 14 cm，宽 2 ~ 4 cm，先端长渐尖，基部楔形，边缘略反卷，网脉稀疏，上面稍有波皱。花近球形；花被片 9，外轮花被片 3，白色带绿色，内 2 轮花被片长于外轮花被片，白色；雄蕊多数，花丝扁平；雌蕊多数，柱头短。聚合蓇葖果近木质，先端有短尖头。种子 1 ~ 2；外种皮鲜红色，肉质。花期 5 ~ 6 月，果期 7 ~ 9 月。

| 生境分布 | 生于海拔 600 ~ 900 m 的常绿阔叶林中。分布于广东乐昌、台山、高要及广州（市区）、珠海（市区）、惠州（市区）等。

| 资源情况 | 栽培资源较多。药材来源于栽培。

| 采收加工 | 5～6月采摘，晒干。

| 药材性状 | 本品略呈伞形、倒挂钟形或不规则球形，长2～3 cm，直径1～2 cm，表面暗红色至棕紫色。花被片9，外轮花被片3，长倒卵形，两面均有颗粒状突起，内2轮花被片6，倒卵形，外列3花被片较大；质坚脆。雄蕊多数；雌蕊紫褐色或棕褐色，有小瘤状体。气极芳香，味淡。

| 功能主治 | 辛，温。行气祛瘀，止咳止带。用于胁肋胀痛，乳房胀痛，疝气痛，癥瘕，跌打损伤，失眠，咳嗽气喘，白带过多。

| 用法用量 | 内服煎汤，3～9 g。

| 凭证标本号 | 440515191007082LY、440605210303054LY、441802211003008LY。

木兰科 Magnoliaceae 木兰属 *Magnolia*

玉兰 *Magnolia denudate Desr.*

| 药 材 名 | 辛夷（药用部位：花蕾。别名：玉堂春、毛辛夷、木笔花）。

| 形态特征 | 落叶乔木。冬芽密生灰绿色或灰绿黄色长绒毛。叶互生，倒卵形至倒卵状矩圆形，长 10 ~ 18 cm，宽 6 ~ 10 cm，先端具短突尖，基部楔形或宽楔形，全缘，上面有光泽，下面生柔毛。花先于叶开放，单生于枝顶；花被片 9，白色，矩圆状倒卵形，每 3 花被片排成 1 轮；雄蕊多数，在伸长的花托下部螺旋状排列；雌蕊多数，排列在花托上部。聚合果圆筒形，淡褐色；果柄有毛；蓇葖果先端圆形。花期 2 ~ 3 月，果期 8 ~ 9 月。

| 生境分布 | 生于海拔 500 ~ 1 000 m 的常绿阔叶树和落叶阔叶树混交林中。分

布于广东乳源、乐昌、南雄及广州（市区）、清远（市区）等。

| 资源情况 | 栽培资源丰富。药材来源于栽培。

| 采收加工 | 1～3月采收，在齐花梗处剪下未开放的花蕾，白天置阳光下曝晒，晚上堆成垛发汗，使里外干湿一致，晒至五成干时，堆放1～2天，再晒至全干，如遇雨天，可烘干。

| 药材性状 | 本品长卵形，似毛笔头，长1.5～3 cm，直径1～1.5 cm。花梗较粗壮，皮孔浅棕色。苞片外表面密被灰白色或灰绿色茸毛。花被片9，内、外轮花被片同形。雄蕊和雌蕊多数，螺旋状排列。气芳香，味辛而稍苦。

| 功能主治 | 辛，温。归肺、胃经。散风寒，通鼻窍。用于风寒头痛，鼻塞流涕，鼻鼽，鼻渊。

| 用法用量 | 内服煎汤，3～10 g。外用适量。

| 凭证标本号 | 440232150911021LY、445221210902018LY。

| 附　　注 | 本种与望春玉兰的形态相似，但本种小枝粗壮，被柔毛；叶片通常呈倒卵形或宽倒卵形，先端宽圆、平截或稍凹缺，常具急短尖，基部楔形，叶柄及叶下面有白色细柔毛；花被片9，白色，有时外面基部红色，倒卵状长圆形。

木兰科 Magnoliaceae 木兰属 Magnolia

荷花玉兰

Magnolia grandiflora Linn.

| 药 材 名 |　广玉兰（药用部位：花蕾、树皮。别名：洋玉兰、百花果）。

| 形态特征 |　常绿乔木。芽和幼枝生锈色绒毛。叶厚革质，椭圆形或倒卵状椭圆形，长 16 ~ 20 cm，宽 4 ~ 10 cm，先端短尖或钝，基部宽楔形，全缘，上面有光泽，下面有锈色短绒毛；叶柄粗壮，初时密被锈色绒毛；托叶与叶柄分离。花单生于枝顶，荷花状，大型，白色；花被片通常 9，倒卵形；雄蕊花丝紫色；心皮多数，密生长绒毛。聚合果圆柱形，密生锈色绒毛；蓇葖果卵圆形，先端有外弯的喙。花期 5 ~ 6 月，果期 9 ~ 10 月。

| 生境分布 |　生于潮湿、温暖地区。分布于广东高要及广州（市区）等。

| 资源情况 | 栽培资源较丰富。药材来源于栽培。

| 采收加工 | 花蕾，春季采收，白天曝晒，晚上发汗，晒至五成干时，堆放 1 ~ 2 天，再晒至全干。树皮，全年均可采收。

| 药材性状 | 本品花蕾圆锥形，长 3.5 ~ 7 cm，淡紫色或紫褐色。花被片 9，宽倒卵形，内层呈荷瓣状。雄蕊多数，花丝较长且宽，花药黄棕色，条形；心皮多数，密生长绒毛。花梗节明显。质硬，易折断。气香，味淡。

| 功能主治 | 辛，温。归肺、胃、肝经。祛风散寒，行气止痛。用于外感风寒，头痛鼻塞，脘腹胀痛，呕吐腹泻，高血压，偏头痛。

| 用法用量 | 内服煎汤，花蕾 3 ~ 10 g，树皮 6 ~ 12 g。外用适量，捣敷。

| 凭证标本号 | 440104220722017LY、440604210910088LY、440606220505018LY。

木兰科 Magnoliaceae 木莲属 Manglietia

木莲 *Manglietia fordiana Oliv.*

药材名

木莲果（药用部位：果实。别名：山厚朴）。

形态特征

乔木。嫩枝及芽有红褐色短毛。叶互生；托叶痕半椭圆形；叶片革质，狭椭圆状倒卵形或倒披针形，长 8 ~ 17 cm，先端急尖，通常具钝头，基部楔形，边缘稍反卷，叶背疏生红褐色毛，侧脉 8 ~ 12 对。花梗被红褐色短柔毛和环状苞片痕。花被片 9，白色，外轮花被片 3，长圆状椭圆形，内 2 轮花被片倒卵形；雄蕊多数，药隔伸出且呈短钝三角形；心皮多数。聚合果倒卵形，成熟时呈紫红色。种子椭圆形，红色。花期 4 ~ 5 月，果期 8 ~ 10 月。

生境分布

生于海拔 1 300 m 以下的常绿阔叶林中。分布于广东西部以北的山区等。

资源情况

野生资源丰富。药材来源于野生。

采收加工

8 月（处暑前后）果实成熟且未开裂时摘取，

剪除残余果柄，晒干。

| **药材性状** |　本品由多数蓇葖果聚合而成，形如松球，长约 4 cm，直径 3 ~ 4 cm，基部膨大。外表面紫褐色，内侧棕褐色。蓇葖果开裂后可见暗紫红色的种子 2。剥开种皮可见呈灰白色且富有油性的子叶 1。气香，味淡。

| **功能主治** |　辛，凉。归肺、大肠经。通便，止咳。用于实热便秘，老人咳嗽。

| **用法用量** |　内服煎汤，9 ~ 30 g。

| **凭证标本号** |　441523190920025LY、440281190627043LY。

| **附　　注** |　本种与海南木莲极相似，但本种叶较厚，干后叶脉在两面均不明显，花柄有褐色毛，心皮有长约 1 mm 的喙。

木兰科 Magnoliaceae 木莲属 Manglietia

毛桃木莲 *Manglietia moto* Dandy

| 药 材 名 | 毛桃木莲（药用部位：茎皮、花蕾。别名：毛桃）。

| 形态特征 | 乔木。嫩枝、芽、幼叶、果柄均密被锈褐色绒毛。叶革质，倒卵状椭圆形、狭倒卵状椭圆形或倒披针形，长 12 ~ 25 cm，先端短钝尖或渐尖，基部楔形或宽楔形，下面被锈褐色绒毛；托叶痕长约为叶柄的 1/3。花被片 9，乳白色；雄蕊红色；雌蕊卵圆形，基部心皮背面具 4 ~ 6 纵棱，上部心皮具浅纵沟 1。聚合果卵球形；蓇葖果背面呈疣状凸起，先端具喙。花期 5 ~ 6 月，果期 8 ~ 12 月。

| 生境分布 | 生于山地，与马蹄荷、蕈树、桦树及壳斗科植物混交成林。分布于广东从化、仁化、乳源、乐昌、鼎湖、怀集、封开、德庆、龙门、阳山、连山、英德及云浮（市区）等。

| 资源情况 | 野生资源稀少。药材来源于野生。

| 功能主治 | 多用于提取精油。

| 凭证标本号 | 440224190609034LY、441324180801023LY、440229210927019LY。

木兰科 Magnoliaceae 木莲属 Manglietia

乳源木莲
Manglietia yuyuanensis Law

| 药 材 名 | 乳源木莲果（药用部位：果实。别名：木莲果、狭叶木莲）。

| 形态特征 | 乔木。芽鳞被金黄色平伏柔毛。叶互生，革质；叶片倒披针形、狭倒卵状椭圆形或狭椭圆形，长 8 ～ 14 cm，宽 2.5 ～ 4 cm，先端渐尖或具稍弯的尾状尖，基部楔形或阔楔形，边缘稍背卷。花单生于枝端，白色；花被片 9，排成 3 轮，外轮花被片 3，常为绿色，倒卵状长圆形，中轮与内轮花被片倒卵形；雄蕊多数，药隔伸出；雌蕊群椭圆状卵形，基部心皮具 3 ～ 5 纵棱，上部露出面具乳头状凸起。花期 4 ～ 5 月，果期 8 ～ 10 月。

| 生境分布 | 生于海拔 700 ～ 1 200 m 的常绿阔叶林中。分布于广东乳源。

| 采收加工 | 秋后摘取已成熟而未开裂的果实，晒干。

| 药材性状 | 本品类圆形或钝圆锥形，似松球果，长约 4 cm，直径 3 ～ 4 cm。表面棕褐色，有瘤点状突起，基部通常具棕红色短梗，梗上密布黄色圆点。未开裂的蓇葖果背面有 1 纵棱，侧面黄棕色，具 4 ～ 6 棱。气芳香，味辛辣。

| 功能主治 | 淡，平。疏肝理气，通便止咳。用于肝胃气痛，胁肋胀痛，老年便秘，咳嗽。

| 用法用量 | 内服煎汤，9 ～ 15 g。

| 凭证标本号 | 441882180505049LY、440232141225002LY。

| 附　　注 | 本种与木莲形态相近，但本种除芽鳞被金黄色柔毛外，其余部位无毛，叶狭倒卵状椭圆形或狭椭圆形，花的各部位较小。

木兰科 Magnoliaceae 含笑属 Michelia

白兰
Michelia alba DC.

| 药 材 名 | 白兰花（药用部位：花。别名：白缅花、黄桷兰、缅桂花）、白兰花叶（药用部位：叶）。

| 形态特征 | 乔木，在较寒冷地区常呈灌木状。幼枝密被淡黄白色柔毛。叶互生；托叶痕长为叶柄的 1/3 或 1/4；叶薄革质；叶片长圆形或披针状椭圆形，长 10 ~ 27 cm，宽 4 ~ 9.5 cm，先端长渐尖或尾状渐尖，基部楔形，两面无毛或下面疏生微柔毛。花白色，单生于叶腋；花被片 10 以上；雄蕊多数，药隔先端伸出成长尖头；心皮多数，通常部分心皮不发育，形成疏生的聚合果。花期 4 ~ 9 月，少见结实者。

| 生境分布 | 生于气候温暖、湿润，土壤疏松而肥沃的地方。分布于广东陆河、阳山、连山及广州（市区）、中山（市区）等。广东各地均有栽培。

| 资源情况 | 野生资源丰富，栽培资源丰富。药材来源于野生和栽培。

| 采收加工 | 白兰花：夏、秋季花开时采收，鲜用或晒干。

白兰花叶：夏、秋季采摘，洗净，鲜用或晒干。

| 药材性状 | 白兰花：本品狭钟形，长 2 ~ 3 cm，红棕色至棕褐色。花被片 10 以上，外轮花被片狭披针形，内轮花被片较小；雄蕊多数；心皮多数，分离，花柱密被灰黄色细绒毛。花梗密被灰黄色细绒毛。质脆，易破碎。气芳香，味淡。

| 功能主治 | 白兰花：苦、辛，微温。化湿，行气，止咳。用于胸闷腹胀，中暑，咳嗽，前列腺炎，带下。

白兰花叶：苦、辛，平。清热利尿，止咳化痰。用于尿路感染，小便不利，支气管炎。

| 用法用量 | 白兰花：内服煎汤，6 ~ 15 g。

白兰花叶：内服煎汤，9 ~ 30 g。外用适量，鲜品捣敷。

| 凭证标本号 | 440783190811004LY、441422190814177LY、440523190802020LY。

| 附　　注 | 本种的同属植物黄兰 *Michelia champaca* Linn. 的形态与白兰近似，主要区别点是黄兰叶柄上的托叶痕达叶柄中部以上，花橙黄色而香气较浓。

木兰科 Magnoliaceae 含笑属 Michelia

黄兰
Michelia champaca Linn.

| 药 材 名 | 黄缅桂（药用部位：根。别名：黄玉兰、大黄桂、黄桷兰）、黄缅桂果（药用部位：果实）。

| 形态特征 | 常绿乔木。幼枝、嫩叶和叶柄均被平伏的淡黄色柔毛。叶互生，薄革质；托叶痕达叶柄中部以上；叶片披针状卵形或披针状长椭圆形，长 10 ~ 20 cm，宽 4 ~ 9 cm，先端长渐尖或近尾状渐尖，基部宽楔形或楔形。花单生于叶腋，橙黄色，极香；花梗有灰色绒毛；花被片 15 ~ 20，披针形；雄蕊多数，药隔伸出成长尖头；心皮密被银灰色微毛。蓇葖果外有疣状突起。种子有红色假种皮。花期 6 ~ 7 月，果期 9 ~ 10 月。

| 生境分布 | 生于温暖、湿润地区。分布于广东陆河、阳山、连山及广州（市区）、

中山（市区）。广东各地均有栽培。

| **资源情况** | 栽培资源丰富。药材来源于栽培。

| **采收加工** | 黄缅桂：全年均可挖取，除净杂质，洗净，切片，晒干。
黄缅桂果：夏、秋季采摘，除去皮，晒干。

| **功能主治** | 黄缅桂：苦，凉。归脾、肺经。祛风湿，利咽喉。用于风湿痹痛，咽喉肿痛。
黄缅桂果：苦，凉。健胃止痛。用于胃痛，消化不良。

| **用法用量** | 黄缅桂：内服煎汤，6 ～ 15 g；或浸酒。
黄缅桂果：内服研末，0.3 ～ 0.6 g。

木兰科 Magnoliaceae 含笑属 Michelia

紫花含笑 *Michelia crassipes* Y. W. Law

| 药 材 名 | 紫花含笑（药用部位：根、枝叶）。

| 形态特征 | 小乔木或灌木。芽、嫩枝、叶柄、花梗均密被红褐色或黄褐色长绒毛。叶革质，狭长圆形、倒卵形或狭倒卵形，稀为狭椭圆形，长 7 ~ 13 cm，先端长尾状渐尖或急尖，基部楔形或阔楔形，上面无毛，下面脉上被长柔毛；托叶痕达叶柄先端。花极芳香，紫红色或深紫色；花被片 6，长椭圆形；雄蕊药隔伸出成短急尖；心皮卵圆形，密被柔毛。聚合果，蓇葖果 10 以上。花期 4 ~ 5 月，果期 8 ~ 9 月。

| 生境分布 | 生于海拔 300 ~ 700 m 的山谷密林中。分布于广东乐昌及广州（市区）等。

| **资源情况** | 野生资源稀少。药材来源于野生。

| **采收加工** | 夏、秋季采收，晒干。

| **功能主治** | 苦，凉。活血化瘀，清热利湿。用于疖肿，跌打损伤，泄泻。

| **附　　注** | 本种与含笑 *Michelia figo* (Lour.) Spreng. 的形态极相似，但本种花紫红色或深紫色，雌蕊群不超出雄蕊群，雌蕊群柄短粗，长仅 2 mm，果时直径 3 ~ 4 mm，雌蕊密被柔毛，具长达 2 mm 的花柱，总果柄短粗，长 1 ~ 2 cm，直径 3 ~ 5 mm，故两者易区别。

木兰科 Magnoliaceae 含笑属 Michelia

含笑

Michelia figo (Lour.) Spreng.

| 药 材 名 | 含笑花（药用部位：花蕾。别名：香蕉花）。

| 形态特征 | 常绿灌木。芽、嫩枝、叶柄、花梗均密被黄褐色绒毛。叶革质，狭椭圆形或倒卵状椭圆形，长 4 ~ 10 cm，宽 1.8 ~ 4.5 cm，先端具钝短尖，基部楔形或阔楔形，上面无毛，下面中脉有褐色平伏毛；托叶痕达叶柄先端。花淡黄色，边缘有时呈红色或紫色；花被片 6，较肥厚，长椭圆形；雄蕊药隔伸出成急尖头；雌蕊群柄被淡黄色绒毛。聚合果；蓇葖果卵圆形或球形，先端有短尖的喙。花期 3 ~ 5 月，果期 7 ~ 8 月。

| 生境分布 | 生于阴坡杂木林中。广东各地均有分布。

| **资源情况** | 野生资源丰富，栽培资源丰富。药材来源于野生和栽培。 |

| **采收加工** | 春末夏初采摘，晒干。 |

| **药材性状** | 本品完整花蕾呈短圆锥状，花瓣6，皱缩、弯曲，淡黄色，边缘有时呈淡红色或淡紫色，花瓣展平时呈椭圆形，长1.2～2 cm，宽约0.8 cm，除去花瓣可见中央有半圆形花蕊，花瓣与花蕊多分离；花梗短，密被黄褐色绒毛。气微香，味淡。 |

| **功能主治** | 苦、涩，平。归肝经。活血调经，去瘀生新。用于血瘀经闭，月经不调。 |

| **用法用量** | 内服煎汤，9～12 g。 |

| **凭证标本号** | 441225190320006LY、440606220310031LY、440607200619009LY。 |

木兰科 Magnoliaceae 含笑属 Michelia

醉香含笑
Michelia macclurei Dandy

| 药 材 名 | 火力楠（药用部位：树皮、根、叶。别名：展毛含笑）。

| 形态特征 | 乔木。芽、嫩枝、叶柄、托叶及花梗均被红褐色短绒毛。叶革质，倒卵形、椭圆状倒卵形、菱形或长圆状椭圆形，先端短急尖或渐尖，基部楔形或宽楔形，下面被灰色毛且杂有褐色平伏短绒毛；叶柄无托叶痕。花单生或数花组成聚伞花序；花被片白色，通常为9，匙状倒卵形或倒披针形，内面花被片较狭小；花丝红色；雌蕊群密被褐色短绒毛。蓇葖果长圆形、倒卵状长圆形或倒卵状圆形。种子扁卵圆形。花期3～4月，果期9～11月。

| 生境分布 | 生于海拔500～1 000 m的山地林中，常与壳斗科植物混生成林，或组成小片纯林。分布于广东从化、乳源、电白、高州、信宜、广

宁、怀集、封开、阳春、连山、新兴及惠州（市区）等。

| **资源情况** | 野生资源较少。药材来源于野生。

| **采收加工** | 夏、秋季采收，晒干。

| **功能主治** | 苦、微辛，平。清热消肿。用于肠炎腹泻，跌打损伤，痈肿。

| **凭证标本号** | 441422190812176LY、440781190519027LY、440116220523026LY。

| **附   注** | 本种的变种展毛含笑 *Michelia macclurei* var. *sublanea* Dandy 与本种的区别在于其嫩枝、叶柄、托叶、苞片及花梗的短绒毛或柔毛展开而非紧贴。

木兰科 Magnoliaceae 含笑属 Michelia

深山含笑 Michelia maudiae Dunn

| 药 材 名 | 光叶白兰（药用部位：根、花）。

| 形态特征 | 常绿乔木。全株无毛。芽和幼枝稍有白粉。叶互生，革质，矩圆形或矩圆状椭圆形，长 7 ~ 18 cm，宽 4 ~ 8 cm，先端急尖，基部楔形或宽楔形，全缘，下面有白粉，中脉隆起，网脉明显；叶柄无托叶痕。花单生于枝梢叶腋，大型，白色；花被片 9，排成 3 轮；雄蕊多数，药室内向开裂；雌蕊群有柄，心皮多数。聚合果长 7 ~ 15 cm；蓇葖矩圆形，有短尖头，背缝开裂。种子红色。花期 2 ~ 3 月，果期 9 ~ 10 月。

| 生境分布 | 生于海拔 600 ~ 1 500 m 的密林中，常与马蹄荷、蕈树及壳斗科树木混生。分布于广东从化、曲江、始兴、仁化、翁源、乳源、新丰、

乐昌、信宜、高要、博罗、龙门、梅县、和平、阳山、连山、英德、连州、揭西及深圳（市区）、阳江（市区）等。

| **资源情况** | 野生资源丰富。

| **采收加工** | 全年均可采挖根，春季采收花，晒干。

| **功能主治** | 苦，凉。活血化瘀，清热解毒，消炎，凉血。用于跌打损伤，痈疮肿毒。

| **凭证标本号** | 441825210313040LY、441882190614009LY、441324181215040LY。

木兰科 Magnoliaceae 含笑属 Michelia

野含笑
Michelia skinneriana Dunn

| **药 材 名** | 野含笑（药用部位：枝、叶）。

| **形态特征** | 乔木。芽、幼枝、叶柄、叶下面中脉及花梗均密被褐色长柔毛。叶
革质，窄倒卵状椭圆形、倒披针形或窄椭圆形，长 5 ~ 11（ ~ 14）cm，
先端尾尖，基部楔形，下面疏被褐色长毛；托叶痕达叶柄先端。花
淡黄色；花被片 6，倒卵形，外轮 3 花被片基部被褐色毛；花药侧
向开裂；雌蕊群柄及心皮均密被褐色毛。聚合果常部分心皮不育，
弯曲或较短；蓇葖果黑色，球形或长圆形，先端具喙。花期 5 ~ 6 月，
果期 8 ~ 9 月。

| **生境分布** | 生于海拔 1 200 m 以下的山谷、山坡、溪边密林中。分布于广东
始兴、仁化、翁源、乳源、新丰、乐昌、怀集、封开、德庆、高要、

龙门、梅县、大埔、平远、连平、阳山、连山、新兴、郁南及广州（市区）。

| **资源情况** | 野生资源较少。药材来源于野生。

| **采收加工** | 夏、秋季采收，晒干。

| **功能主治** | 苦、辛，凉。活血化瘀，清热解毒。用于跌打损伤，肝炎。

| **凭证标本号** | 441523190516044LY、441622200923014LY、440224181202020LY。

| **附　　注** | 本种与含笑形态相近，但含笑叶较短小，上半部宽且圆，先端具钝短尖，花被片质厚，常呈紫红色，雌蕊群无毛。

木兰科 Magnoliaceae 观光木属 Tsoongiodendron

观光木

Tsoongiodendron odorum Chun

| 药 材 名 | 观光木（药用部位：茎皮、根皮。别名：香花木）。

| 形态特征 | 常绿乔木。小枝、芽、叶柄、叶面中脉、叶背和花梗均被黄棕色糙
伏毛。叶片倒卵状椭圆形，先端急尖或钝，基部楔形；叶柄基部
膨大；托叶痕达叶柄中部。花蕾苞片被柔毛；花被片象牙黄色，
有红色小斑点，狭倒卵状椭圆形；花丝白色或带红色；雌蕊密被
平伏柔毛，花柱红色，雌蕊群柄密被糙伏毛。聚合果长椭圆形，外
果皮干时呈深棕色，具显著的黄色斑点。种子椭圆形或三角状倒卵
圆形。花期 3 月，果期 10 ～ 12 月。

| 生境分布 | 生于海拔 100 ～ 1 000 m 的山地林缘或疏林间。分布于广东乐昌、
仁化、英德、高要、阳春及茂名（市区）。

| **资源情况** | 野生资源较少，栽培资源较少。药材来源于栽培。

| **功能主治** | 抗癌。用于恶性肿瘤。

| **凭证标本号** | 441324181227001LY、440111200815058LY、441427180310124LY。

八角科 Illiciaceae 八角属 Illicium

红花八角
Illicium dunnianum Tutcher

| 药 材 名 | 樟木钻（药用部位：根、树皮。别名：野八角、山八角、石莽草）。

| 形态特征 | 常绿灌木。叶常 3 ~ 8 集生于枝顶；叶片革质或薄革质，狭长披针形或狭长倒披针形，长 4 ~ 10 cm，宽 0.8 ~ 2 cm，先端尾状渐尖或急尖，基部窄楔形，全缘，干后稍后卷，侧脉 8 ~ 10 对。花单生或 2 ~ 3 簇生于叶腋或近枝顶；花被片 12 ~ 20，粉红色或红色，最大花被片椭圆形或近圆形；雄蕊通常 24；心皮 8 ~ 13。蓇葖果木质，有明显钻形尖头，稍反曲。种子亮褐色，有光泽。花期 4 ~ 7 月，果期 7 ~ 10 月。

| 生境分布 | 生于海拔 500 ~ 700 m 的山谷溪旁、河流两岸、山地密林阴湿处或岩石缝中。分布于广东增城、从化、新丰、乐昌、新会、台山、龙门、

丰顺、阳春及珠海（市区）、肇庆（市区）等。

| 资源情况 | 野生资源较少。药材来源于野生。

| 采收加工 | 根，全年均可采挖，洗净，切片，晒干。树皮，秋季剥取，晒干。

| 功能主治 | 苦、辛，温；有毒。祛风止痛，散瘀消肿。用于风湿骨痛，跌打损伤，骨折。

| 用法用量 | 外用适量，研末酒调敷；或浸酒搽。

| 凭证标本号 | 440781190519028LY、440781190827016LY、440781190828008LY。

| 附　　注 | 本种与小花八角 *Illicium micranthum* Dunn 的区别是小花八角叶为倒卵状椭圆形或狭长圆状椭圆形，花很小，最大花被片长仅 5 ～ 8 mm，雄蕊 10 ～ 12，心皮 7 ～ 8。

八角科 Illiciaceae 八角属 Illicium

红茴香

Illicium henryi Diels

| 药 材 名 |

红茴香根（药用部位：根或根皮。别名：土八角、桂花钻、八角茴）。

| 形态特征 |

常绿灌木或小乔木。幼枝褐色。叶互生；叶柄上部有不明显的窄翅；叶片革质，长披针形、倒披针形或倒卵状椭圆形，长10 ~ 16 cm，先端长渐尖，基部楔形，全缘，边缘稍反卷，上面有光泽及透明油点。花红色，腋生或近顶生，单生或2 ~ 3集生；花被片10 ~ 15，最大花被片椭圆形或宽椭圆形；雄蕊11 ~ 14；心皮7 ~ 9，花柱钻形。蓇葖果7 ~ 9，先端鸟喙状。种子扁卵形，平滑且有光泽。花期4 ~ 5月，果期9 ~ 10月。

| 生境分布 |

生于海拔300 ~ 1 900m的山地密林、疏林或山谷、溪边灌丛中。分布于广东广州（市区）等。

| 资源情况 |

野生资源较少。药材来源于野生。

| 采收加工 | 全年均可采挖根，洗净，晒干；或切成小段，晒至半干，剖开皮部，除去木质部，取根皮，晒干。 |

| 药材性状 | 本品根呈圆柱形，常不规则弯曲，直径 2 ~ 3 cm；表面粗糙，棕褐色，具明显横向裂纹和纵皱纹，少数栓皮易剥落而现出棕色皮部；质坚硬，不易折断，断面淡棕色，皮部红棕色，木部占根的大部分，并可见同心环；气香，味辛、涩。根皮为不规则的块片，略卷曲，厚 1 ~ 2 mm；外面棕褐色，具纵皱纹及少数横向裂纹，内面红棕色，光滑，有纵向纹理；质坚而脆，断面稍整齐；气香，味辛、涩。 |

| 功能主治 | 辛，温；有大毒。活血止痛，祛风除湿。用于跌打损伤，风寒湿痹，腰腿痛。 |

| 用法用量 | 内服煎汤，根 3 ~ 6 g，根皮 1.5 ~ 4.5 g；或研末，0.6 ~ 0.9 g。外用适量，研末敷。 |

| 凭证标本号 | 440281190427027LY、440785180715054LY。 |

| 附 注 | 本种果实与食用的八角茴香不同，本种果实较瘦小，蓇葖果长短、大小不一，先端细长且渐尖，尖头长 3 ~ 5 mm，果皮较薄，背面粗糙，皱缩，香气没有八角茴香浓烈。
本种和披针叶八角 *Illicium lanceolatum* A. C. Smith、大八角 *Illicium majus* Hook. f. et Thoms. 的叶片都较大，且有明显的钻形花柱，雄蕊有隆起的药室，盛花期药室张开得很大。三者的不同之处是本种的雄蕊 11 ~ 14，心皮 7 ~ 9，花被片 10 ~ 15，披针叶八角雄蕊较少（6 ~ 11），心皮较多（10 ~ 13），花被片 10 ~ 15；而大八角的雄蕊较多（12 ~ 21），心皮 10 ~ 14，花被片 15 ~ 21。 |

八角科 Illiciaceae 八角属 Illicium

假地枫皮

Illicium jiadifengpi B. N. Chang

| 药 材 名 | 假地枫皮（药用部位：树皮、根皮。别名：大屿八角、闽皖八角）。

| 形态特征 | 乔木，高 8 ～ 20 m。树皮褐黑色，剥下后为板块状。芽卵形，芽鳞卵形或披针形，有短缘毛。叶狭椭圆形或长椭圆形，中脉在叶两面均明显凸起；叶柄上面具狭沟。花白色或带浅黄色，腋生或近顶生；花被片长，23 ～ 55，薄纸质或近膜质，狭舌形；雄蕊 28 ～ 32；心皮 12 ～ 14。果柄长 15 ～ 30 mm；蓇葖果先端有向上弯曲的尖头。种子浅黄色。花期 3 ～ 5 月，果期 8 ～ 10 月。

| 生境分布 | 生于海拔 1 000 ～ 1 900 m 的山顶、山腰的密林、疏林中，有时成片分布。分布于广东乳源、乐昌等。

| 资源情况 | 野生资源较少。药材来源于野生。

| 药材性状 | 本品树皮多呈槽状或板块状，长 10 ~ 50 cm，直径 3 ~ 7 cm，厚 2 ~ 5 mm。外表面棕褐色，粗糙，常附有灰白色地衣斑或毛须状苔藓植物，皮孔明显，类圆形或椭圆形；内表面棕黄色至棕红色，平滑。质坚硬，折断面平整。遇水无黏滑感。气微，味淡。

| 功能主治 | 有小毒。用于风湿骨痛，跌打损伤，瘀血肿痛。

| 用法用量 | 内服煎汤，3 ~ 6 g。

| 凭证标本号 | 441825210313009LY。

披针叶八角

Illicium lanceolatum A. C. Smith

| 药 材 名 | 莽草（药用部位：叶。别名：狭叶茴香、山木蟹、芒草）、莽草根（药用部位：根或根皮。别名：红茴香根、老根、八角脚根）。

| 形态特征 | 常绿灌木或小乔木。单叶互生或集生；叶革质，披针形、倒披针形或椭圆形，长 6 ~ 15 cm，宽 1.5 ~ 4.5 cm，先端尾尖或渐尖，基部窄楔形，全缘，边缘稍反卷，无毛。花腋生或近顶生，单生或 2 ~ 3 集生于叶腋；花被片 10 ~ 15，红色至深红色；雄蕊 6 ~ 11；心皮 10 ~ 13，花柱直立，钻形。菁葖果 10 ~ 13，木质，先端有长而弯曲的尖头。种子淡褐色。花期 5 ~ 6 月，果期 8 ~ 10 月。

| 生境分布 | 生于海拔 300 ~ 1 500 m 的阴湿峡谷和溪流沿岸的混交林、疏林、灌丛中。分布于广东始兴、乳源、乐昌、大埔、阳山、连山、饶平。

| 资源情况 | 野生资源丰富。药材来源于野生。

| 采收加工 | 莽草：春、夏季采摘，鲜用或晒干。

莽草根：全年均可采挖，除净杂质，切片，晒干；或将根切成小段，晒至半干，用小刀割开皮部，除去木质部。

| 药材性状 | 莽草：本品干者多皱缩或破碎，完整者展平后为披针形、倒披针形或椭圆形，长 6 ～ 15 cm，宽 1.5 ～ 4.5 cm，基部窄楔形，边缘微反卷，两面均为绿色，下面色稍淡；叶柄长 7 ～ 15 mm。气香烈，味辛；有毒。

莽草根：本品根圆柱形，常不规则弯曲，直径 2 ～ 3 cm；表面粗糙，棕褐色，具明显的横裂纹和纵皱纹，有的栓皮易剥落而现出红棕色皮部；质坚硬，不易折断，断面淡棕色，木质部占根的大部分，并可见年轮。根皮为不规则块片，略卷曲，厚 1 ～ 2 mm；外表面棕褐色，具纵皱纹及少数横裂纹，内表面红棕色，光滑，有纵纹理；质坚脆，断面略整齐。

| 功能主治 | 莽草：辛，温；有毒。祛风止痛，消肿散结，杀虫止痒。用于头风，皮肤麻痹，瘰疬，喉痹，疝瘕，癣疥，秃疮，风虫牙痛，狐臭。

莽草根：苦、辛，温；有毒。祛风除湿，散瘀止痛。用于风湿痹痛，关节、肌肉疼痛，腰肌劳损，跌打损伤，痈疽肿毒。

| 用法用量 | 莽草：外用适量，捣敷；研末敷；或煎汤熏洗、含漱。禁内服，不可入目。

莽草根：内服煎汤，3 ～ 6 g；或研末，0.3 ～ 0.9 g。外用适量，捣敷；或浸酒搽。

| 凭证标本号 | 441523190516028LY、441882180912028LY、440224180403021LY。

八角科 Illiciaceae 八角属 Illicium

大八角

Illicium majus Hook. f. et Thoms.

| 药 材 名 | 大八角（药用部位：根、茎皮。别名：神仙果、野八角）。

| 形态特征 | 乔木。叶互生或 3 ~ 6 排成轮生状，革质，长圆状披针形或倒披针形，长 10 ~ 20 cm，先端渐尖，基部楔形，上面中脉凹下，侧脉 6 ~ 9 对。花腋生、近顶生或生于老枝上，单生或 2 ~ 4 簇生。聚合果；蓇葖果 11 ~ 14，先端骤尖，喙尖钻状。种子淡褐色或褐色。花期 4 ~ 6 月，果期 7 ~ 10 月。

| 生境分布 | 生于海拔 200 ~ 1 902 m 的混交林、密林、灌丛或有林的石坡、溪流沿岸。分布于广东增城、从化、仁化、翁源、乳源、新丰、乐昌、台山、信宜、怀集、封开、龙门、蕉岭、阳春、阳山、连山、英德、饶平等。

周欣欣提供

| **资源情况** | 野生资源较少。药材来源于野生。

| **功能主治** | 辛，温；有毒。消痈散结，除痹止痛。

| **凭证标本号** | 440222181026002LY。

八角科 Illiciaceae 八角属 Illicium

小花八角

Illicium micranthum Dunn

| 药 材 名 | 树救主（药用部位：根。别名：山八角、野八角）。

| 形态特征 | 常绿小乔木或灌木。嫩枝略有棱。叶不规则互生或 3 ~ 5 集生，薄革质或革质；叶柄具不明显的窄翅；叶片倒卵状椭圆形或窄长圆形，长 4 ~ 11 cm，宽 1.3 ~ 4 cm，先端尾状渐尖或渐尖，基部楔形，边缘微反卷。花小，单生于叶腋或集生于枝梢叶腋，初为绿白色或黄色，后为红色或橘红色；花被片 17 ~ 20，具不明显的透明腺点；雄蕊 10 ~ 12；心皮 7 ~ 8。蓇葖果 6 ~ 8。种子浅棕色。花期 4 ~ 5 月，果期 7 ~ 9 月。

| 生境分布 | 生于海拔 500 ~ 1 300 m 的灌丛，混交林，山涧，山谷疏林、密林中或峡谷溪边。分布于广东广宁、封开、德庆、龙门、阳春、连山、

曾云保提供

连州及云浮（市区）等。

| **资源情况** | 野生资源较少。药材来源于野生。

| **采收加工** | 全年均可采挖，除尽杂质，晒干。

| **功能主治** | 辛，温；有毒。行气止痛，散瘀消肿。用于胃痛，腹痛，气痛，跌打损伤。

| **用法用量** | 内服煎汤，1 ~ 1.5 g。

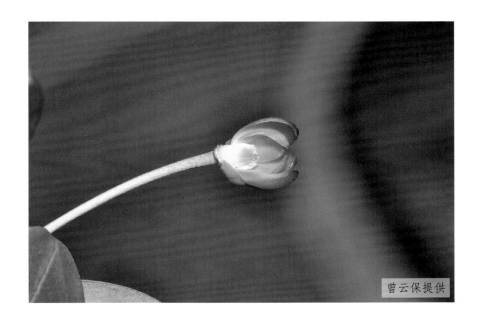

曾云保提供

八角

Illicium verum Hook. f.

| 药 材 名 | 八角茴香（药用部位：成熟果实。别名：八角珠、五香八角、大料）、八角茴香油（药材来源：新鲜枝叶或成熟果实经水蒸气蒸馏而提取的挥发油）。

| 形态特征 | 常绿乔木。枝密集，呈水平伸展。单叶互生或 3 ～ 6 簇生于枝顶；叶片革质，长椭圆形或椭圆状披针形，长 6 ～ 12 cm，先端渐尖或急尖，基部楔形，全缘，上面有光泽和油点，下面疏生柔毛。花单生于叶腋；花被片 7 ～ 12，数轮，内轮花被片粉红色；雄蕊 11 ～ 19，排成 1 ～ 2 轮；心皮 8 ～ 9，离生。聚合果；蓇葖果多为 8，呈八角形，先端钝尖或钝。种子 1，扁卵形，亮棕色。花期春、秋季，果期秋季至翌年春季。

| 生境分布 | 生于海拔 200 ～ 700 m 地区。分布于广东信宜、罗定等。

| 资源情况 | 野生资源丰富，栽培资源丰富。药材来源于野生和栽培。

| 采收加工 | **八角茴香**：秋、冬季果实由绿变黄时采摘，置沸水中略烫后干燥或直接干燥。
八角茴香油：取新鲜枝叶或成熟果实，经水蒸气蒸馏提取而得挥发油。

| 药材性状 | **八角茴香**：本品聚合果多由 8 蓇葖果组成。蓇葖果长 1 ～ 2 cm，宽 0.3 ～ 0.5 cm，高 0.6 ～ 1 cm；外表面红棕色，先端呈鸟喙状，上侧多开裂。种子扁卵圆形，红棕色或黄棕色，光亮，尖端有种脐。气芳香，味辛、甘。
八角茴香油：本品为无色或淡黄色澄清液体，气味与八角茴香类似。冷时常浑浊或析出结晶，加温后又澄清。

| 功能主治 | 辛，温。归肝、肾、脾、胃经。温阳散寒，理气止痛。用于寒疝腹痛，肾虚腰痛，胃寒呕吐，脘腹冷痛。

| 用法用量 | **八角茴香**：内服煎汤，3 ～ 6 g，或入丸、散剂。外用适量，研末敷。

| 凭证标本号 | 441523190514010LY、441825190503018LY、441224180611002LY。

| 附　注 | 八角属某些有毒植物如披针叶八角 *Illicium lanceolatum* A. C. Smith、红茴香 *Illicium henryi* Diels、多蕊红茴香 *Illicium henryi* Diels var. *multistamineum* A. C. Smith、大八角 *Illicium majus* Hook. f. et Thoms.、短柱八角 *Illicium brevistylum* A. C. Smith 等果实的外形与八角茴香极相似，人们常因误用这些植物的果实而中毒甚至死亡，因此必须注意鉴别。

五味子科 Schisandraceae 南五味子属 Kadsura

黑老虎 Kadsura coccinea (Lem.) A. C. Smith

| 药 材 名 | 黑老虎（药用部位：根、藤茎。别名：冷饭团、过山龙藤、钻地风）。

| 形态特征 | 藤本。根有香气，味辛辣。叶长圆形至卵状披针形，长 7 ~ 18 cm，宽 3 ~ 8 cm，先端钝、急尖或短渐尖，基部阔楔形或近圆形，全缘，稍背卷。花多单朵腋生；雌雄异株；雄花花被片绯红色，10 ~ 16，中间的花被片最大，里面 3 花被片明显增厚，雄蕊柱先端有线状钻形附属体，雄蕊 14 ~ 48；雌花花被片与雄花花被片相似，心皮 50 ~ 80。聚合果近球形。种子心形或卵状心形。花期 4 ~ 7 月，果期 7 ~ 11 月。

| 生境分布 | 生于海拔 1 500 ~ 1 902 m 的林中，常缠绕于大树上。分布于广东除西南部雷州半岛以外的地区。

资源情况	野生资源丰富，栽培资源丰富。药材来源于野生和栽培。
采收加工	全年均可采收，根洗净，切成小段，藤茎刮去栓皮，切段，晒干。
药材性状	本品根呈圆柱形，略扭曲，直径 1 ～ 4 cm；表面深棕色至灰黑色，有多数纵皱纹及横裂纹，弯曲处裂成横沟；质坚韧，不易折断，断面粗纤维性，皮部宽厚，棕色，易剥离，木质部浅棕色，质硬，密布导管小孔；气微香，味先微甘而后微辛。藤茎断面中央有深棕色的髓部；味较根淡。
功能主治	辛，微苦。行气止痛，散瘀通络。用于胃、十二指肠溃疡，慢性胃炎，急性胃肠炎，风湿痹痛，跌打损伤，骨折，痛经，产后瘀血腹痛，疝气痛。
用法用量	内服煎汤，9 ～ 15 g；或研末，0.9 ～ 1.5 g；或浸酒。外用适量，研末撒；或捣敷；或煎汤洗。
凭证标本号	441523190919051LY、440281190626011LY、441823200722038LY。

五味子科 Schisandraceae 南五味子属 *Kadsura*

异形南五味子

Kadsura heteroclite (Roxb.) Craib

| 药 材 名 | 地血香（药用部位：根、藤茎。别名：海风藤、大叶过山龙、过山龙藤）、地血香果（药用部位：果实）。

| 形态特征 | 木质大藤本。老茎具厚而松软且块状纵裂的栓皮。叶互生；叶片卵状椭圆形或宽椭圆形，先端渐尖或急尖，基部宽楔形或近圆形，上部边缘有疏齿或全缘，侧脉 7 ～ 11 对。花单性，生于叶腋；雌雄异株；花被片 11 ～ 15，淡黄色，排成 4 ～ 5 轮，中轮花被片较大，椭圆形至倒卵形；雄蕊群球形，先端无附属物，雄蕊 50 ～ 65；雌蕊群球形，心皮 30 ～ 55，柱头盾状。聚合果近球形；小浆果倒卵形。种子 2 ～ 3，长圆形或肾形。花期 5 ～ 8 月，果期 8 ～ 12 月。

| 生境分布 | 生于海拔 400 ～ 900 m 的山谷、溪边、密林中。分布于广东从化、

翁源、乳源、新丰、乐昌、新会、高州、信宜、广宁、怀集、封开、高要、博罗、惠东、龙门、大埔、紫金、阳春、连山、英德、连州及云浮（市区）等。

| 资源情况 | 野生资源丰富，栽培资源丰富。药材来源于野生和栽培。

| 采收加工 | 地血香：全年均可采收，切片，晒干。

地血香果：夏、秋季采收，除去果柄，晒干。

| 药材性状 | 本品根圆柱形，分枝多，多弯曲；表面深棕色或棕黑色，具多数纵皱纹和稀疏横向裂纹；质坚韧，不易折断，断面栓皮灰白色，有时脱离，皮部较薄，棕红色，木部灰棕色，具明显小孔；皮部与木部不易分离，剥离后常有纤维粘于木部。藤茎圆柱形，稍弯曲，直径 1.5 ~ 5 cm，老藤茎栓皮柔软而富弹性，栓皮易呈块状剥落；横切面皮部窄，红褐色，木部宽，浅棕色，多数小孔排列成明显的轮状，髓部小，黑褐色，呈空洞状；具特异香气，味淡而微涩。

| 功能主治 | 地血香：辛、苦，温。归脾、胃、肝经。祛风除湿，行气止痛，舒筋活络。用于风湿痹痛，胃痛，腹痛，痛经，产后腹痛，跌打损伤，慢性腰腿痛。

地血香果：辛，微温。益肾宁心，祛痰止咳。用于肾虚腰痛，神经衰弱，支气管炎。

| 用法用量 | 地血香：内服煎汤，9 ~ 15 g；或研末，1.5 ~ 3 g；或浸酒。外用适量，研末敷。

地血香果：内服煎汤，6 ~ 9 g。

| 凭证标本号 | 441823190929033LY、441882180914011LY、441224180615045LY。

五味子科 Schisandraceae 南五味子属 Kadsura

南五味子 *Kadsura longipedunculata* Finet et Gagnep.

药材名

南五味子根（药用部位：根。别名：小号风沙藤）。

形态特征

藤本。根有香气，味辛辣。叶长圆状披针形至倒卵状披针形或卵状长圆形，长 5 ～ 13 cm，先端渐尖或急尖，基部狭楔形、阔楔形或钝，边有疏齿；侧脉每边 5 ～ 7。雌雄异株；花单生于叶腋，白色或淡黄色；花被片 8 ～ 17，外面和里面的花被片较小，中间的花被片最大，椭圆形；雄蕊柱球形，雄蕊 30 ～ 70；心皮 40 ～ 60。聚合果球形。种子 2 ～ 3，肾形或肾状椭圆形。花期 6 ～ 9 月，果期 9 ～ 12 月。

生境分布

生于海拔 1 000 m 以下的山坡、林中。分布于广东曲江、始兴、仁化、翁源、乳源、新丰、乐昌、怀集、龙门、蕉岭、兴宁、紫金、龙川、连平、和平、阳山、连山、英德、连州、罗定及广州（市区）等。

资源情况

野生资源丰富。药材来源于野生。

| **采收加工** | 全年均可采挖，除去泥沙，晒干。 |

| **药材性状** | 本品呈圆柱形，常弯曲，长短不一，直径 1 ~ 2.5 cm。表面淡灰棕色至紫褐色，有纵皱纹及深陷的横裂纹，有的皮部断裂并露出木部。断面皮部淡紫褐色，纤维性，木部淡棕黄色，可见明显的小孔。气香，味微苦，有辛凉感。 |

| **功能主治** | 辛、苦，温。归脾、胃、肝经。理气止痛，祛风通络，活血消肿。用于胃痛，腹痛，风湿痹痛，痛经，月经不调，产后腹痛，咽喉肿痛，痔疮，无名肿毒，跌打损伤。 |

| **用法用量** | 内服煎汤，9 ~ 15 g；或研末，1 ~ 1.5 g。外用适量，煎汤洗；或研末敷。 |

| **凭证标本号** | 440882180407008LY、440281190815012LY、441823201031029LY。 |

五味子科 Schisandraceae 南五味子属 Kadsura

冷饭藤
Kadsura oblongifolia Merr.

| 药 材 名 |

水灯盏（药用部位：根、茎。别名：小红钻、吹风散、饭团藤）。

| 形态特征 |

藤本。叶长圆状披针形、长圆形或狭椭圆形，长 5 ~ 10 cm，宽 1.5 ~ 4 cm，先端圆或钝，基部宽楔形，边缘有不明显疏齿，侧脉每边 4 ~ 8。雌雄异株；花单生于叶腋；雄花花被片 12 ~ 13，黄色，雄蕊群球形，雄蕊约 25，几无花丝；雌花花被片与雄花花被片相似，雌蕊 35 ~ 50（~60）。聚合果近球形或椭圆形；小浆果椭圆形或倒卵圆形，干时显出种子。种子 2 ~ 3，肾形或肾状椭圆形，种脐稍凹入。花期 7 ~ 9 月，果期 10 ~ 11 月。

| 生境分布 |

生于海拔 250 ~ 1 000 m 的山坡疏林中、沟边潮湿处。分布于广东仁化、徐闻、怀集、高要、五华、蕉岭、阳春、阳山及广州（市区）等。

| 资源情况 |

野生资源较少。药材来源于野生。

| 采收加工 | 全年均可采收，洗净，切片，鲜用或晒干。

| 药材性状 | 本品根呈圆柱形，弯曲，直径 0.5 ~ 1.2 cm；表面灰黄色或黄白色，具纵沟纹和横裂纹；质硬而韧，不易折断，断面木栓层黄白色，粉性，皮部棕红色，纤维性，木部淡黄色或黄棕色，具放射状纹理。气香，味辛、涩。茎呈圆柱形，直径 0.3 ~ 1 cm；表面黄棕色或紫褐色，具纵纹，有互生的叶柄痕；质轻，易折断，纤维性，木部黄白色或棕黄色，中部髓大，多中空。

| 功能主治 | 甘，温。归肺、胃、脾、大肠经。祛风除湿，强筋壮骨，补肾健脾，散寒，行气止痛。用于感冒，风湿痹痛，跌打损伤，心胃气痛及痛经等。

| 用法用量 | 内服煎汤，9 ~ 15 g。外用适量，捣敷；或研末敷。

| 凭证标本号 | 441825190709029LY、440281200707037LY、440281200713028LY。

五味子科 Schisandraceae 五味子属 Schisandra

翼梗五味子

Schisandra henryi Clarke

| 药 材 名 | 紫金血藤（药用部位：藤茎、根。别名：黄皮血藤、血藤、香血藤）、五味子（药用部位：果实。别名：西五味子、川五味子、峨眉五味子）。

| 形态特征 | 木质藤本。小枝棱上有革质翅；老枝皮孔明显。叶纸质或近革质；叶片卵形或椭圆状卵形，长 6 ～ 11 cm，宽 3 ～ 8 cm，先端短尖，基部宽楔形，下面被白粉，网脉稀疏。雌雄异株；花单性，淡黄色；花被片 7 ～ 8；雄蕊群卵圆形，分离，雄蕊 28 ～ 60，排成 3 ～ 4 列；雌蕊群近球形或长圆状椭圆形，心皮 50 ～ 60，花柱甚短。聚合果长 4 ～ 8 cm；小浆果扁球形或扁椭圆形；红黄色。种子 2，种皮有瘤状突起。花期 5 ～ 7 月，果期 8 ～ 9 月。

| **生境分布** | 生于海拔 500 ~ 1 902 m 的林下或溪沟边。分布于广东乳源、乐昌、南雄、信宜、阳山、连山、连州等。 |

| **资源情况** | 野生资源较少。药材来源于野生。 |

| **采收加工** | **紫金血藤**：秋季采收，切片，晒干。
五味子：秋季果实成熟时采摘，除去果柄和杂质，晒干或蒸后晒干。 |

| **药材性状** | **紫金血藤**：本品藤茎呈长圆柱形，少分枝，长 30 ~ 50 cm，直径 2 ~ 4 cm；表面棕褐色或黑褐色，具深浅不等的纵沟和黄色点状皮孔，幼枝表面具棱翅；横断面皮部棕褐色，木部淡棕黄色，可见排列成放射状的小孔，髓部深棕色，常破裂或呈空洞状。根似藤茎，但较粗壮，皮部纵裂成深沟，棱较绵软，少有支根。
五味子：本品呈不规则球形或扁球形；表面红色，肉薄。种子棕黄色，球状肾形；种皮有多数细小的瘤状突起。 |

| **功能主治** | **紫金血藤**：辛、涩，温。归肝、脾经。祛风除湿，行气止痛，活血止血。用于风湿痹痛，心胃气痛，劳伤吐血，闭经，月经不调，跌打损伤，金疮，肿毒。
五味子：酸、甘，温。归肺、心、肾经。收敛固涩，益气生津，补肾宁心。用于久嗽虚喘，梦遗滑精，遗尿尿频，久泻不止，自汗盗汗，津伤口渴，内热消渴，心悸失眠。 |

| **用法用量** | **紫金血藤**：内服煎汤，15 ~ 30 g；或浸酒。
五味子：内服煎汤，2 ~ 6 g。 |

| **凭证标本号** | 440224190609070LY、441882180506010LY。 |

五味子科 Schisandraceae 五味子属 Schisandra

铁箍散

Schisandra propinqua (Wall.) Baill. var. *sinensis* Oliv.

| 药 材 名 | 小血藤（藤茎、根。别名：香巴戟、钻骨风、血糊藤）、小血藤叶（药用部位：叶）。

| 形态特征 | 木质藤本。叶互生；叶片革质，卵状披针形或长圆状披针形，长5 ~ 12 cm，宽 1 ~ 3 cm，先端长渐尖，基部宽楔形至圆形，边缘具不明显的疏齿，嫩叶上面具浅色斑纹，下面略被白粉；侧脉 6 ~ 8对，不明显。雌雄异株；花单生或簇生于叶腋；花被片 6 ~ 9，排成 3 轮，最外轮花被片较小；雄蕊 6 ~ 9，嵌于肥大的花托缝穴中；雌蕊群球形，心皮 10 ~ 30。小浆果球形，成熟时呈鲜红色。种子肾圆形；种皮光滑。花期 6 ~ 8 月，果期 7 ~ 10 月。

| 生境分布 | 生于海拔 300 ~ 1 500 m 的向阳山坡或山沟灌丛中。广东深圳仙湖

植物园有栽培。

| **资源情况** | 野生资源较丰富，栽培资源较少。药材来源于野生。

| **采收加工** | 小血藤：10 ~ 11 月采收，晒干或鲜用。

小血藤叶：夏季采收，晒干或鲜用。

| **药材性状** | 小血藤：本品藤茎呈细长圆柱形，直径 0.2 ~ 0.6cm；表面红棕色或棕褐色，有纵皱纹及红棕色皮孔；质坚韧，折断面呈刺片状，皮部易与木部分离，皮部棕褐色，木部粉白色，髓部中央有空心；气香，味微辛，嚼之有黏性。根呈圆柱形，常弯曲，长 20 ~ 40 cm，直径 0.3 ~ 1.2 cm；表面红褐色或棕红色，常有环状裂缝；质坚，难折断，断面皮部厚，呈灰绿色，木部呈刺片状，黄白色。气香，味辛，微苦、涩，嚼之有黏性。

小血藤叶：本品呈狭披针形、狭卵状矩圆形或矩圆形，先端长渐尖，基部圆形或宽楔形，边缘有疏锯齿，革质。气微香，味辛。

| **功能主治** | 小血藤：辛，温。祛风活血，解毒消肿，止血。用于风湿病，筋骨疼痛，跌打损伤，月经不调，胃痛，腹胀，痈肿疮毒，劳伤吐血。

小血藤叶：甘、辛、微涩，平。解毒消肿，散瘀止血。用于疮疖肿毒，乳痈，外伤出血，骨折，毒蛇咬伤。

| **用法用量** | 小血藤：内服煎汤，10 ~ 15 g；或浸酒。外用适量，捣敷；或煎汤洗。

小血藤叶：外用捣敷，30 g，鲜品加倍；或煎汤洗；干品研末撒或调敷。

华中五味子

Schisandra sphenanthera Rehd. et Wils.

| 药 材 名 | 南五味子（药用部位：果实）、五香血藤（药用部位：藤茎、根。别名：大血藤、紫金藤、钻骨风）。

| 形态特征 | 落叶藤本。老枝皮孔明显。叶互生，纸质；叶柄带红色；叶片倒卵形、宽卵形或倒卵状长椭圆形，长 4 ~ 10 cm，先端短尖或渐尖，基部楔形或圆形，边缘疏生波状细齿，侧脉 4 ~ 5 对，网脉较明显。雌雄异株；花单性，橙黄色，单生或 1 ~ 3 簇生于叶腋；花被片 5 ~ 9，中轮花被片具缘毛，背面有腺点；雄蕊 10 ~ 19；雌蕊群近球形，心皮 30 ~ 60。浆果球形，成熟后呈鲜红色。种子肾形；种皮脊背上有少数瘤状点。花期 4 ~ 6 月，果期 8 ~ 9 月。

| 生境分布 | 生于海拔 600 ~ 1 902 m 的湿润山坡边或灌丛中。分布于广东南岭

国家级自然保护区。

| **资源情况** | 野生资源丰富，栽培资源丰富。药材来源于野生和栽培。

| **采收加工** | **南五味子**：秋季果实成熟时采摘，晒干，除去果柄和杂质。
五香血藤：全年均可采收，切片，晒干。

| **药材性状** | **南五味子**：本品呈球形或扁球形，直径 4 ~ 6 mm，表面棕红色至暗棕色，皱缩；果肉常紧贴于种子上。种子 1 ~ 2，肾形，表面棕黄色，有光泽；种皮薄而脆。果肉气微，味微酸。

| **功能主治** | **南五味子**：酸、甘，温。收敛固涩，益气生津，补肾宁心。用于久嗽虚喘，梦遗滑精，遗尿尿频，久泻不止，自汗盗汗，津伤口渴，内热消渴，心悸失眠。
五香血藤：酸，温。归肝、肺、胃经。舒筋活血，理气止痛，健脾消食，敛肺生津。用于跌打损伤，骨折，劳伤，风湿腰痛，关节酸痛，食积，胃痛，腹胀，久咳气短，津少口渴，月经不调，小儿遗尿，烫伤。

| **用法用量** | **南五味子**：内服煎汤，2 ~ 6 g。
五香血藤：内服煎汤，10 ~ 30 g；或浸酒。外用适量，捣敷；或研末撒。

| **凭证标本号** | 440281200713026LY。

| **附　　注** | 本种分布广，叶形变异大，常被误认为是五味子。五味子老枝皮不规则脱落，叶膜质，背面中脉及侧脉明显被毛，花梗长 4 ~ 8 mm，小浆果外果皮具不明显腺点，种子较大，淡褐色，种脐明显凹入呈 "U" 字形，以此可将本种与五味子区别开来。

五味子科 Schisandraceae 五味子属 Schisandra

绿叶五味子 Schisandra viridis A. C. Smith

| 药 材 名 | 绿叶五味子（藤茎、根。别名：风沙藤、过山风、内风消）。

| 形态特征 | 落叶藤本。幼枝有细棱；老枝表面呈片状剥落。叶互生，纸质；叶
片卵状椭圆形、卵形或倒卵形，长 4 ~ 16 cm，宽 2.5 ~ 8 cm，先
端渐尖，基部钝或楔形，边缘有锯齿或波状疏齿，近基部全缘，网
脉在两面均明显。雌雄异株；花单性，黄色、黄绿色或带粉红色；
花被片 6 ~ 7；雄蕊 10 ~ 20，着生于倒卵形或近球形花托上；雌蕊
群椭圆形，心皮 15 ~ 20。聚合果有小浆果 15 ~ 20。种子肾状椭圆
形；种皮具瘤点。花期 4 ~ 6 月，果期 6 ~ 10 月。

| 生境分布 | 生于海拔 250 ~ 1 200 m 的林中、山坡路旁及山沟溪边。分布于广
东丰顺、蕉岭、乐昌、连州、南雄、平远、乳源、翁源、五华、阳山、

英德、紫金及梅州（市区）等。

| **资源情况** | 野生资源较少。药材来源于野生。

| **采收加工** | 全年均可采收，切片，晒干或鲜用。

| **功能主治** | 辛，温。祛风活血，行气止痛。用于风湿骨痛，胃痛，疝气痛，月经不调，荨麻疹，带状疱疹。

| **用法用量** | 内服煎汤，15 ~ 30 g。外用适量，煎汤洗；或捣敷；或绞汁搽。

| **凭证标本号** | 440281190627008LY、441882190616031LY、441224180831019LY。

番荔枝科　Annonaceae　番荔枝属　Annona

牛心番荔枝

Annona reticulata Linn.

| 药 材 名 | 牛心果（药用部位：果实。别名：牛心梨）。

| 形态特征 | 乔木。枝条有瘤状凸起。叶纸质，长圆状披针形，长 9 ~ 30 cm，宽 3.5 ~ 7 cm，先端渐尖，基部急尖至钝，两面无毛。总花梗与叶对生或互生；花 2 ~ 10；萼片卵圆形，外面被短柔毛；外轮花瓣长圆形，肉质，黄色，基部紫色，外面被稀疏短柔毛，边缘有缘毛，内轮花瓣退化成鳞片状；雄蕊长圆形；心皮长圆形，被长柔毛。肉质聚合浆果近圆球状心形，成熟时呈暗黄色；果肉牛油状。种子长卵圆形。花期冬末至早春，果期翌年 3 ~ 6 月。

| 生境分布 | 多栽培于山坡地或平地田间。广东西南部雷州半岛等有栽培。

| **资源情况** | 栽培资源丰富。药材主要来源于栽培。 |

| **采收加工** | 春、夏季采收，鲜用或晒干。 |

| **功能主治** | 苦、甘，寒。归大肠经。清热止痢，驱虫。用于热毒痢疾，肠道寄生虫病。 |

| **用法用量** | 内服煎汤，15 ~ 20 g。 |

番荔枝

Annona squamosa Linn.

| 药 材 名 | 番荔枝（药用部位：果实。别名：林檎、佛头果、释迦果）、番荔枝根（药用部位：根）、番荔枝叶（药用部位：叶）。

| 形态特征 | 落叶小乔木。树皮薄，灰白色，多分枝。叶薄纸质，2 列，椭圆状披针形或长圆形，长 5 ~ 18 cm，先端微骤尖或钝，基部宽楔形或圆形，下面苍绿色，初被微毛，侧脉 8 ~ 15 对，上面扁平。花单生或 2 ~ 4 簇生于枝顶或与叶对生，绿黄色，下垂。果实长圆形，合成球形或心状圆锥形聚合浆果，无毛，黄绿色，被白霜，易分离。花期 5 ~ 6 月，果期 6 ~ 11 月。

| 生境分布 | 多栽培于土壤肥沃、排水良好的田间或山坡地。广东高要及广州（市区）、深圳（市区）、汕头（市区）、中山（市区）等有栽培。

| 资源情况 | 栽培资源丰富。药材主要来源于栽培。

| 采收加工 | **番荔枝**：夏、秋季采收，鲜用或晒干。
番荔枝根：全年均可采挖，洗净，鲜用或晒干。
番荔枝叶：春、夏季采收，鲜用或晒干。

| 功能主治 | **番荔枝**：甘，寒。补脾胃，清热解毒，杀虫。用于恶疮肿痛，肠寄生虫病。
番荔枝根：苦，寒。归大肠经。清热，解毒。用于热毒血痢。
番荔枝叶：苦、涩，微寒。归大肠、心经。收敛涩肠，清热解毒。用于赤痢，小儿脱肛，恶疮肿痛。

| 用法用量 | **番荔枝**：内服煎汤，10 ~ 30 g。外用适量，捣敷。
番荔枝根：内服煎汤，5 ~ 10 g。
番荔枝叶：内服煎汤，5 ~ 10 g。

| 凭证标本号 | 440103220504012LY、441481211007612LY。

番荔枝科 Annonaceae 鹰爪花属 Artabotrys

鹰爪花

Artabotrys hexapetalus (Linn. f.) Bhandari

| **药 材 名** | 鹰爪花根（药用部位：根。别名：鹰爪兰、五爪兰、莺爪）、鹰爪花果（药用部位：果实）。

| **形态特征** | 攀缘灌木。叶长圆形或宽披针形，长 6 ～ 16 cm，先端渐尖或尖，基部楔形，上面无毛，下面中脉疏被柔毛或无毛。花 1 ～ 2 生于钩状花序梗，淡绿色或黄色，芳香；萼片绿色，卵形，长约 8 mm，两面疏被柔毛，下部合生；花瓣长圆形或披针形，长 3 ～ 4.5 cm，外面基部密被柔毛，近基部缢缩；雄蕊多数，花药长圆形，药隔三角形，无毛；柱头线状长椭圆形。果实卵圆形，长 2.5 ～ 4 cm，先端尖，数个簇生。花期 5 ～ 8 月，果期 5 ～ 12 月。

| **生境分布** | 生于肥沃、疏松、湿润的土壤中。分布于广东信宜、高要、博罗及

广州（市区）、汕头（市区）等。

| 资源情况 | 野生资源稀少，栽培资源丰富。药材来源于栽培。

| 采收加工 | 鹰爪花根：全年均可采挖，除去须根，洗净，鲜用或晒干。
鹰爪花果：秋季果实成熟时采摘，鲜用或晒干。

| 药材性状 | 鹰爪花根：本品呈长条圆柱形，稍弯曲，长 30 ~ 60 cm，直径 0.6 ~ 2 cm。表面灰褐色，稍粗糙，有纵皱纹及微凸起的点状须根痕。质坚硬，不易折断，切断面皮部灰褐色，木部占大部分，浅黄棕色，略具放射状纹。气微香，味微辛、苦。

| 功能主治 | 鹰爪花根：苦，寒。归肝、脾经。截疟。用于疟疾。
鹰爪花果：辛、微苦，微寒。清热解毒，散结。用于瘰疬。

| 用法用量 | 鹰爪花根：内服煎汤，10 ~ 20 g，疟发前 2 小时服。
鹰爪花果：外用适量，捣烂或研末，黄酒调敷。

| 凭证标本号 | 441781160123033LY、440114211004063LY。

番荔枝科 Annonaceae 鹰爪花属 Artabotrys

香港鹰爪花

Artabotrys hongkongensis Hance

| 药 材 名 | 香港鹰爪（药用部位：根、果实。别名：港鹰爪、野鹰爪藤）。

| 形态特征 | 攀缘灌木。小枝被黄色粗毛。叶革质，椭圆形或长圆形，长 6 ~ 12 cm，基部近圆形，稍偏斜，两面无毛或下面中脉疏被柔毛，侧脉 8 ~ 10 对，在两面均凸起，离叶缘联结；叶柄疏被柔毛。花单生；花梗较钩状花序梗稍长，疏被柔毛；萼片三角形，近无毛；花瓣卵状披针形，基部内凹，外轮花瓣密被丝质柔毛，质厚；花药楔形，药隔三角形，先端隆起，被短柔毛；心皮无毛，柱头短棒状。果实椭圆形，干时呈黑色。花期 4 ~ 7 月，果期 5 ~ 12 月。

| 生境分布 | 生于海拔 300 ~ 1 500 m 的密林下或山谷疏林阴湿处。分布于广东始兴、乳源、乐昌、新会、台山、信宜、封开、博罗、阳春、郁南、

罗定及珠海（市区）等。

资源情况 野生资源较少，栽培资源较丰富。药材来源于栽培。

功能主治 根，苦，寒，杀虫。果实，微苦、涩，凉，清热解毒。

凭证标本号 441827180822035LY、445381160801006LY。

番荔枝科 Annonaceae 假鹰爪属 Desmos

假鹰爪
Desmos chinensis Lour.

| 药 材 名 | 酒饼叶（药用部位：叶。别名：山橘叶、串珠酒饼叶、假酒饼叶）、假鹰爪根（药用部位：根。别名：爪芋根）、鸡爪枝皮（药用部位：枝皮）。

| 形态特征 | 直立或攀缘灌木。枝条具纵纹及灰白色皮孔。叶薄纸质，长圆形或椭圆形，稀宽卵形，长 4 ～ 14 cm，先端钝尖或短尾尖，基部圆形或稍偏斜，下面粉绿色，侧脉 7 ～ 12 对。花黄白色，单花与叶对生或互生；萼片卵形，被微柔毛；花瓣 6，2 轮，外轮花瓣长圆形或长圆状披针形，内轮花瓣长圆状披针形，均被微毛；花托凸起，先端平或微凹；花药长圆形；心皮被长柔毛，柱头外弯，2 裂。果实念珠状。种子球形。花期夏季至冬季，果期 6 月至翌年春季。

| 生境分布 | 生于丘陵山坡、林缘灌丛中或低海拔荒野、路边以及山谷、沟边等。广东各地均有分布。 |

生境分布 生于丘陵山坡、林缘灌丛中或低海拔荒野、路边以及山谷、沟边等。广东各地均有分布。

资源情况 野生资源丰富，栽培资源丰富。药材来源于野生和栽培。

采收加工 酒饼叶：夏、秋季采收，洗净，晒干或鲜用。

假鹰爪根：全年均可采收，切片，晒干。

鸡爪枝皮：全年均可采收，鲜用或晒干。

药材性状 酒饼叶：本品叶稍卷曲或破碎，灰绿色至灰黄色。完整叶片长圆形至椭圆形，长 4 ~ 13 cm，宽 2 ~ 5 cm，先端短渐尖，基部圆形，全缘；叶柄长约 5 mm。薄革质而脆。气微，味苦。

假鹰爪根：本品圆柱形，稍弯曲或有分枝，直径 0.5 ~ 2 cm。表面棕黑色，具细皱纹。质硬，不易折断，断面皮部暗黄棕色，木部淡黄棕色。气微香，味淡、微涩。

鸡爪枝皮：本品半筒状或条片状，直径约 1 cm，厚约 2 mm。外表面浅棕色，具细纵皱纹和横裂纹，并有众多黄棕色点状皮孔，栓皮脱落处呈暗黄棕色，有明显弯曲的纵向棱线；内表面黄棕色，具细密纵皱纹。质稍脆，易折断，断面纤维性。气微香，味微辣。

| 功能主治 | 酒饼叶：辛、微温；有小毒。归脾、肝经。祛风利湿，化瘀止痛，健脾和胃，截疟杀虫。用于风湿痹痛，水肿，泄泻，消化不良，脘腹胀痛，疟疾，风疹，跌打损伤，疥癣，烂脚。

假鹰爪根：辛，温；有小毒。归肝、脾经。祛风止痛，行气化瘀，杀虫止痒。用于风湿痹痛，跌打损伤，产后瘀滞腹痛，消化不良，胃痛腹胀，疥癣。

鸡爪枝皮：辛，温。止痛，杀虫。用于风湿骨痛，疥癣。

| 用法用量 | 酒饼叶：内服煎汤，3 ～ 15 g；或浸酒。外用适量，煎汤洗；或捣敷。

假鹰爪根：内服煎汤，3 ～ 15 g；或浸酒。

鸡爪枝皮：内服煎汤，9 ～ 15 g。外用适量，酒炒敷；或捣烂加酒擦；或加醋煎浓汁洗。

| 凭证标本号 | 441523200720008LY、440783190714005LY、440781190318005LY。

番荔枝科 Annonaceae 瓜馥木属 Fissistigma

白叶瓜馥木

Fissistigma glaucescens (Hance) Merr.

| 药 材 名 | 乌骨藤（药用部位：根。别名：确络风、牛耳风、大叶酒饼藤）。

| 形态特征 | 攀缘灌木。叶近革质，长圆形或长椭圆形，稀倒卵状长圆形，长 3 ~ 20 cm，先端常为圆形，稀微凹，基部圆形或楔形，两面无毛，下面绿白色，干后呈苍白色，侧脉 10 ~ 15 对，在上面稍凸起或平坦。花数朵组成顶生聚伞总状花序，被黄色绒毛；萼片宽三角形；外轮花瓣宽卵圆形，被黄色柔毛，内轮花瓣卵状长圆形，被白色柔毛；药隔三角形；心皮约 15，被褐色柔毛，柱头 2 裂。果实球形，无毛。花期 1 ~ 9 月，果期几乎全年。

| 生境分布 | 生于山地林下或灌丛中。分布于广东从化、乐昌、信宜、怀集、封开、德庆、高要、大埔、阳春、英德、罗定等。

| 资源情况 | 野生资源丰富。药材来源于野生。

| 采收加工 | 秋季采挖，除去须根，洗净，晒干。

| 药材性状 | 本品圆柱形，略弯曲，直径 0.5 ~ 1.5 cm。表面棕黑色，具浅纵皱纹及呈点状凸起的细根痕。质硬，断面皮部浅棕色，木部灰黄色，有细密放射状纹理和小孔。气微香，味微苦、辣。

| 功能主治 | 微辛、涩，温。祛风湿，通经活血，止血。用于风湿痹痛，月经不调，跌打损伤，骨折，外伤出血。

| 用法用量 | 内服煎汤，10 ~ 20 g；或浸酒。外用适量，研末敷。

| 凭证标本号 | 441225180730015LY、441224180613015LY。

瓜馥木 *Fissistigma oldhamii* (Hemsl.) Merr.

| 药 材 名 | 广香藤（药用部位：根。别名：狗夏茶、飞扬藤、山龙眼藤）。

| 形态特征 | 攀缘灌木。小枝、叶背、叶柄和花均被黄褐色柔毛。叶片革质，长圆形或倒卵状椭圆形，长 5 ~ 13 cm，宽 2 ~ 5 cm，先端圆形或微凹，稀急尖，基部阔楔形或圆形；叶柄长约 1 cm。花 1 ~ 3 集成密伞花序；萼片 3，阔三角形；花瓣 6，2 轮，外轮花瓣卵状长圆形，内轮花瓣较小；雄蕊多数；心皮多数，被长绢毛，各有胚珠约 10。果实球形，密被黄棕色绒毛。种子圆形。花期 4 ~ 9 月，果期 7 月至翌年 2 月。

| 生境分布 | 生于低海拔至中海拔疏林或灌丛中。分布于广东从化、始兴、仁化、乳源、乐昌、南雄、信宜、怀集、封开、高要、博罗、龙门、梅县、

大埔、平远、蕉岭、陆河、和平、阳春、阳山、连山、英德、连州、饶平、罗定及深圳（市区）等。

| **资源情况** | 野生资源丰富。药材来源于野生。

| **采收加工** | 全年均可采挖，鲜用或晒干。

| **药材性状** | 本品近圆柱形，稍弯或分枝，直径 0.5 ~ 2 cm。表面棕黑色，有断续的纵皱纹和呈点状凸起的细根痕。质硬，断面皮部棕色，木部淡黄棕色，有放射状纹理和小孔。气微香，味微辣。

| **功能主治** | 微辛，平。归肝、胃经。祛风除湿，活血止痛。用于风湿痹痛，腰痛，关节炎，跌打损伤。

| **用法用量** | 内服煎汤，15 ~ 30 g，大剂量可用至 60 g。

| **凭证标本号** | 441523190919032LY、441823200708043LY、441422190717134LY。

番荔枝科 Annonaceae 瓜馥木属 *Fissistigma*

多花瓜馥木

Fissistigma polyanthum (Hook. f. et Thoms.) Merr.

| 药 材 名 | 黑风藤（药用部位：根、藤茎。别名：黑皮跌打、拉藤公、酒饼子公）。

| 形态特征 | 攀缘灌木。枝条有凸起的皮孔。叶片长圆形或倒卵状长圆形，长 5～13 cm，先端渐尖或尖，基部狭楔形或宽楔形，边缘有疏齿，侧脉每边 5～7，上面具淡褐色透明腺点。雌雄异株；花单生于叶腋；雄花花被片白色或淡黄色，8～17，中轮最大花被片椭圆形，雄蕊 30～70，花丝极短；雌花花被片与雄花花被片相似，雌蕊 40～60。聚合果球形；小浆果倒卵圆形。种子 2～3，稀 4～5，肾形或肾状椭圆形。花期 6～9 月，果期 9～12 月。

| 生境分布 | 生于山谷、路旁林下或溪边潮湿疏林中。分布于广东从化、信宜、怀集、高要、博罗、连山、罗定等。

| **资源情况** | 野生资源丰富。药材来源于野生。 |

| **采收加工** | 全年均可采收，洗净，鲜用，或切段，阴干。 |

| **药材性状** | 本品根呈圆柱形，直或弯曲，直径 0.5 ~ 2 cm；表面棕黑色，具细纵皱纹，有点状细根痕；质硬，断面皮部浅棕色，木部浅黄棕色，有细密放射状纹理和小孔；气微香，味淡。茎圆柱形，有分枝，直径 0.5 ~ 2 cm；表面暗棕红色，具细密纵皱纹，皮孔众多，点状，深黄棕色；质硬，断面中央有髓；气微，味微涩。 |

| **功能主治** | 辛，温。归肝、肾经。祛风湿，强筋骨，活血止痛，调经。用于脊髓灰质炎后遗症，风湿性关节炎，类风湿性关节炎，跌打肿痛，月经不调。 |

| **用法用量** | 内服煎汤，10 ~ 15 g；或浸酒。 |

番荔枝科 Annonaceae 暗罗属 Polyalthia

陵水暗罗

Polyalthia littoralis (Blume) Boerlage

| 药 材 名 | 黑皮根（药用部位：根。别名：落坎薯、土黄芪、黑皮芪）。

| 形态特征 | 灌木或小乔木。小枝被稀疏短柔毛。叶革质，长圆形或长圆状披针形，长 9 ~ 18 cm，宽 2 ~ 6 cm，先端渐尖，基部急尖或阔楔形，干时呈蓝绿色，侧脉每边 8 ~ 10，先端弯拱而联结。花白色，单生，与叶对生；萼片三角形，先端急尖，被柔毛；花瓣长圆状椭圆形，内、外轮花瓣等长或内轮花瓣略短，外面被紧贴柔毛；药隔被微毛；心皮 7 ~ 11，被柔毛，柱头先端浅 2 裂，被微毛。果实卵状椭圆形，成熟时呈红色；果柄短，被疏粗毛。花期 4 ~ 7 月，果期 7 ~ 12 月。

| 生境分布 | 生于山地林中阴湿处。分布于广东雷州等。

| **资源情况** | 野生资源较少。药材来源于野生。

| **采收加工** | 全年均可采挖，洗净，切片，晒干。

| **功能主治** | 甘，平。归脾、胃、肾经。健脾益胃，补肾固精。用于中虚胃痛，食欲不振，肾亏遗精。

| **用法用量** | 内服煎汤，15 ~ 30 g。

番荔枝科 Annonaceae 暗罗属 *Polyalthia*

暗罗

Polyalthia suberosa (Roxb.) Thw.

| 药 材 名 | 狗仔罗（药用部位：根、茎。别名：眉尾木、鸡爪树）。

| 形态特征 | 小乔木。枝常有凸起的白色皮孔，小枝被微柔毛。叶纸质，椭圆状长圆形或倒披针状长圆形，长 6 ~ 10 cm，宽 2 ~ 3.5 cm，先端略钝或短渐尖，基部略钝而稍偏斜，叶背被疏柔毛，老渐无毛，侧脉每边 8 ~ 10；叶柄被微柔毛。花各部被短柔毛；花 1 ~ 2，淡黄色，与叶对生；萼片卵状三角形；外轮花瓣与萼片同形，但较长，内轮花瓣比外轮花瓣长 1 ~ 2 倍；雄蕊卵状楔形；心皮卵状长圆形，柱头卵圆形。果实近圆球状，被短柔毛，成熟时呈红色。花期几乎全年，果期 6 月至翌年春季。

| 生境分布 | 生于山地疏林中。分布于广东雷州等。

| **资源情况** | 野生资源丰富。药材来源于野生。 |

| **采收加工** | 夏、秋季采收，晒干。 |

| **功能主治** | 淡、微涩，平。补气壮阳。用于体弱气虚，四肢酸软无力，遗精等。 |

| **凭证标本号** | 440882180501207LY、440605210307022LY、440881180224068LY。 |

番荔枝科 Annonaceae 紫玉盘属 Uvaria

光叶紫玉盘

Uvaria boniana Finet et Gagnep.

| 药 材 名 | 挪藤（药用部位：叶、根）。

| 形态特征 | 攀缘灌木。叶纸质，长圆形至长圆状卵圆形，长 4 ~ 15 cm，宽 1.8 ~ 5.5 cm，先端渐尖或急尖，基部楔形或圆形，侧脉每边 8 ~ 10，网脉不明显。花 1 ~ 2，紫红色，与叶对生或腋外生；花梗中部以下通常有小苞片；萼片卵圆形，被缘毛；花瓣革质，两面先端被微毛，内轮花被比外轮花被稍小，内面凹陷；药隔先端截形，有小乳头状凸起；心皮密被黄色柔毛，柱头先端 2 裂。果实球形或椭圆状卵圆形，成熟时呈紫红色。花期 5 ~ 10 月，果期 6 月至翌年 4 月。

| 生境分布 | 生于丘陵、山地疏林或密林中较湿润的地方。分布于广东始兴、翁源、新丰、台山、信宜、封开、高要、博罗、龙门、大埔、丰顺、

连平、阳春、英德等。

| **资源情况** | 野生资源丰富。药材来源于野生。

| **采收加工** | 全年均可采挖根，夏、秋季采收叶，洗净，晒干。

| **功能主治** | 苦、甘，微温。行气，祛风，止痛，健胃。

| **凭证标本号** | 441523190404005LY、441422190716172LY、440224190608032LY。

番荔枝科 Annonaceae **紫玉盘属** *Uvaria*

山椒子
Uvaria grandiflora Roxb.

| 药 材 名 |

山椒子（药用部位：根、叶。别名：葡萄木、各骆子藤、山芭蕉罗）。

| 形态特征 |

攀缘灌木。全株密被黄褐色星状柔毛至绒毛。叶纸质或近革质，长圆状倒卵形，长7～30 cm，宽3.5～12.5 cm，先端急尖或短渐尖，有时有尾尖，基部浅心形，侧脉每边10～17。花单朵与叶对生，紫红色或深红色；苞片2，卵圆形；萼片宽卵圆形，先端钝或急尖；花瓣卵圆形或长圆状卵圆形，长、宽均为萼片的2～3倍，内轮花瓣比外轮花瓣略大，花瓣两面均被微毛；雄蕊长圆形或线形；心皮长圆形或线形，柱头先端2裂而内卷。果实长圆柱状，先端有尖头。种子卵圆形，扁平。花期3～11月，果期5～12月。

| 生境分布 |

生于低海拔灌丛中或丘陵、山地疏林中。分布于广东博罗、东源、封开、佛冈、惠东及江门（市区）、深圳（市区）、东莞（市区）、广州（市区）、肇庆（市区）、中山（市区）、珠海（市区）等。

| **资源情况** | 野生资源丰富。药材来源于野生。

| **功能主治** | 根，镇痛，止呕。叶，止痛消肿。

| **凭证标本号** | 441823210528024LY、440114211004033LY、441702220517032LY。

番荔枝科 Annonaceae 紫玉盘属 Uvaria

紫玉盘 *Uvaria macrophylla* Roxb.

| **药 材 名** | 紫玉盘（药用部位：根、叶。别名：酒饼婆、酒饼子、十八风藤）。 |

| **形态特征** | 直立或蔓生灌木。全株被黄色星状毛，老时毛渐脱落。叶片革质，长倒卵形或长椭圆形，长 10 ~ 23 cm，先端急尖或钝，基部圆形或近心形。花 1 ~ 2，与叶对生，暗紫红色或淡红褐色；萼片 3，阔卵形；花瓣 6，2 轮，内轮花瓣与外轮花瓣相似，卵圆形；雄蕊线形，最外面的雄蕊常退化为假雄蕊；柱头马蹄形，先端 2 裂而内卷。果实卵圆形或短圆柱形，暗紫褐色，多个聚集成头状。种子圆球形。花期 3 ~ 8 月，果期 7 月至翌年 3 月。 |

| **生境分布** | 生于山地疏林或丘陵灌丛中。分布于广东南澳、顺德、台山、鹤山、恩平、徐闻、高州、怀集、鼎湖、封开、德庆、高要、博罗、陆丰、 |

新兴、郁南及广州（市区）、深圳（市区）、珠海（市区）等。

| 资源情况 | 野生资源丰富。药材来源于野生。

| 采收加工 | 全年均可采收根，夏、秋季采收叶，洗净，鲜用或晒干。

| 药材性状 | 本品根近圆柱形，略弯曲，直径 0.5 ~ 2.5 cm；表面暗棕色，具细密纹理、不规则浅沟纹和短横裂纹，细根痕呈点状凸起；质硬，断面木部灰白色，有放射状纹理；气微香，味淡。叶长倒卵形或长椭圆形，长 9 ~ 30 cm，宽 3 ~ 15 cm，基部近圆形或浅心形，侧脉在上面凹下；革质；气微香，味淡。

| 功能主治 | 根，辛、微苦，平，镇痛止呕，壮筋骨。叶，淡，平，散瘀消肿，止痛，祛痰止咳。用于风湿痹痛，腰腿痛，跌打损伤，消化不良，腹胀腹泻，咳嗽痰多。

| 用法用量 | 内服煎汤，根 15 ~ 30 g，叶 10 ~ 15 g；或绞汁。外用适量，捣敷；或煎汤熏洗。

| 凭证标本号 | 440783191130008LY、440781190515023LY、441823210528025LY。

樟科 Lauraceae 黄肉楠属 Actinodaphne

毛黄肉楠
Actinodaphne pilosa (Lour.) Merr.

| 药 材 名 | 香胶木（药用部位：根、树皮、叶。别名：毛樟、茶胶树）。

| 形态特征 | 乔木，高 4 ～ 12 m。全株多处被锈色绒毛。叶互生或 3 ～ 5 聚生成轮生状，倒卵形，长 12 ～ 24 cm，宽 5 ～ 12 cm，先端突尖，基部楔形，革质，下面有锈色绒毛，脉羽状。花序腋生或枝侧生，由伞形花序组成圆锥状；花被裂片 6。果实球形，直径 4 ～ 6 mm，生于近扁平的盘状果托上。花期 8 ～ 12 月，果期翌年 2 ～ 3 月。

| 生境分布 | 生于海拔 500 m 以下的旷野丛林或混交林中。分布于广东仁化、徐闻、阳春及广州（市区）、茂名（市区）、阳江（市区）。

| 资源情况 | 野生资源较丰富。药材主要来源于野生。

| 采收加工 | 夏、秋季采收，晒干。 |

| 功能主治 | 辛、苦，平。活血止痛，解毒消肿。 |

| 凭证标本号 | 440882180429045LY。 |

樟科 Lauraceae 琼楠属 *Beilschmiedia*

短序琼楠 *Beilschmiedia brevipaniculata* Allen

| 药 材 名 | 短序琼楠（药用部位：叶）。

| 形态特征 | 小乔木，高 3 ~ 7 m。全株无毛。叶对生或近对生，常聚生于枝梢，革质，披针形至椭圆形，长 4 ~ 8 cm，宽 1 ~ 2.8 cm。聚伞状圆锥花序顶生，稀腋生，长约 1.5 cm；花被裂片卵形，长约 1.5 mm，密被腺状斑点。果实椭圆形，长 1.7 cm，直径 1.1 cm，常具明显瘤状小凸点。花期 6 月，果期 11 月至翌年 2 月。

| 生境分布 | 生于山坡密林或疏林中。分布于广东阳春。

| 资源情况 | 野生资源较丰富。药材主要来源于野生。

孙观灵提供

| 采收加工 | 夏、秋季采收，晒干。

| 功能主治 | 微辛，温。消炎消肿。

| 凭证标本号 | 叶华谷 7529（IBSC 0121143）。

琼楠
Beilschmiedia intermedia Allen

| 药 材 名 | 荔枝公（药用部位：叶）。

| 形态特征 | 乔木，高 9 ～ 20 m 或更高，胸径 60 ～ 100 cm。叶对生或近对生，革质，椭圆形或披针状椭圆形，长 6.5 ～ 8.5 cm，宽 2.5 ～ 4.5 cm，叶脉在两面均凸起。圆锥花序腋生或顶生；花绿白色；花被裂片有密集而显著的线状斑点。果实长圆形，成熟时呈黑色，有细微小瘤。花期 8 ～ 11 月，果期 10 月至翌年 5 月。

| 生境分布 | 生于海拔 400 ～ 1 300 m 的山谷和山腰的缓坡上或溪旁。分布于广东西南部雷州半岛等。

资源情况	野生资源较丰富。药材主要来源于野生。
采收加工	全年均可采收，洗净，晒干或鲜用。
功能主治	苦，寒。解毒，活血。
凭证标本号	441781160122011LY。

樟科 Lauraceae 无根藤属 Cassytha

无根藤

Cassytha filiformis Linn.

| 药 材 名 | 无爷藤（药用部位：全草。别名：过天藤、无头草、无根草）。

| 形态特征 | 寄生缠绕草本，借盘状吸根攀附于寄主植物上。茎线形，绿色，稍呈木质，幼嫩部分被锈色短柔毛，老时毛变稀疏或无毛。叶退化为微小的鳞片。穗状花序长 2 ~ 5 cm，密被锈色短柔毛；花小，白色，无梗；花被裂片 6。果实小，卵球形，包藏于肉质果托内，先端有宿存的花被片。花果期 5 ~ 12 月。

| 生境分布 | 生于海拔 980 ~ 1 600 m 的山坡灌丛或疏林中。分布于广东仁化、新会、台山、恩平、徐闻、信宜、阳春、怀集、封开、德庆、博罗、惠东、大埔、海丰、陆河、陆丰、揭西、连山、新兴、郁南、罗定及广州（市区）、深圳（市区）、珠海（市区）、汕头（市区）、

茂名（市区）、阳江（市区）、河源（市区）、云浮（市区）、肇庆（市区）。

| 资源情况 | 野生资源较丰富。药材主要来源于野生。

| 采收加工 | 全年均可采收，洗净，切段，晒干或鲜用。

| 药材性状 | 本品呈细长圆柱形，直径 1 ~ 2.5 mm。表面黄绿色或黄褐色，具细纵纹和黄棕色茸毛，扭曲处常有盘状吸根。穗状花序长 2 ~ 5 cm。果实包藏于肉质果托内，直径约 4 mm，无柄。质脆，断面皮部纤维性，木质部黄白色。

| 功能主治 | 甘、微苦，凉；有小毒。清火解毒，利水消肿，凉血止血。

| 凭证标本号 | 440783190813001LY、441284190723594LY、45224191004104LY。

樟科 Lauraceae 樟属 Cinnamomum

毛桂

Cinnamomum appelianum Schewe

| 药 材 名 | 山桂皮（药用部位：树皮。别名：假桂皮、土桂皮）。

| 形态特征 | 常绿小乔木。枝条略芳香。叶互生或近对生，椭圆形，长 4.5 ~
11.5 cm，宽 1.5 ~ 4 cm，先端骤尖，革质，离基三出脉。圆锥花
序生于当年生枝条基部叶腋内；花白色。未成熟果实椭圆形，长约
6 mm，宽 4 mm，绿色；果托增大，漏斗状，长达 1 cm，宽 7 mm，
先端具齿裂。花期 4 ~ 6 月，果期 6 ~ 8 月。

| 生境分布 | 生于海拔 500 ~ 1 400 m 的山地或谷地的灌丛和疏林中。分布于广
东翁源、乳源、新丰、乐昌、封开、郁南、龙门、阳山、连山、英德、
连州及深圳（市区）。

| **资源情况** | 野生资源较丰富。药材主要来源于野生。 |

| **采收加工** | 全年均可采收，洗净，切碎，晒干。 |

| **功能主治** | 辛，温。温中理气，发汗解肌。 |

| **凭证标本号** | 440224180403005LY、441882180505061LY、441623180812032LY。 |

樟科 Lauraceae 樟属 Cinnamomum

华南桂
Cinnamomum austro-sinense H. T. Chang

| 药 材 名 | 野桂皮（药用部位：树皮。别名：华南樟、大叶樟、大叶辣樟树）。

| 形态特征 | 乔木，高 5 ~ 8 m，胸径可达 40 cm。树皮灰褐色。叶近对生或互生，椭圆形，边缘内卷，三出脉或近离基三出脉。圆锥花序生于当年生枝条的叶腋内，分枝最末端通常为由 3 花组成的聚伞花序，密被贴伏微柔毛；花黄绿色。果实椭圆形；果托浅杯状，边缘具浅齿，齿先端截平。花期 6 ~ 8 月，果期 8 ~ 10 月。

| 生境分布 | 生于海拔 630 ~ 700 m 的山坡、溪边的常绿阔叶林或灌丛中。分布于广东封开、龙门、大埔、丰顺、连南、英德、连州。

| 资源情况 | 野生资源较丰富。药材主要来源于野生。

| **采收加工** | 全年均可采收，洗净，切碎，晒干。 |

| **药材性状** | 本品呈半卷筒状或板状。表面灰褐色，有少量凸起的横纹及疤痕，并附有灰绿色地衣斑。质硬。气稍香，味辛辣、微甜。 |

| **功能主治** | 辛，温。散寒，温中，止痛。 |

| **凭证标本号** | 石国良 14810（IBSC 0045538）。 |

樟科 Lauraceae 樟属 *Cinnamomum*

钝叶桂

Cinnamomum bejolghota (Buch.-Ham.) Sweet

| 药 材 名 | 土桂皮（药用部位：树皮。别名：假桂皮、山肉桂）。

| 形态特征 | 乔木，高 5 ~ 25 m。树皮青绿色，有香气。叶近对生，椭圆状长圆形，长 12 ~ 30 cm，宽 4 ~ 9 cm，硬革质，三出脉或离基三出脉。圆锥花序生于枝条上部叶腋内，略被灰色短柔毛；花黄色，长达 6 mm；花被裂片 6。果实椭圆形；果托黄色带紫红色，倒圆锥形，具齿裂，齿先端截平；果柄紫色。花期 3 ~ 4 月，果期 5 ~ 7 月。

| 生境分布 | 生于海拔 600 ~ 1 780 m 的山坡、沟谷的疏林或密林中。分布于广东阳春及茂名（市区）等。

| 资源情况 | 野生资源较丰富。药材主要来源于野生。

| 采收加工 | 全年均可采收，洗净，阴干。

| 药材性状 | 本品呈板状。表面棕色或灰褐色，皮孔点状或纵向长圆形，老树皮常有灰绿色地衣斑；内面棕色或深棕色。气香，味甜、微辣。

| 功能主治 | 辛、甘，热。祛风散寒，温经活血，止痛。用于风寒痹痛，腰痛，经闭，痛经，跌打肿痛，胃脘寒痛，腹痛，虚寒泄泻；外用于外伤出血，蛇咬伤。

| 凭证标本号 | 易桂花、王红军 141030（JJF 00012204）。

| 附　　注 | 本种同属植物大叶桂 *Cinnamomum iners* Reinw. ex Bl. 的树皮也是土桂皮药材的来源之一。

樟科 Lauraceae 樟属 Cinnamomum

阴香

Cinnamomum burmannii (C. G. & Th. Nees) Bl.

| 药 材 名 | 阴香皮（药用部位：茎皮。别名：桂皮、小桂皮、山肉桂）、阴香根（药用部位：根或根皮）、阴香叶（药用部位：叶）。

| 形态特征 | 乔木。树皮光滑。叶互生，长圆形至披针形，长 5.5 ~ 10.5 cm，宽 2 ~ 5 cm，革质，具离基三出脉，叶背粉绿色。圆锥花序腋生或近顶生，长 2 ~ 6 cm；花绿白色；花被裂片长圆状卵圆形。浆果卵球形，长约 9 mm，宽约 5 mm；果托漏斗状。花期 2 ~ 4 月，果期 10 月至翌年 1 月。

| 生境分布 | 生于海拔 100 ~ 1 400 m 的山地林中或灌丛中。分布于广东翁源、新会、鹤山、恩平、徐闻、信宜、鼎湖、博罗、惠东、龙门、紫金、阳春、连山、连南、英德、新兴及广州（市区）、深圳（市区）、

佛山（市区）。

| 资源情况 | 野生资源较丰富。药材主要来源于野生。

| 采收加工 | **阴香皮：**夏季剥取，晒干。

阴香根：根，秋、冬季采挖，洗净泥沙，切段，晒干。根皮，秋、冬季采挖根，剥取根皮，晒干。

阴香叶：秋季采收，晒干。

| 药材性状 | **阴香皮：**本品呈槽状或片状，厚约 3 mm。外表面棕灰色，粗糙，有呈圆形凸起的皮孔和灰白色地衣斑块，有时刮去外皮部分现凹下的皮孔痕；内表面棕色，平滑。质坚，断面内层呈裂片状。气香，味微甘、涩。

| 功能主治 | **阴香皮：**辛、微甘，温。祛风散寒，温中止痛。用于食少，腹胀，水泻，脘腹疼痛，风湿病，疮肿，跌打扭伤。

阴香根：辛、甘，温。温中，行气，止痛。用于胃脘寒痛，气滞心痛，水泻。

阴香叶：辛，温。祛风化湿，止泻，止血。用于风湿骨痛，寒湿泻痢，腹痛。

| 凭证标本号 | 441523200104008LY、441284191005390LY、440783190812011LY。

樟科 Lauraceae 樟属 Cinnamomum

樟

Cinnamomum camphora (Linn.) Presl

| 药 材 名 | 樟木（药用部位：木材）、香樟根（药用部位：根。别名：香通、土沉香、山沉香）、樟树皮（药用部位：树皮。别名：走马胎）、樟树叶（药用部位：叶或枝叶）、樟木子（药用部位：成熟果实）、樟梨子（药用部位：病态果实）、樟脑（药材来源：根、干、枝、叶经提炼而制成的颗粒状结晶）。

| 形态特征 | 常绿大乔木，全株有樟脑气味。叶互生，近革质，卵状椭圆形，长6 ~ 12 cm，宽 2.5 ~ 5.5 cm，全缘，离基三出脉，脉腋具腺窝，窝内常被柔毛。圆锥花序腋生，长 3.5 ~ 7 cm；总梗长 2.5 ~ 4.5 cm，花梗长 1 ~ 2 mm；花被黄绿色。果实卵球形，直径 6 ~ 8 mm，紫黑色；果托杯状。花期 4 ~ 5 月，果期 8 ~ 11 月。

| 生境分布 | 生于山坡或沟谷中。广东各地均有栽培。

| 资源情况 | 栽培资源较丰富。药材主要来源于栽培。

| 采收加工 | 夏秋采收根、木材、树皮、叶、果实晒干。

| 药材性状 | **樟木**：本品为形状不规则的段或小块。外表面红棕色至暗棕色，纹理顺直。横断面可见年轮。质重而硬。有强烈的樟脑香气，味辛，有清凉感。以块大、香气浓郁者为佳。

香樟根：本品为横切、斜切的圆片或为不规则条块状，直径 4 ~ 10 cm，厚 2 ~ 5 mm。外表面赤棕色或暗棕色，有栓皮或栓皮部分脱落，横断面黄白色或黄棕色，有年轮。质坚而重。有樟脑香气，味辛而清凉。

樟脑：本品为雪白的结晶性粉末或为无色、透明的硬块。粗制品略带黄色，有光亮。在常温下容易挥发，燃烧时能发出多烟而有光的火焰。气芳香，浓烈刺鼻，味初辛辣而后清凉。以洁白、透明、干爽、无杂质者为佳。

| 功能主治 | **樟木**：辛，温。祛风散寒，理气活血，止痛止痒。

香樟根：辛，温。理气活血，祛风除湿。用于上吐下泻，心腹胀痛，风湿痹痛，跌打损伤，疥癣瘙痒。

樟树皮：辛，温。行气，止痛，祛风湿。用于吐泻，胃痛，风湿痹痛，脚气，疥癣，跌打损伤。

樟树叶：辛，温。祛风，除湿，杀虫，解毒。用于风湿痹痛，胃痛，烫火伤，疮疡肿毒，慢性下肢溃疡，疥癣，皮肤瘙痒，毒虫咬伤。

樟木子：辛，温。祛风散寒，温胃和中，理气止痛。用于脘腹冷痛，寒湿吐泻，气滞腹胀。

樟梨子：辛，温。健胃温中，理气止痛。用于胃寒腹痛，食滞腹胀，泄泻。

樟脑：辛，热。通窍，杀虫，止痛，辟秽。用于心腹胀痛，脚气，疮疡疥癣，牙痛，跌打损伤。

| 凭证标本号 | 441825190411032LY、440783190416025LY、440281200714016LY。

樟科 Lauraceae 樟属 *Cinnamomum*

肉桂
Cinnamomum cassia Presl

| 药 材 名 | 肉桂（药用部位：茎皮。别名：桂皮、板桂、筒桂）、桂枝（药用部位：嫩枝）、肉桂叶（药用部位：叶）、桂丁（药用部位：幼嫩果实）。

| 形态特征 | 中等大乔木。全株多处被短绒毛。树皮灰褐色；老树皮厚达 13 mm。叶互生或近对生，长椭圆形至近披针形，长 8 ～ 16 cm，宽 4 ～ 5.5 cm，革质，边缘内卷，离基三出脉。圆锥花序腋生或近顶生，被黄色绒毛。花两性，白色。果实椭圆形，成熟时呈黑紫色；果托浅杯状。花期 6 ～ 8 月，果期 10 ～ 12 月。

| 生境分布 | 生于山坡或沟谷常绿阔叶林中。分布于广东信宜、鼎湖、封开、高要、佛冈、罗定及广州（市区）、湛江（市区）、河源（市区）。

| 资源情况 | 野生资源较少，栽培资源丰富。药材主要来源于栽培。

| 采收加工 | **肉桂**：秋季剥取，阴干。

桂枝：春、夏季采收，晒干，或切片晒干。

肉桂叶：秋季采摘，阴干；或随用随采，洗净，鲜用。

桂丁：10 ～ 11 月采摘，晒干。

| 药材性状 | **肉桂**：本品呈槽状或卷筒状，长 30 ～ 40 cm，宽或直径 3 ～ 10 cm，厚 0.2 ～ 0.8 cm。外表面灰棕色，稍粗糙，有不规则的细皱纹和横向凸起的皮孔，有的可见灰白色斑纹；内表面红棕色，略平坦，有细纵纹，划之显油痕。质硬而脆，易折断，断面不平坦，外层棕色而较粗糙，内层红棕色而油润，内、外层间有 1 黄棕色线纹。气香而浓烈，味甜、辣。

桂枝：本品长圆柱形，多分枝。表面棕色或红棕色，有纵棱线、细皱纹及小疙瘩状叶痕、枝痕和芽痕，皮孔点状或点状椭圆形。质硬而脆，易折断，断面皮部红棕色，木部黄白色至浅黄棕色，髓部略呈方形。有特异香气，味甜、微辛。

肉桂叶：本品呈矩圆形至近披针形，长 8 ～ 16 cm，宽 4 ～ 5.5 cm，先端尖，基部钝，全缘，上表面棕黄色或暗棕色，有光泽，中脉及侧脉明显凹下，下表面淡棕色或棕褐色，有疏柔毛，具明显隆起的离基三出脉，细脉横向平行。叶柄粗壮，长 1 ～ 2 cm；革质，易折断。具特异香气，味微辛、辣，叶柄味较浓。

桂丁：本品包藏于宿存的花被内，全体呈倒圆锥形。外层花被呈杯状，长 6 ~ 11 mm，先端膨大，边缘 6 浅裂，表面暗棕色，有皱纹，基部有时带有果柄。剥去宿萼后可见未成熟的果实，果实呈扁圆形，直径 3 ~ 4 mm，厚约 2 mm，黄棕色，有光泽，上面正中有一微凸的花柱残基，下面有放射状皱纹，中央有凸起的子房柄。质松软，易压碎。气芳香，味微甜。以肉厚、香气浓者为佳。

| 功能主治 | 肉桂：辛、甘，大热。补火助阳，引火归元，散寒止痛，温通经脉。用于阳痿宫冷，腰膝冷痛，肾虚作喘，虚阳上浮，眩晕目赤，心腹冷痛，虚寒吐泻，寒疝腹痛，痛经经闭。

桂枝：辛、甘，温。发汗解肌，温通经脉，助阳化气，平冲降气。用于风寒感冒，脘腹冷痛，血寒经闭，关节痹痛，痰饮，水肿，心悸，奔豚。

肉桂叶：辛，温。温中散寒，解表发汗。用于外感风寒，头痛恶寒，咳嗽，胃寒胸闷，脘痛呕吐，腹痛泄泻，冻疮。

桂丁：辛、甘，温。温中散寒，止痛，止呃。用于心胸疼痛，胃腹冷痛，恶心，嗳气，呃逆，呕吐，肺寒咳喘。

| 凭证标本号 | 440783191103045LY、441284190719104LY、441225180316029LY。

| 附　　注 | 大叶清化桂 *Cinnamomum cassia* Presl var. *macrophyllum* Chu 的树皮又称为"清化肉桂"，在广东等地也作肉桂使用。

樟科 Lauraceae 樟属 *Cinnamomum*

野黄桂

Cinnamomum jensenianum Hand.-Mazz.

| 药 材 名 | 山玉桂（药用部位：树皮、叶。别名：稀花桂、三条筋树）。

| 形态特征 | 小乔木。树皮灰褐色，有桂皮香味。枝条弯曲，密布皮孔，一年生枝具棱角。叶常近对生，披针形或长圆状披针形，长 5 ～ 10 cm，宽 1.5 ～ 3 cm，先端尾状渐尖，厚革质，离基三出脉。花序伞房状，具 2 ～ 5 花；花黄色或白色。果实卵球形，先端具小突尖；果托倒卵形，具齿裂，齿的先端截平。花期 4 ～ 6 月，果期 7 ～ 8 月。

| 生境分布 | 生于海拔 500 ～ 1 600m 的山坡常绿阔叶林或竹林中。分布于广东增城、从化、乳源、乐昌、信宜、封开、龙门、连山、英德、饶平及深圳（市区）。

资源情况	野生资源较丰富。药材主要来源于野生。
采收加工	全年均可采收，切碎，晒干。
功能主治	辛、甘，微温。行气活血，散寒止痛。用于脘腹冷痛，风寒湿痹，跌打损伤。
凭证标本号	441623180812023LY。

樟科 Lauraceae 樟属 *Cinnamomum*

红辣槁树

Cinnamomum kwangtungense Merr.

| 药 材 名 | 红辣槁树皮（药用部位：茎皮。别名：红叶辣汁树）。

| 形态特征 | 小乔木，高 3 ~ 9 m，胸径约 16 cm。叶对生，椭圆形至长圆状披针形，长 7 ~ 9 cm，宽 2.5 ~ 4 cm，明显渐尖，边缘内卷，坚硬革质，具三出脉或不明显离基三出脉，脉腋下面有腺窝，上面苍白色，光亮，下面被均匀的棕色细短柔毛。圆锥花序顶生，分枝末端有由 2 ~ 3 花组成的聚伞花序。果实未见。花期 5 月。

| 生境分布 | 生于阴坡上。分布于广东乳源、龙门及广州（市区）。

| 资源情况 | 野生资源较丰富。药材主要来源于野生。

| 采收加工 | 全年均可采收，晒干。

| **功能主治** | 辛，温。温中健胃，活血止痛。

| **凭证标本号** | 邓良 10030（IBSC 0046374）。

黄樟

Cinnamomum parthenoxylon (Jack) Meisn.

| 药 材 名 | 黄樟（药用部位：根、叶。别名：海南香、樟木、大叶樟）。

| 形态特征 | 常绿乔木。树皮具樟脑气味。芽卵形，鳞片被绢状毛。叶互生，通常呈革质，卵形，具羽状脉，侧脉每边 4 ~ 5，两面无毛或仅下面腺窝具毛簇。圆锥花序于枝条上部腋生或近顶生；花绿黄色，花被内面被短柔毛。果实球形，直径 6 ~ 8 mm，黑色；果托狭长倒锥形。花期 3 ~ 5 月，果期 4 ~ 10 月。

| 生境分布 | 生于常绿阔叶林或灌丛中。分布于广东增城、仁化、翁源、乳源、新丰、乐昌、信宜、广宁、封开、德庆、龙门、平远、蕉岭、丰顺、五华、紫金、连平、和平、阳春、阳山、连山、连南、英德、饶平、罗定及深圳（市区）。

| 资源情况 | 野生资源较丰富。药材主要来源于野生。 |

| 采收加工 | 夏、秋季采收，晒干。 |

| 功能主治 | 辛、微苦，温。祛风利湿，温中止痛，行气活血。 |

| 凭证标本号 | 441823210528006LY、441225190317007LY、441224180331014LY。 |

樟科 Lauraceae 樟属 Cinnamomum

香桂

Cinnamomum subavenium Miq.

| 药 材 名 | 香桂皮（药用部位：根或根皮、茎皮。别名：细叶香桂、假桂皮）。

| 形态特征 | 乔木，高达 20 m。树皮灰色。小枝纤细，密被黄色平伏绢状短柔毛。叶在幼枝上近对生，在老枝上互生，椭圆形，长 4 ~ 13.5 cm，宽 2 ~ 6 cm，革质，具三出脉或近离基三出脉。花淡黄色；花被裂片 6。果实椭圆形，长约 7 mm，宽 5 mm，成熟时呈蓝黑色；果托杯状，先端全缘。花期 6 ~ 7 月，果期 8 ~ 10 月。

| 生境分布 | 生于海拔 400 ~ 1 100m 的山坡或山谷的常绿阔叶林中。分布于广东始兴、乳源、乐昌、怀集、封开、大埔、阳春、阳山、英德。

| 资源情况 | 野生资源较丰富。药材主要来源于野生。

陈素考提供

| 采收加工 | 夏、秋季采收，晒干。

| 药材性状 | 本品茎皮呈不规则板片状，边缘常翘起，长短、宽窄不一，厚 1 ～ 4 mm。外表面灰棕色，散有大小不等的灰白色地衣斑及不明显的皮孔；内表面红棕色，光滑，具细纵纹。质坚硬，较易折断，断面较平坦，可见细纵纹。有特异芳香气，味辛而微苦。

| 功能主治 | 辛，温。温中散寒，理气止痛，活血通脉。用于胃寒疼痛，胸满腹痛，呕吐泄泻，疝气疼痛，跌打损伤，风湿痹痛，血痢肠风。

| 凭证标本号 | 梁宝汉 93822（IBSC 0046900）。

丁明艳提供

樟科 Lauraceae 樟属 Cinnamomum

川桂

Cinnamomum wilsonii Gamble

| 药 材 名 | 桂皮（药用部位：茎皮。别名：山肉桂、山玉桂）。

| 形态特征 | 乔木，高 25 m，胸径 30 cm。枝条圆柱形，干时呈深褐色或紫褐色。叶互生或近对生，卵圆形或卵圆状长圆形，长 8.5 ~ 18 cm，宽 3.2 ~ 5.3 cm，革质，边缘内卷，具离基三出脉。圆锥花序腋生；花白色，长约 6.5 mm。成熟果未见；果托先端截平，边缘具极短裂片。花期 4 ~ 5 月，果期 6 月以后。

| 生境分布 | 生于海拔 800 ~ 1 902 m 的山谷疏林中。分布于广东乳源、龙门。

| 资源情况 | 野生资源较丰富。药材主要来源于野生。

| 采收加工 | 夏、秋季采收，晒干。

| 药材性状 | 本品呈筒状或为不整齐的块片，大小不等，一般长 30 ~ 60 cm，厚 2 ~ 4 mm。外表面灰褐色，密生不明显的小皮孔或有灰白色花斑；内表面红棕色或灰红色，光滑，指甲刻划显油痕。质硬而脆，易折断，断面不整齐。

| 功能主治 | 辛、甘，温。温脾胃，暖肝肾，祛寒止痛，散瘀消肿。

| 凭证标本号 | 441324180803002LY。

| 附　　注 | 樟属植物天竺桂 Cinnamomum japonicum Sieb.、阴香 Cinnamomum burmannii (C. G. et Th. Nees) Bl. 的树皮亦作桂皮入药。

锡兰肉桂 *Cinnamomum zeylanicum* Bl.

| **药 材 名** | 斯里兰卡肉桂（药用部位：树皮）。

| **形态特征** | 常绿小乔木，高达 10 m。树皮黑褐色，内皮有强烈的桂醛芳香气。幼枝略呈四棱形，灰色而具白斑。叶通常对生，卵圆形或卵状披针形，长 11 ~ 16 cm，宽 4.5 ~ 5.5 cm，革质，具离基三出脉。圆锥花序腋生及顶生；花黄色，长约 6 mm；花被裂片 6。果实卵球形，成熟时呈黑色；果托杯状，增大，具齿裂，齿先端截形或锐尖。

| **生境分布** | 广东湛江、中国科学院华南植物园等有栽培。

| **资源情况** | 野生资源较丰富，栽培资源一般。药材主要来源于野生。

| **采收加工** | 夏、秋季采收，晒干。

| 功能主治 | 辛，温。温中健胃，散寒止痛。用于脘腹痞满，消化不良，泄泻腹痛，寒疝气痛。

| 凭证标本号 | 王国栋 W06072（SZG 00007789）。

樟科 Lauraceae 月桂属 Laurus

月桂
Laurus nobilis Linn.

| **药 材 名** | 月桂叶（药用部位：叶）、月桂子（药用部位：果实）。

| **形态特征** | 常绿小乔木。叶互生，长圆形或长圆状披针形，长 5.5 ～ 12 cm，宽 1.8 ～ 3.2 cm，先端锐尖，基部楔形，边缘细波状，革质，具羽状脉；叶柄长 0.7 ～ 1 cm，新鲜时呈紫红色，腹面具槽。雌雄异株；伞形花序腋生，1 ～ 3 花序排列成簇状或短总状；雄花小，黄绿色，每伞形花序有花 5；花被裂片 4，两面被贴生柔毛，能育雄蕊通常 12，排成 3 轮；雌花通常有退化雄蕊 4。果实卵球形，成熟时呈暗紫色。

| **生境分布** | 广东有栽培。

王淑安提供

| **资源情况** | 栽培资源一般。药材主要来源于栽培。

| **采收加工** | **月桂叶**：秋季采收，晒干。

月桂子：9 月果实成熟时采收，晒干。

| **功能主治** | **月桂叶**：辛，微温。健脾理气。用于脘腹胀痛；外用于跌打损伤，疥癣。

月桂子：辛，温。祛风除湿，解毒，杀虫。用于风湿痹痛，中河豚毒，疥癣，耳后疮。

| **凭证标本号** | 科技部 2603（SZG 00007785）。

樟科 Lauraceae 山胡椒属 Lindera

乌药 *Lindera aggregata* (Sims) Kosterm.

| 药 材 名 | 乌药（药用部位：块根。别名：天台乌、台乌、矮樟）、乌药叶（药用部位：叶）、乌药子（药用部位：果实）。

| 形态特征 | 常绿灌木，高 4 ~ 5 m。根纺锤状或结节状膨胀。树皮灰绿色。幼枝密生锈色毛，老时几无毛。叶互生，卵形，长 3 ~ 7.5 cm，宽 1.5 ~ 4 cm，先端长渐尖或尾尖，革质，具三出脉。花单性，异株；伞形花序腋生；花被片 6，黄绿色。核果椭圆形或圆形，成熟时呈紫黑色。花期 3 ~ 4 月，果期 9 ~ 10 月。

| 生境分布 | 生于海拔 200 ~ 1 000m 的向阳坡地、山谷或疏林灌丛中。分布于广东从化、始兴、仁化、翁源、乳源、新丰、乐昌、南雄、开平、高州、鼎湖、高要、梅县、大埔、平远、蕉岭、和平、连山、连州、饶平、

新兴及惠州（市区）、阳江（市区）、东莞（市区）。

| 资源情况 | 野生资源较丰富。药材主要来源于野生。

| 采收加工 | **乌药**：全年均可采挖，除去细根，洗净，趁鲜切片，晒干，或直接晒干。

乌药叶：全年均可采收，洗净，鲜用或晒干。

乌药子：10月采收，除去杂质，晒干。

| 药材性状 | **乌药**：本品多呈纺锤形，略弯曲，有的中部收缩成连珠状，长6～15 cm，直径1～3 cm。表面黄棕色或黄褐色，有纵皱纹及稀疏细根痕。质坚硬。切片厚0.2～2 mm，切面黄白色或淡黄棕色，射线放射状，可见年轮环纹，中心颜色较深。气香，味微苦、辛，有清凉感。

| 功能主治 | **乌药**：辛，温。温中散寒，行气止痛。用于胸腹胀痛，气逆喘急，膀胱虚冷，遗尿尿频，疝气，痛经。

乌药叶：辛，温。温中理气，消肿止痛。用于腹中寒痛，小便频数，食积，风湿关节痛。

乌药子：辛，温。散寒回阳，温中和胃。

| 凭证标本号 | 440783190416011LY、440281200712013LY、440781190318019LY。

樟科 Lauraceae 山胡椒属 *Lindera*

狭叶山胡椒

Lindera angustifolia Cheng

| 药 材 名 | 见风消（药用部位：根、茎、叶。别名：小鸡条、雷公杆）。

| 形态特征 | 落叶灌木或小乔木，高 2 ～ 8 m。幼枝条黄绿色；冬芽芽鳞具脊。叶互生，椭圆状披针形，长 6 ～ 14 cm，宽 1.5 ～ 3.5 cm，具羽状脉。伞形花序 2 ～ 3 生于冬芽基部；花被片 6。果实球形，直径约 8 mm，成熟时呈黑色。花期 3 ～ 4 月，果期 9 ～ 10 月。

| 生境分布 | 生于山坡灌丛或疏林中。分布于广东乐昌。

| 资源情况 | 野生资源较丰富。药材主要来源于野生。

| 采收加工 | 夏、秋季采收，晒干。

| **药材性状** | 本品茎呈圆柱形。叶呈宽丝状，全缘；质较韧；气微，味微苦。

| **功能主治** | 辛、微涩，温。祛风解毒，舒筋活络，解毒消肿。用于感冒，头痛，消化不良，胃肠炎，痢疾，风湿关节痛，肢体麻木，跌打损伤，痈肿疮毒，荨麻疹，颈淋巴结结核。

| **凭证标本号** | 叶华谷 7247（IBSC 0121234）。

樟科 Lauraceae 山胡椒属 Lindera

鼎湖钓樟

Lindera chunii Merr.

| 药材名 | 千打锤（药用部位：根。别名：陈氏钓樟、白胶木）。

| 形态特征 | 灌木，高 6 m。叶互生，椭圆形至长椭圆形，长 5 ~ 10 cm，宽 1.5 ~ 4 cm，先端尾状渐尖，纸质，幼时两面被白色或金黄色贴伏绢毛，老时毛仅在叶脉、脉腋处残存。伞形花序数个生于叶腋短枝上，每伞形花序有花 4 ~ 6。果实椭圆形，长 8 ~ 10 mm，直径 6 ~ 7 mm，无毛。花期 2 ~ 3 月，果期 8 ~ 9 月。

| 生境分布 | 生于山谷、山坡疏林中。分布于广东从化、乳源、恩平、信宜、广宁、封开、德庆、高要、博罗、龙门、阳春、新兴、郁南、罗定及清远（市区）。

| 资源情况 | 野生资源较丰富。药材主要来源于野生。

| 采收加工 | 夏、秋季采收,晒干。

| 功能主治 | 辛,温。散瘀消肿,行气止痛。

| 凭证标本号 | 441284191130665LY、441225180609022LY、441224180717029LY。

| 附　注 | 本种根膨大部分可入药,广东鼎湖称其为"台乌球",以其代乌药浸制台乌酒。

樟科 Lauraceae 山胡椒属 Lindera

香叶树

Lindera communis Hemsl.

| 药 材 名 | 香叶树（药用部位：叶、树皮。别名：小粘叶、千斤树、红油果）。

| 形态特征 | 常绿灌木。叶互生，披针形至椭圆形，长 3 ～ 12.5 cm，宽 1 ～ 4.5 cm，先端常渐尖，基部常呈宽楔形，革质，具羽状脉。花单性；雌雄异株；聚伞花序着生于叶腋，具 5 ～ 8 花；花梗长 2 ～ 4 mm；雄花黄色，花被片 6，雄蕊 9；雌花黄白色，花被片 6。果实卵形，成熟时呈红色；果柄长 4 ～ 7 mm。花期 3 ～ 4 月，果期 9 ～ 10 月。

| 生境分布 | 生于海拔 90 ～ 700 m 的山坡或水沟边灌木林。广东各地均有分布。

| 资源情况 | 野生资源较丰富。药材主要来源于野生。

| 采收加工 | 夏、秋季采收，叶晒干，树皮刮去粗皮后晒干。

| 功能主治 | 辛、微苦，温。散瘀止痛，止血，解毒。用于跌打肿痛，外伤出血，疮痈疖肿。

| 凭证标本号 | 441523190403046LY、440783200103026LY、440781190515037LY。

樟科 Lauraceae 山胡椒属 *Lindera*

红果山胡椒

Lindera erythrocarpa Makino

| 药 材 名 | 钓樟根皮（药用部位：根皮）、钓樟枝叶（药用部位：枝叶。别名：
詹糖香、红果钓樟）。

| 形态特征 | 落叶灌木，高可达 5 m。树皮灰褐色。幼枝条灰白色或灰黄色，多
皮孔，其木栓质凸起而致皮甚粗糙。叶互生，倒披针形，长 9 ～
12 cm，宽 4 ～ 5 cm，纸质，下面苍绿色，被贴伏柔毛，具羽状脉。
伞形花序着生于腋芽两侧，有花 15 ～ 17；花被片 6，黄绿色。果实
成熟时呈红色。花期 4 月，果期 9 ～ 10 月。

| 生境分布 | 生于海拔 1 000 m 以下的山坡、山谷、溪边、林下等。分布于广东
乐昌、乳源等。

| 资源情况 | 野生资源较丰富。药材主要来源于野生。

| 采收加工 | **钓樟根皮**：全年均可采收，洗净，晒干。
钓樟枝叶：春、夏、秋季采收，洗净，切碎，鲜用或晒干。

| 功能主治 | **钓樟根皮**：辛，温。暖胃温中，行气止痛，祛风除湿。用于胃寒吐泻，腹痛腹胀，脚气水肿，风湿痹痛，疥癣湿疮，跌打损伤。

钓樟枝叶：辛，温。祛风杀虫，敛疮止血。用于疥癣痒疮，外伤出血，手足皲裂。

| 凭证标本号 | 陈邦余 2944（IBSC 0049182）。

樟科 Lauraceae 山胡椒属 Lindera

山胡椒

Lindera glauca (Sieb. et Zucc.) Bl.

| 药 材 名 | 山胡椒（药用部位：果实。别名：山花椒、山龙苍、雷公尖）、山胡椒根（药用部位：根。别名：牛筋树根、牛筋条根、雷公高）、山胡椒叶（药用部位：叶。别名：见风消、雷公树叶、黄渣叶）。

| 形态特征 | 落叶小乔木，高可达 8 m。根粗壮，坚硬，晒干后有鱼腥气。叶互生，宽椭圆形，长 4 ~ 9 cm，宽 2 ~ 6 cm，下面被白色柔毛，纸质，具羽状脉。伞形花序腋生，每总苞有 3 ~ 8 花；花被片黄色。果实球形，成熟时呈黑褐色；果柄长 1 ~ 1.5 cm。花期 3 ~ 4 月，果期 7 ~ 8 月。

| 生境分布 | 生于海拔 900 m 以下的山坡、林缘。分布于广东始兴、仁化、翁源、乳源、新丰、乐昌、南雄、惠东、大埔、平远、蕉岭、龙川、和平、阳山、连山、连南、饶平及广州（市区）。

| 资源情况 | 野生资源较丰富。药材主要来源于野生。

| 采收加工 | 山胡椒：秋季果实成熟时采收，晒干。
山胡椒根：秋季采收，晒干。
山胡椒叶：秋季采收，晒干或鲜用。

| 药材性状 | 山胡椒：本品呈球形，黑褐色，具网状皱纹，先端钝圆，基部有自果轴脱落的瘢痕。外果皮可剥离，除去果皮可见硬脆的果核。质坚脆，有光泽，外有一隆起的纵横纹。气香，味辛辣、微苦而麻。

| 功能主治 | 山胡椒：辛，温。温中散寒，行气止痛，平喘。
山胡椒根：苦、辛，温。祛风通络，理气活血，利湿消肿，化痰止咳。
山胡椒叶：苦、辛，微寒。解毒消疮，祛风止痛，止痒，止血。

| 凭证标本号 | 441825190808020LY、440281190626003LY、441622200908049LY。

樟科 Lauraceae 山胡椒属 Lindera

黑壳楠 Lindera megaphylla Hemsl.

| 药 材 名 | 黑壳楠（药用部位：根、茎皮、茎枝。别名：岩柴、八角香、枇杷楠）。

| 形态特征 | 常绿乔木。树皮灰黑色。枝条紫黑色，散布有呈木栓质且凸起的近圆形纵裂皮孔。叶互生，倒披针形至倒卵状长圆形，长 10 ～ 23 cm，革质，具羽状脉。伞形花序着生于叶腋长 3.5 mm 且具顶芽的短枝上，两侧各 1；花黄绿色；花被片 6。果实椭圆形，成熟时呈紫黑色；果柄有明显的栓皮质皮孔；宿存果托杯状，略呈微波状。花期 2 ～ 4 月，果期 9 ～ 12 月。

| 生境分布 | 生于海拔 1 600 ～ 1 900 m 的山谷或山坡常绿阔叶林中。分布于广东从化、始兴、翁源、乳源、新丰、乐昌、信宜、怀集、龙门、梅县、大埔、平远、蕉岭、连平、阳山。

| **资源情况** | 野生资源较丰富。药材主要来源于野生。

| **采收加工** | 夏、秋季采收，晒干。

| **功能主治** | 辛、微苦，温。祛风除湿，消肿止痛。用于风湿痹痛，肢体麻木疼痛，脘腹冷痛，疝气疼痛；外用于咽喉肿痛，癣疮瘙痒。

| **凭证标本号** | 440281200709031LY、441422190717169LY。

樟科 Lauraceae 山胡椒属 Lindera

滇粤山胡椒

Lindera metcalfiana Allen

| 药 材 名 | 山香果（药用部位：果实。别名：连杆果、网叶山胡椒）。

| 形态特征 | 灌木，高 3 ～ 12 m，胸径达 20 cm。树皮灰黑色或淡褐色。叶互生，椭圆形，长 5 ～ 13 cm，宽 2 ～ 4.5 cm，常呈镰刀状，革质，具羽状脉。伞形花序生于叶腋被黄褐色微柔毛的短枝上；花被片 6，黄色，两面被黄褐色柔毛，具腺点。果实球形，直径 6 mm，成熟时呈紫黑色；果柄粗壮。花期 3 ～ 5 月，果期 6 ～ 10 月。

| 生境分布 | 生于海拔 1 200 ～ 1 900 m 的山坡、林缘、路旁或常绿阔叶林中。分布于广东大部分山区。

| 资源情况 | 野生资源较丰富。药材主要来源于野生。

| 采收加工 | 夏、秋季果实成熟时采摘，洗净，晒干。

| 功能主治 | 辛、甘，温。补肝肾，暖腰膝。

| 凭证标本号 | 440281190815009LY、440224190609008LY。

樟科 Lauraceae 山胡椒属 Lindera

香粉叶

Lindera pulcherrima var. *attenuata* Allen

| 药 材 名 | 假桂皮（药用部位：茎皮。别名：尖叶樟、香粉叶钓樟）。

| 形态特征 | 常绿乔木。枝条有细纵条纹，初被白色柔毛，后毛脱落；芽大，椭圆形，长 7 ~ 8 mm，芽鳞密被白色贴伏柔毛。叶互生，长卵形，长 8 ~ 13 cm，宽 2 ~ 4.5 cm，先端渐尖，下面蓝灰色，幼叶两面初被白色疏柔毛，后近无毛，具三出脉。伞形花序 3 ~ 5，生于叶腋长 1 ~ 3 mm 的短枝先端；花被片 6。果实椭圆形。果期 6 ~ 8 月。

| 生境分布 | 生于山坡、溪边林中。分布于广东乳源、信宜、龙门、阳山及河源（市区）。

| 资源情况 | 野生资源较丰富。药材主要来源于野生。

| 采收加工 | 夏、秋季采收，晒干。

| 功能主治 | 苦，温。消食。

| 凭证标本号 | 440281190427025LY。

樟科 Lauraceae 山胡椒属 *Lindera*

川钓樟

Lindera pulcherrima var. *hemsleyana* (Diels) H. P. Tsui

| 药 材 名 | 长叶乌药（药用部位：叶、根。别名：香叶子、三条筋、皮桂）。

| 形态特征 | 常绿乔木。枝条初被白色柔毛，后毛渐脱落；芽小，卵状长圆形，长约 4 mm，芽鳞被白色柔毛。叶互生，椭圆形，长 8 ~ 13 cm，宽 2 ~ 4.5 cm，先端具长尾尖，下面蓝灰色，幼叶两面初被白色疏柔毛，后毛脱落，具三出脉。伞形花序 3 ~ 5，生于叶腋长 1 ~ 3 mm 的短枝先端；花被片 6。果实椭圆形。果期 6 ~ 8 月。

| 生境分布 | 生于海拔 1 900 m 左右的山坡、灌丛或林缘。分布于广东各山区。

| 资源情况 | 野生资源较丰富。药材主要来源于野生。

| 采收加工 | 夏、秋季采收，晒干。

| 功能主治 | 辛，温。止血，生肌，消食止痛。

| 凭证标本号 | 粤 73844（CSFI CSFI002777）。

樟科 Lauraceae 山胡椒属 Lindera

山櫃
Lindera reflexa Hemsl.

| 药 材 名 | 山櫃根（药用部位：根或根皮。别名：副山苍、山姜、大叶钓樟）。

| 形态特征 | 落叶灌木。树皮棕褐色，有纵裂及斑点。叶互生，卵形或倒卵状椭圆形，长 9 ~ 12 cm，宽 5.5 ~ 8 cm，先端渐尖，纸质，下面苍绿色，具羽状脉。伞形花序着生于叶芽两侧；花被片 6，黄色。果实球形，直径约 7 mm，成熟时呈红色；果柄被疏柔毛。花期 4 月，果期 8 月。

| 生境分布 | 生于海拔 1 000 m 以下的山谷、山坡或灌丛中。分布于广东始兴、仁化、乳源、南雄、和平、阳山、连山、英德、连州。

| 资源情况 | 野生资源较丰富。药材主要来源于野生。

| 采收加工 | 全年均可采收，晒干或鲜用。

| **功能主治** | 辛，温。祛风理气，止血，杀虫。用于胃痛，腹痛，风寒感冒，风疹疥癣。 |

| **凭证标本号** | 441324181208004LY。 |

樟科 Lauraceae 木姜子属 Litsea

豹皮樟
Litsea coreana var. *sinensis* (Allen) Yang et P. H. Huang

| 药 材 名 | 豹皮樟（药用部位：根、茎皮。别名：扬子木姜子、剥皮枫、花壳柴）。

| 形态特征 | 常绿乔木。树皮灰色，呈小鳞片状剥落，剥落后具鹿斑痕。叶互生，长圆形，先端多急尖，长 4.5～9.5 cm，宽 1.4～4 cm，革质，具羽状脉。伞形花序腋生，有花 3～4；花被裂片 6。果实近球形，成熟时由红色变为黑色；果托扁平，宿存有 6 花被裂片；果柄粗壮且扁平。花期 8～9 月，果期翌年夏季。

| 生境分布 | 生于海拔 900 m 以下的山地杂木林中。分布于广东各山区。

| 资源情况 | 野生资源较丰富。药材主要来源于野生。

采收加工	全年均可采收，洗净，晒干。
功能主治	辛、苦，温。温中止痛，理气行水。用于胃脘胀痛，水肿。
凭证标本号	441622200923043LY。

樟科 Lauraceae 木姜子属 Litsea

山鸡椒
Litsea cubeba (Lour.) Pers.

| 药 材 名 | 荜澄茄（药用部位：果实。别名：毕澄茄、澄茄子）、豆豉姜（药用部位：根。别名：木姜子根、满山香、过山香）、山苍子叶（药用部位：叶）。

| 形态特征 | 落叶灌木或小乔木。枝、叶芳香。花先于叶开放或与叶同放。叶互生，披针形，长 4 ~ 11 cm，宽 1.1 ~ 2.4 cm，纸质，具羽状脉。花单性；雌雄异株；伞形花序单生或簇生于叶腋；花被裂片 6，黄色；能育雄蕊 9。果实近球形，直径约 5 mm，成熟时呈黑色。花期 2 ~ 3 月，果期 7 ~ 8 月。

| 生境分布 | 生于向阳的山地、灌丛、疏林或路旁、水边。分布于广东各山区。

| 资源情况 | 野生资源较丰富。药材主要来源于野生。

| 采收加工 | **荜澄茄：** 秋季果实成熟时采收，除去杂质，晒干。
豆豉姜： 9 ~ 10 月采挖，抖净泥土，晒干。
山苍子叶： 夏、秋季采收，除去杂质，鲜用或晒干。

| 药材性状 | **荜澄茄：** 本品类球形，直径 4 ~ 6 mm。表面棕褐色至黑褐色，有网状皱纹，基部偶有宿萼和细果柄，除去外皮可见硬脆的果核。种子 1，子叶 2，黄棕色，富油性。
豆豉姜： 本品圆锥形。表面棕色，有皱纹及颗粒状突起。质地轻泡，易折断，断面灰褐色，横切面有小孔。气香，味辛辣。
山苍子叶： 本品叶片披针形或长椭圆形，易破碎。表面棕色或棕绿色，长 4 ~ 10 cm，宽 1 ~ 2.4 cm，先端渐尖，基部楔形，全缘，羽状网脉明显，于下表面稍凸起。质较脆。气芳香，味辛。

| 功能主治 | **荜澄茄：** 辛，温。温中散寒，行气止痛。用于胃寒呕逆，脘腹冷痛，寒疝腹痛，寒湿郁滞，小便浑浊。
豆豉姜： 辛，温。祛风除湿，理气止痛。用于感冒，风湿痹痛，胃痛，脚气。
山苍子叶： 辛、微苦，温。理气散结，解毒消肿，止血。用于痈疽肿痛，乳痈，蛇虫咬伤，外伤出血，脚肿。

| 凭证标本号 | 441523190516053LY、441825190713016LY、440882180501212LY。

樟科 Lauraceae 木姜子属 Litsea

黄丹木姜子

Litsea elongata (Wall. ex Nees) Benth. et Hook. f.

| 药 材 名 | 野枇杷木（药用部位：根。别名：黄壳楠、长叶木姜子、打色眼树）。

| 形态特征 | 常绿小乔木，高达 12 m。小枝密被褐色绒毛。叶互生，长圆形，长 6 ~ 22 cm，宽 2 ~ 6 cm，革质，下面被短柔毛，具羽状脉。伞形花序单生，每花序有花 4 ~ 5；花被裂片 6。果实长圆形，长 11 ~ 13 mm，直径 7 ~ 8 mm，成熟时呈黑紫色；果托杯状，直径约 5 mm；果柄长 2 ~ 3 mm。花期 5 ~ 11 月，果期 2 ~ 6 月。

| 生境分布 | 生于山坡、路旁、溪旁及森林中。分布于广东增城、从化、曲江、始兴、仁化、乳源、新丰、乐昌、信宜、怀集、封开、高要、龙门、蕉岭、和平、阳春、阳山、连山、英德、连州。

| 资源情况 | 野生资源较丰富。药材主要来源于野生。

| 功能主治 | 祛风除湿。

| 凭证标本号 | 441523200107005LY、440281190816010LY、441422190717617LY。

樟科 Lauraceae 木姜子属 Litsea

毛叶木姜子 Litsea mollis Hemsl.

| 药 材 名 | 木姜子（药用部位：果实。别名：山胡椒、木香子、辣姜子）。

| 形态特征 | 落叶灌木，高达 4 m。树皮有黑斑，割破后有松节油气味。小枝有柔毛。叶互生或聚生于枝顶，长圆形，长 4 ~ 12 cm，宽 2 ~ 4.8 cm，先端突尖，纸质，下面苍绿色，密被白色柔毛，具羽状脉。伞形花序腋生，常 2 ~ 3 簇生于短枝上，有花 4 ~ 6；花被裂片 6，黄色。果实成熟时呈蓝黑色。花期 3 ~ 4 月，果期 9 ~ 10 月。

| 生境分布 | 生于山坡灌丛或阔叶林中。分布于广东增城、从化、乳源、广宁、怀集、博罗、和平、阳春、阳山、连山、英德、连州及河源（市区）。

| 资源情况 | 野生资源较丰富。药材主要来源于野生。

采收加工	秋末采摘，阴干。

药材性状	本品类圆球形，直径 4 ～ 5 mm。外表面黑棕色至棕黑色，有网状皱纹，先端钝圆，基部常见因果柄脱落而留下的圆形瘢痕，少数残留宿萼及折断的果柄。果核表面暗棕褐色，有光泽，外有一隆起的纵横纹；质坚脆。

功能主治	辛、苦，温。温中行气止痛，燥湿健脾消食。

凭证标本号	441224180901013LY、445222180430006LY。

樟科 Lauraceae 木姜子属 Litsea

潺槁木姜子
Litsea glutinosa (Lour.) C. B. Rob.

| 药 材 名 | 残槁蒀（药用部位：树皮、叶。别名：大疳根、香胶木、山胶木）、残槁蒀根（药用部位：根）。

| 形态特征 | 常绿乔木，全株几被灰黄色绒毛。叶互生，倒卵形，长 6.5 ~ 14 cm，宽 3.3 ~ 6 cm，革质，具羽状脉；叶柄长 1 ~ 2.6 cm。伞形花序生于小枝上部叶腋，单生或多个生于短枝上；花序梗长 0.5 ~ 1.5 cm；花黄绿色。果实球形，直径约 7 mm；果柄长 5 ~ 6 mm；果托浅盘状。花期 5 ~ 6 月，果期 9 ~ 10 月。

| 生境分布 | 生于海拔 500 ~ 1 900 m 的山地林缘、溪旁、疏林或灌丛中。分布于广东番禺、增城、从化、翁源、宝安、南澳、南海、新会、台山、开平、鹤山、恩平、遂溪、徐闻、雷州、高州、信宜、高要、四会、

博罗、惠东、陆河、陆丰、阳春、揭西及清远（市区）。

| 资源情况 | 野生资源较丰富。药材主要来源于野生。

| 采收加工 | 夏、秋季采收，晒干。

| 功能主治 | **残槁薯：**甘、苦，凉。拔毒生肌止血，消肿止痛。用于疮疖痈肿，跌打损伤，外伤出血。

残槁薯根：甘、苦，凉。清湿热，拔毒消肿，祛风湿，止痛。用于腹泻痢疾，跌打损伤，腮腺炎，糖尿病，急、慢性胃炎，风湿骨痛。

| 凭证标本号 | 441523190921032LY、440781190515004LY、441284190726664LY。

樟科 Lauraceae 木姜子属 Litsea

假柿木姜子 *Litsea monopetala* (Roxb.) Pers.

| 药 材 名 | 假柿树（药用部位：叶。别名：柿叶木姜、猪母槁、假沙梨）。

| 形态特征 | 常绿乔木，高达 18 m。小枝、叶柄、叶片下面均被锈色短柔毛。叶互生，宽卵形，长 8 ~ 20 cm，宽 4 ~ 12 cm，先端钝，基部圆或急尖，薄革质，具羽状脉。伞形花序簇生于叶腋，总梗极短，有花 4 ~ 6；花被片 5 ~ 6，黄白色。果实长卵形，长约 7 mm，直径 5 mm；果托浅碟状。花期 11 月至翌年 5 ~ 6 月，果期 6 ~ 7 月。

| 生境分布 | 生于山地疏林或灌丛中。广东各地均有分布。

| 资源情况 | 野生资源较丰富。药材主要来源于野生。

| 采收加工 | 全年均可采摘，鲜用。

| 功能主治 | 微苦，温。行气止痛，祛风消肿。

| 凭证标本号 | 440783190813003LY、440882180126666LY、440785180505034LY。

樟科 Lauraceae 木姜子属 *Litsea*

木姜子
Litsea pungens Hemsl.

| 药 材 名 | 木姜子（药用部位：果实。别名：山胡椒、木樟子、木香子）。

| 形态特征 | 落叶小乔木，高3 ~ 10 m。树皮灰白色。叶互生，常聚生于枝顶，披针形或倒卵状披针形，长4 ~ 15 cm，宽2 ~ 5.5 cm，膜质，具羽状脉。伞形花序腋生；花被裂片6，黄色。果实球形，直径7 ~ 10 mm，成熟时呈蓝黑色；果柄先端略增粗。花期3 ~ 5 月，果期7 ~ 9 月。

| 生境分布 | 生于海拔800 ~ 1 900 m的溪旁、山地阳坡林中或林缘。分布于广东乐昌、南雄、和平、连州及韶关（市区）等。

| 资源情况 | 野生资源较丰富。药材主要来源于野生。

| 采收加工 | 8 ~ 9 月采收，晒干。

| 药材性状 | 本品类圆球形，直径 4 ~ 5 mm；外表面黑褐色或棕褐色，有网状皱纹，先端钝圆，基部可见因果柄脱落而留下的圆形瘢痕，少数残留宿萼及折断的果柄，除去果皮可见硬脆的果核，果核表面暗棕褐色。质坚脆，有光泽，外有一隆起的纵横纹。内含种子 1，胚具子叶 2，黄色，富油性。气芳香，味辛辣，微苦而麻。

| 功能主治 | 辛、苦，温。温中行气止痛，燥湿健脾消食，解毒消肿。

| 凭证标本号 | 440785180507006LY、441623180812016LY。

| 附　　注 | 《全国中草药汇编》记载木姜子的入药部位为果实和叶，《中药大辞典》记载木姜子的入药部位为果实，《中华本草》记载本种的同属植物清香木姜子 *Litsea euosma* W. W. Smith. 和毛叶木姜子 *Litsea mollis* Hemsl. 的果实也作木姜子药材使用。

樟科 Lauraceae 木姜子属 Litsea

豹皮樟
Litsea rotundifolia var. oblongifolia (Nees) Allen

| 药 材 名 | 豹皮樟（药用部位：根、树皮。别名：过山香、山桂、豹皮黄肉楠）。

| 形态特征 | 常绿灌木或小乔木。树皮灰色或灰褐色，常有褐色斑块。叶薄革质，互生，卵状长圆形，长 2.5 ～ 5.5 cm，宽 1 ～ 2.2 cm，具羽状脉。伞形花序常 3 簇生于叶腋，几无总梗，每花序有花 3 ～ 4；花被裂片 6。果实球形，直径约 6 mm，几无果柄，成熟时呈灰蓝黑色，表面被白粉。花期 8 ～ 9 月，果期 9 ～ 11 月。

| 生境分布 | 生于丘陵地下部的灌木林或疏林中。广东各地均有分布。

| 资源情况 | 野生资源较丰富。药材主要来源于野生。

| 采收加工 | 夏、秋季采收，晒干。

| 功能主治 | 辛，温。祛风除湿，行气止痛，活血通经。用于风湿性关节炎，腰腿痛，跌打损伤，痛经，胃痛，腹泻，水肿。

| 凭证标本号 | 441523190516050LY、440783191207003LY、441823200724026LY。

樟科 Lauraceae 木姜子属 *Litsea*

轮叶木姜子 *Litsea verticillata* Hance

| 药 材 名 | 跌打老（药用部位：茎、叶、根。别名：过山风、大五托、牛拉力）。

| 形态特征 | 常绿灌木，高 2 ~ 5 m。叶 4 ~ 6 轮生，披针形，长 7 ~ 25 cm，宽
2 ~ 6 cm，薄革质，下面淡灰绿色，有黄褐色柔毛，具羽状脉；叶
柄密被黄色长柔毛。伞形花序 2 ~ 10 集生于小枝顶部，有花 5 ~ 8；
花淡黄色，近无梗；花被裂片 6。果实先端有小尖头；果托碟状，
直径约 3 mm。花期 4 ~ 11 月，果期 11 月至翌年 1 月。

| 生境分布 | 生于山谷、溪旁、灌丛中或杂木林中。分布于广东增城、从化、仁化、
翁源、乳源、乐昌、新会、台山、鹤山、信宜、鼎湖、怀集、封开、
德庆、高要、龙门、连山、英德、新兴、郁南、罗定及珠海（市区）、
阳江（市区）。

| **资源情况** | 野生资源较丰富。药材主要来源于野生。 |

| **采收加工** | 夏、秋季采收，洗净，鲜用或晒干。 |

| **功能主治** | 辛、苦，温。祛风通络，活血消肿，止痛。用于风湿性关节炎，腰腿痛，四肢麻痹，痛经，跌打肿痛。 |

| **凭证标本号** | 441225181121008LY、441224180829013LY。 |

樟科 Lauraceae 润楠属 Machilus

黄绒润楠 *Machilus grijsii* Hance

| 药 材 名 | 香槁树（药用部位：茎皮、枝叶。别名：跌打王、香胶树）。

| 形态特征 | 乔木，高可达 5 m，全株几被短绒毛。叶倒卵状长圆形，长 7.5 ～ 14 cm，宽 3.7 ～ 6.5 cm，先端渐狭，革质，中脉和侧脉在上面凹下，在下面隆起；叶柄长 7 ～ 18 mm。花序短，丛生于小枝枝梢，长约 3 cm，总梗长 1 ～ 2.5 cm；花梗长约 5 mm；花被裂片长约 3.5 mm。果实直径约 10 mm。花期 3 月，果期 4 月。

| 生境分布 | 生于灌丛或密林中。分布于广东始兴、乳源、乐昌、怀集、封开、大埔、阳春、阳山、英德等。

| 资源情况 | 野生资源较丰富。药材主要来源于野生。

| **采收加工** | 全年均可采收，鲜用或晒干。 |

| **功能主治** | 甘、微苦，凉。散瘀消肿，止血消炎。用于跌打瘀肿，骨折，脱臼，外伤出血，口腔炎，喉炎，扁桃体炎。 |

| **凭证标本号** | 441622200919019LY、440224180401045LY、441827190309009LY。 |

| **附　注** | 《中华本草》记载本种的入药部位为枝叶、树皮，《全国中草药汇编》记载本种的入药部位为全株。 |

薄叶润楠 *Machilus leptophylla* Hand.-Mazz.

| 药材名 | 华东润楠（药用部位：茎皮。别名：大叶楠、华东楠）。

| 形态特征 | 高大乔木，高达 28 m。树皮灰褐色。叶互生或在当年生枝上轮生，倒卵状长圆形，长 14 ~ 24 cm，宽 3.5 ~ 7 cm，坚纸质，叶下面带灰白色，被稍疏绢毛。圆锥花序 6 ~ 10，聚生于嫩枝基部，通常 3 花生在一起；花白色。果实球形，直径约 1 cm；果柄长 5 ~ 10 mm。

| 生境分布 | 生于山地林中。分布于广东曲江、仁化、乳源、乐昌、平远、和平、阳山、连山、英德、连州及茂名（市区）等。

| 资源情况 | 野生资源较丰富。药材主要来源于野生。

| **采收加工** | 夏、秋季采收，切片，晒干。

| **功能主治** | 苦、微辛，微温。活血，散瘀，止痢。

| **凭证标本号** | 440281190627018LY。

樟科 Lauraceae 润楠属 *Machilus*

刨花润楠 *Machilus pauhoi* Kanehirn

| 药 材 名 | 白楠木（药用部位：茎。别名：美人柴、粘柴、刨花楠）。

| 形态特征 | 乔木，高 6.5 ~ 20 m，直径达 30 cm。树皮灰褐色，有浅裂。叶常集生于小枝梢端，椭圆形，长 7 ~ 15 cm，宽 2 ~ 4 cm，革质。聚伞状圆锥花序生于当年生枝下部，与叶近等长，有微小柔毛。果实球形，直径约 1 cm，成熟时呈黑色。

| 生境分布 | 生于山坡灌丛或山谷疏林中。分布于广东从化、丰顺、佛冈、乐昌、连州、罗定、平远、饶平、仁化、乳源、始兴、阳山、英德、郁南、增城及潮州（市区）、韶关（市区）、清远（市区）、深圳（市区）等。

| 资源情况 | 野生资源较丰富。药材主要来源于野生。

| **采收加工** | 全年均可采收，用宽刨刀刨成宽约 4 cm 的薄片，晒干。

| **功能主治** | 甘、微辛，凉。清热解毒，润肠通便。用于烫伤，大便秘结。

| **凭证标本号** | 441523190405003LY、441882180508021LY、445222180805001LY。

樟科 Lauraceae 润楠属 Machilus

柳叶润楠
Machilus salicina Hance

| 药 材 名 | 柳叶润楠（药用部位：叶。别名：柳楠、柳叶桢楠）。

| 形态特征 | 灌木，通常高 3 ~ 5 m。枝条褐色，有纵裂的浅棕色皮孔。叶常生于枝梢，线状披针形，长 4 ~ 12 cm，宽 1 ~ 2.5 cm，基部渐狭，革质。聚伞状圆锥花序多数，生于新枝上端；花黄色。果序疏松，生于小枝先端，长 3.5 ~ 7.5 cm；果实球形，直径 7 ~ 10 mm，成熟时呈紫黑色；果柄红色。花期 2 ~ 3 月，果期 4 ~ 6 月。

| 生境分布 | 生于低海拔地区的溪畔、河边。分布于广东博罗、从化、化州、惠东、乐昌、连山、连州、南雄、仁化、乳源、始兴、翁源、新丰、信宜、英德、郁南及河源（市区）、江门（市区）等。

| 资源情况 | 野生资源较丰富。药材主要来源于野生。

| 采收加工 | 全年均可采摘，鲜用。

| 功能主治 | 淡，平。消肿毒。

| 凭证标本号 | 441882180509012LY。

樟科 Lauraceae 润楠属 Machilus

红楠

Machilus thunbergii Sieb. et Zucc.

| 药 材 名 | 红楠皮（药用部位：根皮、树皮。别名：猪脚楠、楠仔木、楠柴）。

| 形态特征 | 乔木。嫩枝紫红色。叶柄和中脉均带红色；叶倒卵形。聚伞花序顶生或腋生，花序梗长 1.7 ~ 4 cm；花梗长 0.8 ~ 1.6 cm；花被片内面上端有短柔毛。果实扁球形，直径 8 ~ 10 mm；果柄鲜红色。花期 2 月，果期 7 月。

| 生境分布 | 生于海拔 600 m 以上的山地阔叶林中。分布于广东从化、仁化、乳源、新丰、乐昌、恩平、怀集、封开、高要、龙门、大埔、五华、平远、蕉岭、阳山、连山、英德、连州及深圳（市区）、潮州（市区）、云浮（市区）、阳江（市区）等。

| 资源情况 | 野生资源较丰富。药材主要来源于野生。

| 采收加工 | 全年均可采剥，刮去栓皮，洗净，切段，鲜用或晒干。

| 功能主治 | 辛、苦，温。温中顺气，疏经活血，消肿止痛。用于呕吐腹泻，小儿吐乳，胃呆食少，扭挫伤，转筋，足肿。

| 凭证标本号 | 441523190516015LY、441882190613009LY、441324190318017LY。

樟科 Lauraceae 润楠属 Machilus

绒毛润楠
Machilus velutina Champ. ex Benth.

| 药 材 名 |

绒毛桢楠（药用部位：根、叶。别名：猴高铁、野枇杷、山枇杷）。

| 形态特征 |

乔木，全株几密被锈色绒毛。叶互生，狭倒卵形，长 5 ~ 11 cm，宽 2 ~ 5.5 cm，基部楔形，革质，侧脉每边 8 ~ 11，叶脉在下面明显凸起；叶柄长 1 ~ 3cm。花序单生或 2 ~ 3 集生于小枝先端，近无总梗；花两性，黄绿色，有香味。果实直径约 4 mm，紫红色；果柄红色。花期 10 ~ 12 月，果期翌年 2 ~ 3 月。

| 生境分布 |

生于低海拔山区阔叶林中。广东各地均有分布。

| 资源情况 |

野生资源较丰富。药材主要来源于野生。

| 采收加工 |

夏、秋季采收，根切片晒干，叶晒干。

| 功能主治 | 苦，凉。化痰止咳，消肿止痛，收敛止血。用于咳嗽痰多，痈疖疮肿，骨折，烫火伤，外伤出血。

| 凭证标本号 | 441825210313021LY、441523191018031LY、440781191102009LY。

樟科 Lauraceae 新木姜子属 *Neolitsea*

新木姜子 *Neolitsea aurata* (Hay.) Koidz.

| **药 材 名** | 斩木橿子（药用部位：根、树皮）。

| **形态特征** | 乔木，高达 14 m，胸径达 18 cm。树皮灰褐色。叶互生或聚生于枝顶，呈轮生状，长圆形，长 8 ～ 14 cm，宽 2.5 ～ 4 cm，先端镰刀状渐尖，革质，下面密被金黄色绢毛，具离基三出脉。伞形花序 3 ～ 5 簇生于枝顶或节间，有花 5；花被裂片 4。果实椭圆形，长 8 mm；果托浅盘状。花期 2 ～ 3 月，果期 9 ～ 10 月。

| **生境分布** | 生于海拔 500 ～ 1 700 m 的山坡林缘、疏林中。分布于广东始兴、仁化、翁源、乳源、新丰、乐昌、高要、和平、阳山、连山、英德、连州等。

| **资源情况** | 野生资源较丰富。药材主要来源于野生。

| **采收加工** | 夏、秋季采收，晒干。

| **功能主治** | 理气止痛，消肿。用于胃脘胀痛，水肿。

| **凭证标本号** | 441223191116006LY。

樟科 Lauraceae 新木姜子属 *Neolitsea*

锈叶新木姜
Neolitsea cambodiana Lec.

| 药 材 名 | 大叶樟（药用部位：叶。别名：红楣树）。

| 形态特征 | 乔木。枝叶轮生或近轮生，全株几被锈色毛。叶长圆状披针形，长 10 ~ 17 cm，宽 3.5 ~ 6 cm，先端渐尖，基部楔形，革质，具羽状脉或近远离基三出脉，叶脉在两面均凸起；叶柄长 1 ~ 1.5 cm。伞形花序多个簇生，有花 4 ~ 5。核果球形，直径 8 ~ 10 mm；果托扁平盘状。花期 10 ~ 12 月，果期翌年 7 ~ 8 月。

| 生境分布 | 生于海拔 1 000 m 以下的山地混交林中。分布于广东从化、曲江、始兴、仁化、翁源、乳源、新丰、乐昌、怀集、封开、德庆、高要、龙门、大埔、和平、阳山、连山、英德、连州及深圳（市区）等。

| 资源情况 | 野生资源较丰富。药材主要来源于野生。

| 采收加工 | 全年均可采收，鲜用或晒干。

| 功能主治 | 辛，凉。清热解毒，祛湿止痒。用于痈疽肿毒，湿疮疥癣。

| 凭证标本号 | 44182519080 2008LY、441622200923028LY、440224181129019LY。

樟科 Lauraceae 新木姜子属 Neolitsea

鸭公树 *Neolitsea chuii* Merr.

| **药 材 名** | 鸭公树子（药用部位：种子）。

| **形态特征** | 乔木。小枝绿黄色。除花序外，其他部位均无毛。叶互生或聚生于枝顶，呈轮生状，椭圆形，长 8 ~ 16 cm，宽 2.7 ~ 9 cm，革质，具离基三出脉；叶柄长 2 ~ 4 cm。伞形花序多数簇生于叶腋或枝顶，具花 5 ~ 6；花梗长 4 ~ 5 mm，被灰色柔毛；花被裂片 4。果实近球形，长约 1 cm，直径约 8 mm。花期 9 ~ 10 月，果期 12 月。

| **生境分布** | 生于山谷或丘陵地的疏林中。分布于广东除西南部雷州半岛以外的地区。

| **资源情况** | 野生资源较丰富。药材主要来源于野生。

采收加工	冬季采摘成熟果实，取种子，除去杂质，晒干。
功能主治	辛，温。理气止痛，消肿。用于胃脘胀痛，水肿。
凭证标本号	441523191018040LY、441825190803031LY、440224181204022LY。

簇叶新木姜 *Neolitsea confertifolia* (Hemsl.) Merr.

| 药 材 名 | 簇叶新木姜（药用部位：茎皮。别名：密叶新木姜、香桂子树、丛叶楠）。

| 形态特征 | 小乔木，高3～7 m。小枝常轮生，嫩时有灰褐色短柔毛。叶密集，呈轮生状，长圆形，长5～12 cm，宽1.2～3.5 cm，薄革质，边缘微呈波状，羽状脉在两面皆突起。伞形花序常3～5簇生于叶腋或节间，几无总梗；苞片4；花被裂片4，黄色。果实成熟时呈灰蓝黑色；果托扁平盘状；果柄先瑞略增粗。花期4～5月，果期9～10月。

| 生境分布 | 生于山地、水旁、灌丛及山谷密林中。分布于广东乳源、乐昌。

| **资源情况** | 野生资源较丰富。药材主要来源于野生。

| **采收加工** | 夏、秋季采收，晒干。

| **功能主治** | 辛、苦，微温。祛风行气，健脾利湿。

| **凭证标本号** | 南岭队 3340（IBSC 0073291）。

樟科 Lauraceae 新木姜子属 *Neolitsea*

大叶新木姜子 *Neolitsea levinei* Merr

| 药 材 名 | 土玉桂（药用部位：根、树皮。别名：假肉桂、假玉桂、厚壳树）。

| 形态特征 | 乔木，高达 22 m。叶轮生，4 ~ 5 叶排成 1 轮，长圆状披针形，长 15 ~ 31 cm，宽 4.5 ~ 9 cm，革质，具离基三出脉。伞形花序数个生于枝侧，具总梗，每花序有花 5；花被裂片 4，卵形，黄白色。果实椭圆形，成熟时呈黑色；果柄密被柔毛，顶部略增粗。花期 3 ~ 4 月，果期 8 ~ 10 月。

| 生境分布 | 生于海拔 300 ~ 1 300 m 的山地路旁、水旁及山谷密林中。分布于广东增城、曲江、始兴、仁化、翁源、乳源、新丰、乐昌、南雄、信宜、怀集、龙门、梅县、大埔、五华、平远、和平、阳山、连山、英德、连州。

| **资源情况** | 野生资源较丰富。药材主要来源于野生。

| **采收加工** | 秋季采收，刮去栓皮，洗净，晒干。

| **功能主治** | 辛、苦，温。祛风除湿。用于风湿骨痛，带下，痈肿疮毒。

| **凭证标本号** | 441523191018034LY、441825210313048LY、441823200708036LY。

樟科 Lauraceae 鳄梨属 Persea

鳄梨
Persea americana Mill.

| 药 材 名 | 樟梨（药用部位：果实。别名：油梨）。

| 形态特征 | 常绿乔木，高约 10 m。树皮灰绿色，纵裂。叶互生，长椭圆形，长8 ~ 20 cm，宽 5 ~ 12 cm，先端急尖，革质，具羽状脉。聚伞状圆锥花序长 8 ~ 14 cm，多数生于小枝的下部；花被裂片 6。果实大，通常呈梨形，长 8 ~ 18 cm，黄绿色或红棕色，外果皮木栓质，中果皮肉质，可食。花期 2 ~ 3 月，果期 8 ~ 9 月。

| 生境分布 | 广东无野生分布。广东西南部雷州半岛等热带、南亚热带地区有引种栽培。

| 资源情况 | 广东无野生资源。药材主要来源于栽培。

| **功能主治** | 生津止渴。用于糖尿病。 |

| **凭证标本号** | IBSC 0064148。 |

樟科 Lauraceae 楠属 Phoebe

闽楠

Phoebe bournei (Hemsl.) Yang

| 药 材 名 | 竹叶楠（药用部位：根皮、叶。别名：兴安楠木）。

| 形态特征 | 大乔木，高 15 ~ 20 m。叶革质或厚革质，披针形，长 7 ~ 13 cm，宽 2 ~ 3 cm，上面发亮，下面有短柔毛。圆锥花序生于新枝中部、下部，被毛；花被片两面均被短柔毛。果实椭圆形或长圆形，长 1.1 ~ 1.5 cm，直径 6 ~ 7 mm；宿存花被片被毛，紧贴。花期 4 月，果期 10 ~ 11 月。

| 生境分布 | 生于山谷常绿阔叶林中。分布于广东始兴、仁化、乐昌、大埔、连山、英德。

| 资源情况 | 野生资源较少。药材主要来源于野生。

| **采收加工** | 夏、秋季采收，晒干。 |

| **功能主治** | 苦，微寒。清热解毒，收敛止血。 |

| **凭证标本号** | 440281190814009LY。 |

樟科 Lauraceae 楠属 *Phoebe*

紫楠
Phoebe sheareri (Hemsl.) Gamble

| 药 材 名 | 紫楠叶（药用部位：叶。别名：枇杷木、猪脚楠）、紫楠根（药用部位：根）。

| 形态特征 | 乔木，高 5 ~ 15 m。全株密被黄褐色、灰黑色柔毛或绒毛。树皮灰白色。叶革质，倒卵形，长 8 ~ 27 cm，宽 3.5 ~ 9 cm。圆锥花序长 7 ~ 15 cm，在先端分枝；花长 4 ~ 5 mm；花被片两面均被毛。果实卵形，长约 1 cm，直径 5 ~ 6 mm；宿存花被片两面均被毛。花期 4 ~ 5 月，果期 9 ~ 10 月。

| 生境分布 | 生于海拔 1 000 m 以下的山地常绿阔叶林中。分布于广东从化、始兴、仁化、翁源、乳源、新丰、乐昌、梅县、蕉岭、和平、阳山、连山、连州等。

| 资源情况 | 野生资源较少。药材主要来源于野生。

| 采收加工 | 紫楠叶：全年均可采收，晒干。

紫楠根：全年均可采收，晒干。

| 功能主治 | 紫楠叶：辛，微温。顺气，暖胃，祛湿，散瘀。用于气滞脘腹胀痛，脚气水肿，转筋。

紫楠根：活血祛瘀，行气消肿。用于跌打损伤，水肿腹胀，孕妇过月不产。

| 凭证标本号 | 440224180530017LY、440281190626019LY、441882180814099LY。

樟科 Lauraceae 檫木属 *Sassafras*

檫木

Sassafras tzumu (Hemsl.) Hemsl.

| 药 材 名 | 檫树（药用部位：根、茎皮、叶。别名：半风樟、山檫、青檫）。

| 形态特征 | 落叶乔木。叶互生，聚集于枝顶，卵形，长 9 ~ 18 cm，宽 6 ~ 10 cm，先端渐尖，基部楔形，全缘或 2 ~ 3 浅裂，裂片先端略钝，坚纸质，具羽状脉或离基三出脉。花序顶生；花先于叶开放；雌雄异株。果实近球形，直径达 8 mm，有白蜡粉。花期 3 ~ 4 月，果期 5 ~ 9 月。

| 生境分布 | 生于疏林或密林中。分布于广东从化、曲江、始兴、乳源、乐昌、新会、封开、平远、龙川、和平、阳山、连山、英德等。

| 资源情况 | 野生资源丰富。药材主要来源于野生。

| 采收加工 | 根，秋、冬季采挖，洗净泥沙，切段，晒干。茎皮、叶，秋季采集，切段，晒干。 |

| 功能主治 | 甘、淡，温。祛风除湿，活血散瘀。用于风湿性关节炎，类风湿关节炎，腰肌劳损，慢性腰腿痛，半身不遂，跌打损伤，扭挫伤；外用于刀伤出血。 |

| 凭证标本号 | 441823190313001LY、441622200922021LY、441623180626041LY。 |